TART NA CÓRA

" Is beannaithe iadsan a bhfuil ocras agus tart na córa orthu óir sásófar iad."

—An tSeanmóir ar an Sliabh.

TART NA CÓRA

SAOL AGUS SAOTHAR

SHÉAMAIS UÍ CHONGHAILE

PROINSIAS MAC AN BHEATHA

a scríobh

FOILSEACHÁIN NÁISIÚNTA TEORANTA

BAILE ÁTHA CLIATH

Leis an údar :
Gaeilge don Phobal

Do Mhonica agus do na
páistí a d'fhoighnigh liom

An Chéad Chló

Arna chlóbhualadh ina gclólann féin i gCathair
na Mart ag Foilseacháin Náisiúnta Teoranta

CLÁR

CLÁR NA bPICTIÚR

RÉAMHRÁ

IS FADA mé ar an tuairim gur beag an tuiscint atá againn, de ghnáth, ar Shéamas Ó Conghaile, ar a shaothar nó ar a theagasc. Náisiúntóirí, ceardchumannaigh, Marxaigh, agus cumannaithe, ba mhian le gach dream gur leo féin é gan buíochas, bunús an ama, don teagasc a thug sé uaidh. Ba mhian liom leabhar a scríobh a shoiléireodh saol agus saothar agus go háirithe teagasc an Chonghailigh do " órshliocht álainn ársa Chobhaigh Chaoilmbreá ". Is dóigh liom go mbeidh gá leis an tsoiléireacht tuisceana sin sna blianta atá chugainn.

Ar éigean is gá dom a rá gur i mBéarla a scríobh an Conghaileach agus gur aistriúcháin a bhfuil dá scríbhinní agus dá ráitis i nGaeilge sa leabhar seo. D'fhág mé roinnt de na sleachta as a scríbhinní agus ráitis gan aistriú — cuid díobh ar mhaithe le gné éigin stíle atá iontu, cuid eile le nach mbeadh aon amhras faoin chiall atá leo.

Agus ceisteanna sóisialacha agus eacnamaíochta á bplé ba ghá focail agus abairtí a úsáid nach dtagaimid orthu, de ghnáth, sa Ghaeilge. Tá gluais bheag, dá bhrí sin, curtha leis an leabhar.

Ba liosta le lua ainmneacha na ndaoine, lucht leabharlann agus eile, a bhfuil mé faoi chomaoin acu as eolas agus chomhairle a thabhairt dom. Tá súil agam go nglacfaidh siad leis an bhfocal buíochas seo uaim. Tá mo bhuíochas ar leith ag dul do iníonacha an Chonghailigh, an Seanadóir Nóra Chonghaileach Bean Uí Bhriain agus Ina Chonghaileach Bean Uí Uidhrín. Ba dhúlaí dom mura ngabhfainn buíochas freisin le Deasún Ó Riain. Murach a shaothar taighde agus eagarthóireachta ba mhíle uair ba dheacra dúinn eolas ar bith a chur ar an gConghaileach. Tá ár mbuíochas tuillte mar an gcéanna ag Ceardchumann Oibrithe Iompair agus

Ilsaothair na hÉireann a choinníonn cuimhne an Chonghailigh beo agus ag Liam Ó Briain, Athrúnaí Ginearálta an Cheardchumainn, as a ndearna sé riamh le scríbhinní an Chonghailigh a shlánú dúinn. Tá tagairt sa leabhar seo do thriúr a bhfuil Liam Ó Briain orthu. Áit ar bith nach ndéantar soiléir cé hé atá i gceist, is ceart a ghlacadh gurb é Athrúnaí Ginearálta an Cheardchumainn é.

Tá mé buíoch de Tharlach Ó hUid agus de Phroinsias Ó Conluain as an lámhscríbhinn a léamh agus as a gcomhairle.

PROINSIAS MAC AN BHEATHA.

I

OIGE

1

VIA DOLOROSA

THUG Séamas Ó Conghaile "Via Dolorosa an chine Gael" ar an seachtú, an ochtú agus an naoú céad déag. Bhí a fhios aige an ní a raibh sé ag caint air. Chuir sé féin eolas ar bhóthar sin an dúbhróin le linn a sheala féin ar an saol seo. Shiúil sé a chuid féin den bhóthar sin. An chuid nár shiúil fuair sé a eolas agus a iomrá óna mhuintir arbh éigean dóibh a thriall roimhe.

Ba choscrach an t-eolas é. Ar éigean má tá scríobh nó insint air. Ní thig a mhíniú le figiúirí. Mar sin féin, má táimid leis an gConghaileach a thuiscint, is gá go mbeadh tuiscint éigin againn ar an saol as ar tháinig sé. Is sna focail seo a leanas a thug sé féin cuntas ar an leath deireanach den 19ú céad. Scríobh sé iad i 1897, tráth a rabhthas a dhéanamh réidh le cuairt Victoria, Banríon Shasana, ar Éirinn a chomóradh :

"Le linn na réime glórmhaire seo chonaic Éire 1,225,000 dá clann ag fáil bháis den ocras, ag fáil bháis den ocras tráth a raibh toradh na talún agus toradh a saothair á alpadh ag iolair chíocracha ; chonaic sí 3,668,000 curtha as seilbh a dtailte agus 4,186,000 dá muintir ag déanamh imirce in éadan a dtola.

"I láthair na huaire tá 75% dár lucht saothraithe

pá ag fáil níos lú ná £1 sa tseachtain, tá na sráideanna plódaithe le sluaite ocracha an dreama dhífhostaithe, tá na beithígh ag iníor ar na feirmeacha atá gan tionóntaí agus faoi fhothracha na dtithe leagtha cónaíthe, tá na calafoirt lán de na heisimirceoirí agus tá tithe na mbocht ag cur thar doras."

Is féidir linn á rá go bhfuil an cuntas sin ar chuntas chomh gonta agus chomh beacht agus a tugadh riamh ar an leathchéad sin dár stair. Ach tá an bhunfhírinne ann. Ní gá mórán den tsamhlaíocht le go dtuigfimis an t-uafás a bhí in Éirinn san am — an t-anró agus an cruatan, an t-ocras agus an bás — agus an t-uafás a bhí sna sála ag na daoine agus iad ag déanamh ar bhád na himirce.

Sna blianta sin an Ghorta Mhóir ní hé gach duine dar shocraigh ar imirce a dhéanamh a bhain an bád amach. Iadsan a bhain, ní raibh an t-ádh céanna orthu go léir. Na daoine a raibh an £4 acu le haghaidh an airgid pasáiste go dtí na Stáit Aontaithe nó a raibh gaolta acu sna Stáit lena chur chucu, is ar an Atlantach a thug siad aghaidh. Iadsan nach raibh, ba é an t-aon ábhar dóchais a bhí acu aghaidh a thabhairt soir ar Shasana nó ar Albain. Níor mhór an t-ábhar dóchais acu é ach gurbh fhearr rud ar bith ná an bás den ocras in Éirinn.

Na himirceoirí seo thar Mhuir Mheann bhí siad mar chonaic Dia iad. Go minic ní raibh acu ach an cúpla scilling a d'íocfadh as an turas báid go Learpholl nó go Glaschú. Ina dhiaidh sin — dóchas as Dia . . .

"Tá sráideanna Ghlaschú beo faoi láthair leis na bochtáin as an oileán taobh linn," dúirt páipéar Albanach de chuid na haimsire sin, "agus is éadócha gur lú an cruatan atá á fhulaingt ag na créatúir bhochta abhus ná an t-anró ar theith siad uaidh. A lán díobh tá siad go cinnte gan aon airgead le lóistín a fháil, fiú den chineál is suaraí, agus is éigean dóibh dá bhrí sin a leaba a chóiriú agus gan mar adhairtín acu ach an chloch." (*The Irish in Scotland*—J. E. Handley.)

Bliain de bhlianta sin an Ghorta Mhóir bhí stócach darbh ainm Seán Ó Conghaile ar bord loinge agus é ag triall i gcuideachta na cuideachta ar Ghlaschú. Ba as Muineachán dó — is é is dóichí as áit darbh ainm Bogchoill, atá suite leathshlí idir Áth na Lobhar agus Áth na Coille i ndeisceart an chontae. Bhí iomrá ar an chlann sa chontae riamh. Dar leis an seanchas gur ón Mhí a tháinig siad an chéad uair, gur lonnaigh i gcuideachta mhuintir Mhic Mhathúna i Muineachán mar a ndeachaigh siad i líonmhaireacht agus mar ar chruinnigh maoin le himeacht aimsire.

Ní ar sheanchas, áfach, a bhí Seán Ó Conghaile ag smaoineamh ach ar a raibh i ndán dó nuair a bheadh cos i dtír thall aige. Ach obair a bheith le fáil aige bheadh sé maith go leor. Bhí rud amháin aige le bheith buíoch as — é a bheith i mbarr a shláinte. Stócach ard, rua, deadhéanta, a bhí ann nár éirigh le cruatan an tsaoil a lorg garbh a fhágáil air go fóill.

B'fhéidir go raibh cuid dá dhaoine muinteartha féin leis ; b'fhéidir go raibh cuid de Mhuintir Uí Mharcaigh, muintir a mháthar leis. Cibé compánaigh a bhí aige ní fada a d'fhan siad i nGlaschú óir fuair siad saol rompu sa chathair sin a bhí chomh gránna, salach, cáidheach sin, agus lena linn slua chomh mór sin dá gcomhimirceoirí ar thóir oibre inti, nach raibh an dara suí sa bhuaile acu ach bogadh leo a thúisce a thiocfadh leo.

Ba é sin an nós, ar ndóigh, ag an chuid ab óige agus ab urranta de na himirceoirí. D'fhanadh go leor díobh i nGlaschú. Ach thugadh a mbunús a n-aghaidh ar na bailte tionsclaíochta agus ar na sráidbhailte mianadóireachta. Bhí ré na tionsclaíochta faoi lánseol agus oibrithe ag teastáil le haghaidh na monarchana agus na mianacha, le haghaidh dhéanamh na mbóithre iarainn agus na gcanálacha, na ndugaí agus na longcheártaí. Bhí siad ag teastáil fós leis an obair thalmhaíochta a dhéanamh ba ghá le bia saor a choimeád leis na hoibrithe tionsclaíochta.

Ba leis an obair thalmhaíochta sin a chuaigh Seán Ó Conghaile. Ba don obair sin, ar scor ar bith, a bhí sé ag gabháil i ndiaidh dó Dún Éideann a bhaint amach agus a shocrú ar a chónaí a dhéanamh ann. Bhí triall a lán de na hÉireannaigh ar Dhún Éideann, óir ar shé phingin gheobhadh siad dul ó Ghlaschú ar an traein mhall fad leis an chathair sin agus ba ghearr go raibh líon mór Éireannach inti agus iad brúite isteach i bplódcheantair na seanchathrach.

Tá Dún Éideann sa lá inniu ar chathair chomh deas agus atá sna hoileáin seo, ach tú féachaint uirthi ó Shráid an Phrionsa mar a bhfuil amharc agat ar an seanchaisleán agus é ag cur maise ar éadan na carraige ann. Taobh thiar den charraig, áfach, tá an tseanchathair agus é ag morgadh leis fiú lenár linn féin. Tithe de chuid an 16ú agus an 17ú céad ar fad a bhí sa cheantar seo céad bliain ó shin agus iad le fada ag titim as a chéile. Sa cheantar seo, i bplódtithe an Grassmarket, an West Port agus an Cowgate a chruinnigh na himirceoirí céad bliain agus breis ó shin agus go ceann i bhfad ina dhiaidh sin.

Bhí an saol gránna céanna ag na himirceoirí ón nGorta i nDún Éideann agus a bhí acu i nGlaschú. D'fhéadfaimis a rá go raibh an saol gránna céanna ag na bochtáin go huile, bíodh siad ina nÉireannaigh nó ina nAlbanaigh nó ina Sasanaigh féin. Ní raibh ag cuid mhór clann ach an t-aon seomra amháin mar áit chónaithe, agus níorbh annamh níos mó ná an chlann amháin ag déanamh cónaithe sa seomra céanna. Uirlisí tí nó gléas compoird ar bith ní raibh ag a lán acu. Sráideog tuí mar leaba agus giotaí adhmaid agus píosaí miotail agus seanchannaí stáin mar ghléasanna cócaireachta, agus cupáin agus plátaí den chineál ba ghairbhe amuigh, b'shin a mbíodh de throscán acu don seomra. Camraí ní raibh, de ghnáth, sna ceantair seo, gan trácht ar leithris, sa tslí go raibh ag na daoine a saol a chaitheamh agus an salachar faoina gcosa acu agus an bréantas i gcónaí ann agus na míolta de shíor mar chuideachta acu.

Ba é seo an saol a fuair Seán Ó Conghaile roimhe nuair a bhain sé deireadh aistir amach i nDún Éideann. Bhí sé i ndán dó gurb ann a chaithfeadh sé an chuid eile dá shaol. Ba ann a chas sé ar Mháire Nic Fhinn. Ba ann a pósadh iad, an 20ú Deireadh Fómhair, 1856, agus an bheirt acu in aois a dtrí bliana is fiche. "Pósadh Éireannach" a bhí ann. An tAthair Alastair Ó Dónaill a rinne an pósadh agus ba iad a sheas leis an bheirt Maol Íosa Ó Cléirigh agus Máire Nic Chárthaigh. Ba de bhunadh Éireannach an bhrídeog, ar ndóigh, ó thaobh na dtaobhanna. Ní Bhroin ba shloinne dá máthair. Bhí a shliocht uirthi, post mar chailín aimsire a bhí aici.

Ba sa King's Stables i ngearr don Grassmarket a chuaigh an lánúin nuaphósta a chónaí. Tar éis roinnt blianta d'ardaigh siad leo go dtí an Cowgate. Ba ó theach an deamhain go teach an diabhail é an t-aistriú ón aon seomra sa phlódteach sa Grassmarket go dtí an t-aon seomra sa phlódteach sa Cowgate, ach rinne siad é. Bhí post anois ag fear an tí mar thiománaí trucail aoiligh, agus é ag obair don Bhardas, agus b'fhéidir go raibh baint aige sin leis an aistriú. Ar aon nós ní raibh de chlú ar an Cowgate go raibh níos lú den ocras ná den anró le fulaingt ag na daoine ann ná mar a bhí le fulaingt acu áit ar bith eile a raibh siad. Má bhí clú ar bith ar an Cowgate, ba é, mar a dúirt an *Scotsman* san am, go raibh sé ina choilíneacht Éireannach. Bhí siad ansin sa mhullach ar a chéile mar Éireannaigh, sna cúlseomraí, sna seomraí ag barr staighre, sna seomraí faoi bhun staighre, gan mórán den só nó den sásamh acu ach a gcreideamh agus a gcuimhní ar Éirinn a thug siad slán d'ainneoin a raibh siúlta acu den "Via Dolorosa".

Sa Cowgate, Uimhir a 107, rugadh mac do bhean Sheáin Uí Chonghaile ar an 5ú Meitheamh, 1868. Baisteadh an naíonán i Séipéal Phádraig Naofa, an tSráid Ard, ar an 21ú den mhí. Tugadh Séamas mar ainm air.

2

COILÍNEACHT ÉIREANNACH

Níorbh é Séamas Ó Conghaile an t-aon duine clainne a bhí sa teaghlach, ná an t-aon mhac ach an oiread. Bhí deartháir ann ba shine ná é a raibh Seán mar ainm air.

Ní raibh sé i ndán do Sheán go ndéanfadh sé éifeacht ar
leith a mbeadh cuimhne uirthi, ar a shon go raibh sé le
bheith san aon iomrá lena dheartháir ar feadh cuid mhaith
dá shaol.

Ba pháiste sláintiúil é an naíonán nua. Fad agus ba léir
don tsúil ní fhéadfadh aon duine a rá nach é an saol a
chaithfeadh sé an saol a bhí i ndán do bhunús uilig pháistí
na mbocht a rugadh sa tráth céanna. Ba é an saol sin saol
na gannchoda, saol nár cheilte air an t-ocras, an fuacht, an
tinneas, an dúsclábhaíocht ón óige féin anonn, an tsíor-
streachailt leis an anró agus leis an gcruatan ón tús go
dtí an deireadh, saol léanmhar nach bhféadfaí a rá go
raibh de thoradh air, de ghnáth, ach an chóróin a bhain-
feadh an fhadfhulaingt agus an fhoighne ar an saol eile.

Bhí sé i ndán don mhac sin Sheáin Uí Chonghaile darbh
ainm Séamas go mbainfeadh sé a chóróin, ar a dhóigh féin.
Ba óg ina shaol a chuir sé eolas ar an ocras agus ar an
anró — d'fhéadfaimis a rá gurbh annamh saor uathu é fad
a mhair sé. Ach bhí na blianta le taispeáint go raibh aigne
agus intleacht thar an gcoiteann aige agus uaisleacht
anama. Agus ar an ábhar go raibh, bhí a bhealach féin
roimhe amach le siúil aige.

An saol a bhí thart air ina óige b'fhurasta go mbain-
feadh sé faobhar den intleacht agus den uaisleacht sin ann.
B'fhurasta go maolódh sé an ghéire intleachta ina gliceas
clisteachta. B'fhurasta go n-imeodh fear an éirim intinne
bealach an leithleachais, bealach an chreachadóra a
ghníomhódh taobh istigh nó taobh amuigh den dlí.
B'fhurasta go mbeadh fear de dhéanamh Shéamais Uí
Chonghaile ina ropaire agus an dlí ar a thóir, nó ina rógaire
d'fhear saibhir agus an dlí ar a thaobh. Níorbh ábhar
iontais é dá n-imeodh sé bealach na bruíne agus an ólach-
áin. Bhris brúidiúlacht an tsaoil nach raibh dul uaidh acu
ar na mílte de na hÉireannaigh, sa chruth go raibh le
fada clú na bruíne agus an ragairne orthu i mbailte agus i
gcathracha na hAlban.

Ach ní bhfuair an saol sin bua Shéamais Uí Chonghaile.
Féadfaimid á rá gur ghéaraigh an saol sin a intleacht agus

14

gur uaisligh sé a anam agus lena linn gur mhúscail sé bladhaire na feirge agus fuath na héagóra ann nach raibh sásamh orthu go gcomhlíonfaí é mar a gheall Críost.

"Bhíomar an-bhocht," adúirt an Conghaileach lena iníon Nóra agus é ag caint léi faoina óige. Ní thuigfidh duine ar bith go deo cad é méid na cuimhne atá sna focail sin, ach an té a raibh an bhochtaineacht lena chois le linn a óige féin. Scríobh an Conghaileach dán dá mhac nuair a rugadh é agus ba é an tús a bhí air :

> *Thy father was a poor man,*
> *Mark well what that may mean.*

Dhá líne iad sin is fiú a mheabhrú. Ba í an bhochtaineacht agus a leanann uirthi an chéad chor a chuir an saol ina chinniúint. Bhí dhá ní eile le lorg a fhágáil go hóg ar an chinniúint chéanna ; gur rugadh agus gur tógadh ina Chaitliceach agus gur rugadh agus gur tógadh ina Éireannach é.

Bhíothas a rá le fada gur i gContae Mhuineacháin a rugadh Séamas Ó Conghaile agus gurbh ann a chaith sé na chéad deich mbliana dá shaol. Tá a fhios againn nach ann a rugadh é. Ar shlí amháin bhí saol an Cowgate i nDún Éideann chomh cosúil sin le saol na hÉireann gur beag is feidhm dúinn a bheith ag cur i gcás gur rugadh nó nár rugadh ann é. Ach má ba chosúil níorbh ionann. Níorbh ionann an saol ; níorbh ionann an timpeallacht ; níorbh ionann, ar fad, na daoine.

Bhí meath ar Éirinn ; bhí saol úr ag fás aníos in Albain, saol fíochmhar, saol brúidiúil thús ré na tionsclaíochta ach saol a raibh brí ann, nuair atá iomlán ráite, saol a bhí ag tabhairt dúshlán an dreama féin a bhí faoi dhaorsmacht. Níorbh ionann an lorg a d'fhágfadh an dá áit ar chorp agus ar anam páiste ar bith dá shláintiúla, dá éirimiúla é. Ach ba chosúil saol an Cowgate le saol na hÉireann sa mhéid go raibh inti dream dlúth daingean Éireannach a thug leo aniar creideamh Caitliceach agus cuimhne ar a dtír agus ar a sinsear agus a raibh an creideamh sin agus an chuimhne sin chomh beo iontu agus gur ar éigean a d'aithneofaí ar mhuintir an Cowgate nach in Éirinn féin a bhí siad.

Tá sé ráite roimhe seo go ndúirt an *Scotsman* go raibh an Cowgate ina choilíneacht Éireannach. D'ainneoin bhochtaineacht an tsaoil a bhí á chaitheamh acu ba dhaoine measúla a bhí iontu mar Éireannaigh. Dúirt an páipéar céanna : "Níl sé ag dul thar fóir a rá go bhfuil teacht ar bhuanna i mbotháin na nÉireannach bocht sa Cowgate nach bhfuil róchoitianta i measc na ndaoine is fearr i nDún Éideann."

Ar ndóigh, i dtaca le creideamh de is ceart a rá nár cuireadh faoi chois ar fad an Eaglais dhúchasach Chaitliceach in Albain. Bhí sí beo fós i nDún Éideann sular tháinig Éireannach ar bith chun na cathrach. Ach le teacht na nÉireannach ó thús an naoú céad déag tháinig fás nua faoin Eaglais sa tír. Faoi 1848 bhí fiche míle Caitliceach sa chathair agus a líon ag dul i méid i gcónaí. Osclaíodh an chéad scoil phoiblí Chaitliceach in Albain sa phríomhchathair i 1852.

Fuair an Conghaileach óg a oiliúint i dteagasc na hEaglaise Caitlicí mar a gheobhadh dá mba in Éirinn féin a bhí sé. Fuair, ag glúin a mháthar agus a athar, ó bhéal a mhuintire agus na gcomharsan agus, ar ball, ó theagasc an tsagairt nuair a thosaigh sé ag freastal ar an séipéal agus ó theagasc an mhúinteora nuair a chuaigh sé ar scoil.

Mar chruthúnas ar cad é mar a bhí ceist a gcreidimh agus traidisiún a dtíre ceangailte lena chéile, ar chomh dílis agus a bhí an dream bocht silte Éireannach dóibh, is fiú trácht a dhéanamh ar an *Edinburgh Irish Mission* a bunaíodh in 1848 leis na hÉireannaigh a mhealladh óna gcreideamh féin. Thug an Misean seo an tUrr. Pádraig Mac Meanman as Éirinn anall le dul i mbun na hoibre. Ba chainteoir dúchais Gaeilge as Gleannta Aontrama é. Measadh gurbh í an Ghaeilge teanga dhúchais a leath ar a laghad de na hÉireannaigh sa phríomhchathair, cé go raibh dóthain Béarla acu le gnáthcheisteanna an lae a phlé ach gurbh í an Ghaeilge an teanga ab ansa leo. D'oscail an tUrr. Mac Meanman halla agus bhí cúig dhuine dhéag de chainteoirí Gaeilge ag obair aige ann. Lena chois sin bhí sé de nós acu cuairt a thabhairt ar na hÉireannaigh sa chathair leis na Scrioptúir a léamh dóibh as Gaeilge.

Mhair an Creideamh ina n-ainneoin, agus is féidir linn a ghlacadh nár imigh an Ghaeilge ó chion nó ó eolas féin idir an bhliain sin 1848 agus an t-am a raibh an Conghaileach óg ag cur eolais ar an saol. Níl sé ach le ciall go raibh an Ghaeilge beo fós ag cuid de na daoine le linn a óige. Ní éadócha, ar aon chor, gur chuala sé í á labhairt ag cuid de na seanfhundúirí, cé nach bhfuil aon údar againn lena rá gur thug sé leis aon fhocal uathu. Ach níl aon amhras ná go raibh traidisiún láidir náisiúnta beo sna daoine a bhí thart air, ba chuma ar de shliocht na nÉireannach a rugadh in Albain iad nó ar de thógáil na hÉireann féin iad.

Bhí an traidisiún sin á choinneáil beo ó ghlúin go glúin agus bhí sé ag buanú cuimhne na nÉireannach seo ar Éirinn agus a gcuimhne ar ar fhulaing siad féin agus a muintir rompu faoi ansmacht Shasana agus fós a ndóchas go mbainfí amach go fóill saoirse dá dtír agus saol dóibh féin inti. Bhí daoine i gcónaí idir an dá thír agus is féidir a bheith cinnte go mbíodh an cheist: " Cad é mar atá Éire ?" ar cheann de na ceisteanna ba thúisce a chuirtí ar na daoine is déanaí a tháinig anall.

Ní raibh Éire ina suan ar aon chor faoi lár an leath dheiridh den naoú céad déag. Ní raibh dearmad déanta de '98 nó de '48. Bhí na *Felons of Our Land* i mbéal na nÉireannach agus beochuimhne ar an Leathlobhrach agus ar an Mistéalach agus ar a dteagasc. Bhí na Fíníní tagtha ar an saol agus iad bunaithe in Albain féin faoi 1861. D'ainneoin gur theip ar Éirí Amach 1867 bhí oidhe mhairtírigh Mhanchuin agus Mhíchíl Bairéid, mairtíreach Clerkenwell, a básaíodh faoi dheireadh na bliana sin, ina réalta dóchais ag na daoine.

Ní raibh aon easpa eolais nó easpa cainte ar Éirinn nó ar an dóigh a bhí ar Éirinn i measc na nÉireannach i nDún Éideann. Níor ceileadh an t-eolas nó an chaint ar na páistí. Níor ceileadh iad ar aon nós ar an gConghaileach óg. Tá sé ráite go raibh oide staire ar leith aige féin, mar bhí uncail leis a bhí sna Fíníní, nár thuirsigh ach ag cur síos ar Éirinn agus ar an dóigh a bhí uirthi. Mar sin de, faoin am ar cuireadh an Conghaileach chun na scoile is féidir linn a rá go raibh tús curtha le gné dá oideachas nach ndéanfaí cúram di sa scoil.

Éirimiúil agus mar a bhí an Conghaileach óg bheadh cuid mhór caillte air murach an oiliúint scoile a fuair sé, má ba bheag an méid é. Bhí a bheagán nó a mhórán de léann ar a athair agus ar a mháthair. Ar aon nós bhí siad in ann a n-ainmneacha féin a scríobh, rud ab annamh ag a leithéidí san am. Bhí a bheagán nó a mhórán ag na páistí ba shine ná Séamas agus is féidir a rá go raibh rud beag éigin aige féin nuair a thug siad leo go scoil Naomh Pádraig é agus é b'fhéidir cúig bliana d'aois.

Dúirt seanchara de chuid an Chonghailigh, Murtagh Lyng, na blianta ina dhiaidh sin : " Is beag an t-eolas atá againn ar an oiliúint a fuair sé mar leanbh agus ar a oideachas ar an ábhar nárbh ann dóibh " (*James Connolly*— Desmond Ryan). Mar sin féin chaith sé seal éigin ar an scoil. Dúirt sé féin lena iníon Nóra go raibh air an scoil a fhágáil, go raibh air dul ag obair agus gan ach aon bhliain déag d'aois aige : " Ní hé gur mhian liom sin a dhéanamh ach nach raibh dul as agam. B'fhearr liom fanacht ar scoil."

Ar a shon sin féin bhí Murtagh Lyng deas go leor don fhirinne. "Bhíomar an-bhocht," dúirt an Conghaileach leis an iníon chéanna, ''agus níorbh acmhainn dúinn solas san oíche agus ba ghnách liom luí ar an urlár cois na tine sa tslí go mbeadh an loinnir uaithi ar mo leabhar. Nuair a shíothlaíodh an tine, ní fhéadfainn léamh ní ba mhó. Ní raibh peann luaidhe agam le scríobh ach oiread. Bhí orm giotaí adhmaid a dhó le go scríobhfainn leis an ngual ar cibé píosaí páipéir a raibh teacht agam orthu " (*Portrait of a Rebel Father* — Nora Connolly O Brien).

Ba shin a raibh d'oideachas scoile faighte aige nuair ab éigean dó dul i mbun an tsaoil. Lean sé leis é féin, gur chuir sé eolas ar na hábhair scoile nach raibh caoi aige a

fhoghlaim ón máistir. Níorbh éasca an saothar é : "Níl
sé furasta staidéar a dhéanamh leat féin, a Nónó," dúirt
sé níb fhaide anonn ina shaol. "Is fada go mbíonn tú
sásta go bhfuil rudaí i gceart agat a bhíonn foghlamtha
ag páiste sa ghnáthshlí. Fiú nuair a bhí Mama agus
mise pósta, ba ghnách liom iarraidh uirthi m'ailt a scrúdú
féachaint an raibh an ghramadach agus an phoncaíocht
cruinn."

3
LEANAÍ ÓGA AG OBAIR

Dúradh sa tuarascáil ón *Committee on Factory
Children's Labour 1842*, gur ar shaothar agus ar allas na
mban agus na bpáistí óga a bhí fortúin an lucht guail agus
cadáis á mbunú go fóill. Is mar seo a leanas a chuir an
Conghaileach síos ar an ábhar céanna :
"D'oibrigh na mná thíos sna mianaigh ghuail, iad tar-
nochta nach mór, ar phá suarach, agus is minic a rugadh
leanbh faoi dhorchacht agus ghruaim a n-áiteanna fostaí-
ochta nuair a tháinig na pianta tuismidh ar na máithreacha
iontu ; fostaíodh na buachaillí agus na cailíní beaga le
trucailí guail a tharraingt sna mianaigh agus tharraingíodh
siad iad le stropa ceangailte faoina gcoim agus é ag dul
siar idir na cosa acu ; sna monarchana cadáis fostaíodh
leanaí in aois a hocht, a seacht agus fiú a sé bliana d'aois
le haire a thabhairt do na hinnill." (*Labour in Irish
History.*)
Ba bheag ab fhearr a bhí an scéal nuair ab éigean don
Chonghaileach dul i mbun oibre. "Fuair mé obair i
mbácús agus bhí orm tosú roimh an sé ar maidin agus
fánacht go dtí go mall san oíche." Níorbh ábhar iontais
na huaireanta oibre sin ag na buachaillí agus ag na cailíní.
Óna sé ar maidin go dtí a naoi san oíche ba ghnách sa
gheimhreadh agus óna cúig go dtí a hocht sa samhradh ar
cheithre nó chúig scilling sa tseachtain.
I ndiaidh a bheith ag obair sa bhácús seal fuair sé post
mar "diabhal clódóra" san *Evening News.* Ní raibh airde
ar leith riamh sa Chonghaileach, d'fhéadfaimis airde an

pháiste a shamhlú agus a rá go raibh ar a fhostóirí, le go mbeadh siad in ann bob a bhualadh ar na cigirí monarchan nuair a thagaidís thart, an gasúr a chur ina sheasamh ar bhosca taobh thiar de na cásanna cló. Mhair sé bliain i mbun na hoibre seo gur tháinig cigire éigin ar an gcleas a bhíothas a imirt. Sa phost seo chuir sé a chéadeolas ar cheird a raibh sé le baint léi ar feadh cuid mhaith dá shaol, mar oibrí, mar léitheoir profaí, mar scríbhneoir, mar eagarthóir a raibh a inneall agus a chuid cló féin faoina stiúir aige.

Níl a fhios againn cad é an obair eile a raibh sé ag gabháil di sna blianta seo ach gur chaith sé bliain, b'fhéidir, i monarcha leacán. Trí bliana oibre a bhí curtha isteach aige ón am arbh éigean dó an scoil a fhágáil go dtí gur caitheadh as an obair seo é. Am éigin le linn na mblianta seo deirtear gur briseadh ar a shláinte — ach tháinig sé chuige féin agus lean leis an obair. B'fhéidir gur le linn a sheala sa bhácús a buaileadh tinn é. Dúirt sé féin faoin áit sin, na blianta ina dhiaidh seo : "Is minic a ghuigh mé go dúthrachtach agus mé ar mo shlí chun na hoibre go bhfaighinn an áit ina luaithreach nuair a shroichfinn í."

B'fhéidir nár mhiste dúinn a bheith ag ceapadh go raibh tús á chur san áit seo leis an míshasamh leis an saol a bhí daite dó féin agus dá leithéidí agus go raibh drithle éigin den réabhlóid múscailte ann, drithle bheag, b'fhéidir, ach drithle nach múchfaí fad a mhairfeadh sé. D'fhéadfaimis a cheapadh, freisin, go raibh an t-uncail sin leis ag díriú shuim an ógánaigh ar cheist eile seachas ceist na hÉireann, mar tá, ar cheist staid na n-oibrithe, óir ba cheist bheo go maith í san am agus daoine agus dreamanna ag moladh bealaí lena réiteach, cuid acu níos réabhlóidí ná a chéile.

Nuair a caitheadh as an bpost sa mhonarcha leacán é, rinne an t-ógánach an rud ba ghnách lena lán dá aois a dhéanamh san am — d'imigh sé isteach in Arm Shasana. B'iondúil nach mbíodh obair le fáil ag daoine óga mar é, óir ní íocfaí pá fir leo agus bhí páistí níos óige ná iad le fáil ar phá ba lú ná mar a bheadh ag dul dá leithéidí. An t-arm an t-aon rogha a bhí fágtha acu. Sna King's Liverpool Rifles a liostáil an Conghaileach óg agus thar a bhfacthas riamh ba ghearr ann é gur cuireadh an reisimint go hÉirinn. Is beag an t-eolas atá againn faoin tráth seo dá shaol. Níor luaigh sé riamh é ina chuid scríbhinní agus is cosúil nár luaigh sé le mórán é. Na daoine a raibh an t-eolas acu choinnigh siad acu féin é le fada an lá.

An chúis a bhí aige féin leis seo, is dócha, gur thréig sé an t-arm faoi dheireadh i dtosach 1889 ; agus ar an ábhar gur cosúil gur faoi ainm bréige a chláraigh sé níor thángthas riamh air agus níor mhian leis aird lucht an airm a tharraingt air féin tríd an scéal a phoibliú. Rud eile de, níorbh aon chuidiú aige ar ball é, nuair a bhí seasamh láidir polaitiúil tógtha aige agus é ar thaobh na saoirse agus in éadan Shasana, an t-eolas seo a bheith ag a naimhde. Ní gá a rá nárbh aon ábhar náire aige é agus an aois a bhí aige nuair a liostáil sé agus an saol agus an nós a bhí ann san am. Is iomaí sin fear maith de bhunadh Ghráinne a ghlac an scilling ina óige agus a sheas an fód go dílis ar son na hÉireann níb fhaide anonn ina shaol.

B'fhéidir gurbh é an toradh ba thábhachtaí a bhí ar na blianta saighdiúireachta seo gur lena linn a chas sé ar an gcailín a raibh sé i ndán dó í a phósadh. Bhí sé i ndán dise a bheith anonn agus anall leis sa saol míshocair a bhí le caitheamh aige. Bhí sí ina ceann maith dó agus ina hábhar nirt agus meanman dó feadh a shaoil. Lily Reynolds ab ainm di agus Protastúnach a bhí inti, ó Chontae Chill Mhantáin. Bhí a hathair agus a máthair marbh.

Casadh ar a chéile i mBaile Átha Cliath iad, agus shocraigh siad ar phósadh. Nuair a thréig seisean Arm Shasana d'fhill sé ar Albain agus fuair obair ar feadh tamaill i bPerth agus ina dhiaidh sin i mbailte eile. Tháinig an cailín go Perth ar ball agus is ann a pósadh iad ar an 30ú Aibreáin, 1890, san Eaglais Chaitliceach. Neadaigh siad i nDún Éideann.

Gortaíodh a athair i dtionóisc tamall sular pósadh an

Conghaileach. Ní cinnte an bhfuair an mac an post a bhí ag a athair mar thiománaí trucail aoiligh do Bhardas Dhún Éideann ach ar aon nós sin í an obair a bhí aige i ndiaidh a phósta. Ag 22 West Port a bhí cónaí air nuair a pósadh é. Rinne an bheirt nuaphósta cónaí i dtithe eile ina dhiaidh sin agus faoi dheireadh thiar shocraigh siad i 21 Sráid an Choláiste Thiar*.

4
AG FOGHLAIM A CHEIRDE

D'fhéadfaí dul i mbun na samhlaíochta faoin bhfás a thainig ar thuairimí an Chonghailigh le linn na mblianta a chaith sé in Arm Shasana in Éirinn. Ní bheadh ann ach an tsamhlaíocht. Mar sin féin, is cinnte nach raibh sé ina chodladh le linn na mblianta. Is cinnte go raibh sé ag léamh na bpáipéar agus leabhar a bhain le hÉirinn agus lena stair, agus go raibh sé ag éisteacht le scéalta an lae á bplé agus, de réir mar a bhí sé ag dul i gcríonnacht, ag glacadh páirte sa chaint chéanna. Is féidir linn a bheith cinnte mar an gcéanna go raibh aird á tabhairt aige ar fheachtais Mhíchíl Daibhéid agus Chonradh na Talún agus ar bheartais Pharnell i bParlaimint Shasana. B'fhéidir nár thug sé faoi deara i 1883 gur daoradh fear óg darbh ainm Tomás Ó Cléirigh chun príosúin ar feadh cúig bliana déag. Má thug féin b'ait leis dá ndéarfadh aon duine leis san am go raibh an bheirt acu leis an mbás céanna a fhulaingt agus le luí san aon uaigh faoi dheireadh thiar.

Ach oiread lena thuairimí polaitíochta ní féidir linn ach dul i mbun na samhlaíochta i dtaca lena thuairimí ar chúrsaí sóisialta nó an fhorbairt a tháinig orthu le linn na mblianta seo. Ar scor ar bith, fuarthas ina fhear aibidh chuig a leithéid é nuair a bhí sé ar ais in Albain agus ba ghearr i ndiaidh filleadh dó, agus fiú sular pósadh é, go raibh sé féin agus a dheartháir ina gceannairí i gcorraíl a bhí ar siúl ag na hoibrithe i nDún Daoi.

*Tá mé an-bhuíoch de Ina Chonghaileach Bean Uí Uidhrin as an eolas faoin tráth seo de shaol a hathar a thabhairt dom.

Bhí cúrsaí polaitíochta beo go maith i measc na nÉireannach in Albain agus i nDún Éideann féin sa leath deiridh den naoú céad déag. Bhíodh na páipéir lán den scleondar faoi imeachtaí agus dhruileáil na bhFíníní sa tír. Fiú amháin tuairiscíodh go raibh na céadta díobh ag druileáil faoi chom na hoíche i bPáirc na Banríona i nDún Éideann.

Labhraíodh Butt, Biggar agus Parnell in Albain ag cruinnithe ó am go chéile san am agus labhair Mícheál Daibhéid i nGlaschú i ndiaidh a scaoilte ón bpríosún i 1878. Tamall de bhlianta ina dhiaidh sin bunaíodh craobh de Chonradh na Talún i nDún Éideann agus labhair an Daibhéideach sa phríomhchathair i 1885 agus leis na Edinburgh Liberals i 1886. Thug Mícheál Daibhéid cuairt ar na Garbhchríocha sa bhliain 1887 agus labhair ar cheist na dtiarnaí talún faoi choimirce an Scottish Land League. Ar ndóigh, ba mhór é muinín an Daibhéidigh as na hoibrithe thall agus ba mhinic é ag moladh go bhféachfaí lena gcomhoibriú a fháil.

Bhí suim mar an gcéanna ag ceannairí an lucht oibre i gceist na hÉireann agus i ngluaiseacht Chonradh na Talún go speisialta. Labhair Keir Hardie a bhí i mbun a mhéide san am ag cruinniú Lá Fhéile Pádraig, 1888, i nGlaschú. I mí Aibreáin, 1888 sheas Hardie mar iarrthóir an lucht saothair i bhfothoghchán i Lanark. Deir an *Glasgow Observer*, páipéar na nÉireannach san am : " We cannot afford, much as we would like to serve the interests of the workmen — if he (Hardie) would be a gain to them, which we question — to throw in our lot with any new causes or questions. We want to settle Home Rule first ! "

Faoi lár an 19ú céad agus go ceann tamall de bhlianta ina dhiaidh sin d'fhéadfaí a rá nár bheo don sóisialachas* mar ghluaiseacht i Sasana. Bhí Marx agus Engels ina gcónaí i Londain ach is sa Ghearmáinis a bhí siad ag scríobh agus níor Shasanaigh a lucht leanúna. Mar sin féin, le himeacht aimsire thosaigh daoine i Sasana ag cur suime sa sóisialachas a raibh gluaiseachtaí móra ag saothrú ar a

*Féach Aguisín.

shon i mbunús uile thíortha na hEorpa. Sa bhliain 1881 bunaíodh The Democratic Federation i Sasana, agus i 1884 — tráth ar ruaigeadh na dreamanna as nach raibh ag géilleadh do theagasc Marx — rinneadh The Social Democratic Federation de agus é mar chuspóir aige teagasc sóisialach Marx a chraobhscaoileadh agus stát sóisialach a bhunú.

Bhí craobh den S.D.F. i nDún Éideann. Bhí fós sa chathair sin an Scottish Socialist Federation a raibh John Leslie ina rúnaí air. D'fhéadfaí a rá gan imeacht mórán ón fhírinne gurbh ionann an S.S.F seo agus an S.D.F. i nDún Éideann. Agus bhí baint ag an dá dhream seo leis an chraobh de Chonradh na Talún a bhí sa chathair.

Bhí uncail Shéamais Uí Chonghaile, agus a dheartháir, Seán, mór leis an John Leslie seo agus an-mheas acu air, agus ba ghearr ar ais in Albain an Conghaileach gur chuir sé aithne air.

Dála an Chonghailigh rugadh John Leslie i nDún Éideann agus ba as Éirinn dá thuismitheoirí. Bhí sé níos sine ná an Conghaileach. Bhí sé go dtí an muineál í ngluaiseacht na n-oibrithe agus bhí leabhar scríofa aige, *The Present Condition of the Irish Question*, nach raibh éagsúil ar fad leis an leabhar a bhí an Conghaileach féin le scríobh ar ball. Bhí sé ina chumadóir filíochta freisin don ghluaiseacht agus é in ann véarsa a chur le chéile go healaíonta :

> *Toll for the brave*
> *Yet shed no tear,*
> *Unflinchingly from birth to bier*
> *He battled on his long career*
> *To break oppression's rod.*

Bhí gá leis an troid. Deir an dara tuarascáil ar *Housing of Working Classes (Scotland) 1885* :
" Tá ceithre phingin an uair ag na sclábhaithe faoi láthair. Bhí cúig phingin acu roinnt blianta ó shin ach faoi láthair tá siad ag obair ar feadh naoi n-uaire gach lá agus ar feadh sé huaire ar an Domhnach . . . agus sin ar

ceithre phingin an uair . . . agus as sin tá am briste le baint." Tugann a leithéid sin le fios go raibh gá le troid, go raibh gá le gluaiseacht éigin ag na hoibrithe a thabharfadh d'aon taobh iad, a mhúsclódh ciall dá gceart iontu agus a ndóchas as an saol, a chuirfeadh eagar catha agus fonn troda orthu.

Le linn na mblianta seo, ar ndóigh, bhí lucht an tsóisialachais i mbun gnó tríd an tír agus sna cathracha agus sna bailte tionsclaíochta go háirithe. Níor dhream líonmhar iad ach bhí siad as cuimse díograiseach. An té ar mhian leis éisteacht lena dteagasc agus a gcuid litríochta a fháil agus a léamh, níor ghá dó dul rófhada ar a lorg. Mura raibh tús staidéir déanta cheana ag an gConghaileach ar shaothar Marx agus Engels níor dhóichí am a dtosódh sé ná sna blianta seo. Agus ba nós é an léitheoireacht a thug sé leis ón óige anall agus nár chaill sé go deireadh a laethanta. An sna blianta seo fós a léigh sé Carlyle, Mazzini, Morley's *Rise of the Dutch Republic* agus a leithéidí, mar bhreis ar shaothar na dtreoraithe Éireannacha a raibh sé ina mbun roimhe seo? Sna blianta seo agus ina dhiaidh is dócha a chuir sé lena oideachas, ní hamháin sa stair agus san eacnamaíocht ach fós sna teangacha agus sa litríocht. Bhí dúil riamh aige sna húrscéalta agus san fhilíocht ina raibh an treis leis an ghníomhaíocht.

Ón am seo amach d'éirigh Séamas Ó Conghaile anghnóthach sna heagraíochtaí sóisialacha, sa Scottish Socialist Federation, sa Social Democratic Federation agus ar ball san Independent Labour Party. Ón tús (1893) bhí an páirtí seo, de réir mar a dhearbhaigh siad féin, ina " uncompromising socialist organisation ". Bunaíodh é go díreach faoi spreagadh agus faoi threoir Friedrich Engels agus Eleanor iníon Marx. (*A Study of Socialism*—F. J. C. Hernshaw.) Bhí Seán an-ghníomhach cheana sna heagraíochtaí céanna. Bhí clú air mar chainteoir. Blianta i ndiaidh an ama seo chuaigh Seán in Arm Shasana agus tháinig sé i láthair cruinnithe ar a raibh Séamas ag caint, agus é in éide arm Shasana. Thóg Séamas raic go deo mar gheall air. Mar sin féin bhí an bheirt an-gheallmhar ar a chéile agus bhí Séamas go mór faoi thionchar Sheáin.

I gcomparáid le Seán bhí Séamas an-dáiríre agus é roinntín dúr ann féin, ach lena linn sin bhí ciall don ghreann aige. Fear beag dubh teasaí a bhí ann, é déanta go téagartha. Bhí éadan maith air agus dhá shúil dhorcha aige a dtagadh drithle iontu le neart grinn nó feirge. Staonaire ón ólachán ba ea é riamh, agus níor chaith sé an tobac.

I Márta, 1893, mhol Seán Ó Conghaile ar son an Scottish Socialist Federation agus John Leslie ar son an Independent Labour Party do Chomhairle na gCeardchumann go ndéanfaí mórshiúl Lá Bealtaine a eagrú mar thacaíocht don éileamh ar lá oibre ocht n-uaire an chloig. Chomh maith rinneadh, agus mar chríoch ar an tabhairt amach bhí ollchruinniú poiblí ann. Ar an gcruinniú sin labhair Seán Ó Conghaile. Bhí sé ag obair san am don Bhardas agus mar thoradh ar a pháirt i dtabhairt amach Lá Bealtaine baineadh a shlí bheatha de. Rinneadh acomharc in aghaidh a bhriste, ach ba chuma, chaill Seán a phost. Ba phéintéir é de réir ceirde agus ba leis an cheird sin a chloígh sé ón am sin amach.

Lean siad dá saothar sna heagraíochtaí sóisialacha. Bhí clú á bhaint amach ag Séamas mar oibrí dúthrachtach sóisialach, mar smaointeoir, mar chainteoir poiblí agus mar scríbhneoir. Cheana féin bhí sé tosaithe ar scríobh. Bhíodh ailt uaidh i gcló san *Edinburgh and Leith Labour Chronicle* faoin ainm pinn "R. Ascal". Bhí sé i ndán dó a bheith ina scríbhneoir éifeachtach a raibh neart agus meáchan agus fós cumas stíle ina shaothar. Mar sin féin, is cinnte nár tháinig a chéad iarrachtaí go réidh chuige agus a laghad scolaíochta a fuair sé.

Roghnaíodh é le seasamh sna toghcháin áitiúla mar iarrthóir sóisialach i gceantar St. Giles sa bhliain 1894. Bhí fonn mór air féin seasamh ar an ábhar gur ghoill sé air comhshocrú a bheith déanta idir na hAontachtaithe agus lucht an Rialtais Dhúchais suíocháin na cathrach a roinnt eatarthu. Bhí an United Irish League ar buile leis dá bharr. Mhaígh siad go raibh sé i ndiaidh fealladh ar an

Rialtas Dúchais tríd an Tóraí a ligean isteach, agus d'fhéach siad chuige go séanfaí air gach deis dá raibh faoina stiúir. Ní raibh aon chiste toghchánaíochta aige le tarraingt air, ar ndóigh. Buadh air sa toghchán ach léirigh an toradh go raibh meas ag lucht oibre na ᴄathrach air.

Ar shlí ba é an toghchán seo a chuir an cor sin i gcinniúint Shéamais Uí Chonghaile a thug go hÉirinn faoi dheireadh thiar é. B'fhéidir go dtiocfadh sé ar dhóigh nó ar dhóigh eile. Ach níl sin cinnte amach agus amach. Bhí cion aige ar Éirinn, gan amhras, ach ní hionann sin agus a rá go raibh aon rún aige a shaol a chaitheamh ag saothrú ar a son.

An tráth seo dá shaol is féidir gur thábhachtaí leis an cuspóir sóisialach, is cuma cén tír ina mbeadh sé ag iarraidh a chur ar aghaidh ná cuspóir ar bith eile. Agus fós, bhí bá ar leith aige le hoibrithe na hAlban, agus ní gan mhachnamh a d'fhágfadh sé iad. Leis an fhírinne a rá, níor scaoil sé go hiomlán riamh an ceangal leo. Bunús a shaoil bhí sé ina cheann taca ag gluaiseacht na n-oibrithe in Albain. Scríobhadh sé go rialta dá gcuid foilseachán. Théadh sé go hAlbain go rialta le labhairt ag ᴄruinnithe agus le léachtaí a thabhairt.

Le go seasfadh sé sa toghchán úd bhí air éirí as a phost mar thiománaí trucaile don Bhardas. Agus an toghchán thart, bhí sé gan phost. Bhain sé triail as an ghréasaíocht, ach theip air. Shocraigh sé ansin ar imirce a dhéanamh go dtí an tSile. Bhí gach socrú déanta aige, nuair d'éirigh le John Leslie, le tacaíocht a ᴅhean chéile, tabhairt air a aigne a dhíriú ar Éirinn.

Is ábhar iontais againn, agus a fhios againn cad é an dóigh ar chaith sé an chuid eile dá shaol agus an bás a bhí i ndán dó, go bhféadfadh fiú an smaoineamh lonnú ina intinn go ndéanfadh sé a chónaí don chuid eile dá shaol sa taobh eile den domhan ó Éirinn. Ina fheirmeoir a bhí sé le saothrú thall is cosúil, slí bheatha nach líonfadh a phócaí le hór in aon ghearraimsir. Ní féidir go raibh sé ag súil le filleadh go luath. Mar atá ráite thuas, is é is dóichí gur mhó leis an sóisialachas ná an náisiúnachas an tráth sin dá shaol agus ba chuspóir é cuspóir an tsóisialachais a bhféadfadh sé freastal air sa tSile chomh maith le tír ar bith eile. Is ionadh linn an rún imeachta seo, óir dar leis féin de réir litreach a scríobh sé i 1894 gur " Éireannach é a raibh suim ar leith riamh aige sna gluaiseachtaí forchéimneacha in Éirinn ". (*Socialism and Nationalism*—D. Ryan.) Mar sin féin ba ar an tSile a bhí aghaidh á tabhairt aige, gur chuir a chara John Leslie cogar ina chluais a thug air a aigne a athrú : gur ghá go dtógfadh duine éigin an sóisialachas go hÉirinn.

Agus an Conghaileach ag fágáil slán ag a chairde sa ghluaiseacht shóisialach in Albain is fiú dúinn meas duine de na daoine ceannais thall air a thabhairt. Is é a dúirt H. M. Hyndman, a bhí ina cheann feadhna sa Social Democratic Federation agus a sheas go dlúth le teagasc Marx, agus é ag trácht ar an gConghaileach ina leabhar *Last Years of H. M. Hyndman* :

" Cé go raibh an Conghaileach le fada imithe as an ghluaiseacht seo againn, thug sé scoth seirbhíse fad agus a bhí sé linn agus gan amhras ba dhíograiseoir ionraic, dúthrachtach, ábalta é a raibh an-mheabhair cinn ann. Ach bhí sé i ndiaidh an tuairim a bhualadh isteach ina aigne féin go bhféadfadh an fórsa neamheagraithe an fás eacnamaíoch agus sóisialach a dheifriú."

An Éirí Amach a bhí i gceist aige agus é ag tagairt don fhórsa neamheagraithe. Ní miste san áit seo tuairim Uí Chonghaile ar Hyndman a thabhairt, cé go dtógann sé tamall maith chun tosaigh sinn ina shaol, óir scríobhadh é sa *Workers' Republic,* 1903 : " Mar theagascóir na heacnamaíochta sóisialta níl aon duine is mó a bhfuil meas againn féin air ná Hyndman, ach deirimid, á mheas mar threoraí polaitiúil, gur sraith botún a bhí ina shaol, rud a mhíníonn mar nach míníonn aon ní eile an liongadán atá ar an ghluaiseacht i Sasana."

Sa bhliain 1896 d'fhág an Conghaileach slán ag Dún Éideann agus tháinig go Baile Átha Cliath, é féin agus a bhean chéile agus a bheirt iníon, Móna agus Nóra.

II

" CITY OF BELLOWING SLAVES "

1

AN DÓIGH A BHÍ AR ÉIRINN

IS DÓCHA gur beag tráth i stair na tíre a raibh Éire a oiread sin in ísle brí agus a bhí sa bhliain sin 1896 a tháinig Séamas Ó Conghaile go Baile Átha Cliath. Ón nGorta Mór i leith choinnigh Seán Mistéal, Séamas Fiontán Ó Leathlobhair, na Fíníní, Mícheál Daibhéid agus Parnell ar a seal brí agus dóchas sna daoine.

Fad agus a bhí sé i mbarr a réime bhí Parnell ina ábhar meanman ag an tír. Chuir sé brí úr i bPáirtí an Rialtais Dhúchais agus chruthaigh nárbh aon mhaith an béal bog i bParlaimint Shasana. Nuair a chuaigh sé ar aon taobh le Mícheál Daibhéid sa " Tionscnamh Nua " i 1878 tháinig cuid mhór de na Fíníní i dtacaíocht leis agus san am céanna bhí a thacaíocht feasta ag Conradh na Talún. De thoradh ar a saothar ar aon ritheadh Billí Talún i 1881 agus achtaíodh Acht Talún i 1891, an chéad cheann de na hAchtanna Talún a chuir talamh na hÉireann athuair i seilbh na ndaoine.

Fuair Parnell bás i 1891. Tar éis a bháis, roinneadh na daoine ina dhá ndream, " Na Parnellítigh " agus na " Frith-Pharnellítigh ", agus iad nimhneach naimhdeach dá chéile. I bParlaimint Shasana lean na Feisirí ón dá thaobh dá n-aighneas agus dá spairn.

29

Sa tráth seo thosaigh an ghlúin óg ag déanamh mach-
naimh uair amháin eile ar stair na tíre, ar sprid an náisiúin,
ar thraidisiún agus cultúr na hÉireann. I 1893 bunaíodh
Conradh na Gaeilge agus é mar chuspóir aige an Ghaeilge
a chaomhnú mar theanga náisiúnta na hÉireann, agus a
húsáid mar theanga labhartha a leathnú, agus fós staidéar
agus foilsiú a dhéanamh ar litríocht na Gaeilge agus nua-
litríocht sa Ghaeilge a chothú.

Faoin tráth céanna, agus é ina thoradh ar mhachnamh
sin na glúine úire, cuireadh tús leis an ghluaiseacht litrí-
ochta agus drámaíochta sa Bhéarla as ar fhás Amharclann
na Mainistreach. I gcúrsaí eacnamaíochta freisin músclaí-
odh suim nua i ndéantúis na tíre, agus i 1894 bhunaigh
Horace Plunkett "The Irish Agricultural Organisation
Society" a raibh sé mar chuspóir aige an chomharaíocht
a chothú i measc lucht na talmhaíochta. Roimh i bhfad
d'éirigh leis an eagraíocht seo craobhacha a bhunú i ngach
aon chontae sa tír. Sa bhliain 1884 bunaíodh Cumann
Lúthchleas Gael le spéis sa lúithnireacht a mhúscailt san
óige agus leis na cluichí náisiúnta a chur san áit ba dhual i
saol na tíre.

Ach cé go raibh tús curtha leis na gluaiseachtaí nua seo
a raibh sé daite dóibh a bheith ina bhfórsaí tábhachtacha
sa tír ar ball is ina dtús go fóill a bhí siad agus a lorg
ar an tír dá réir. Dáiríre ní mó ná go raibh a fhios ag an
chuid is mó den tír go raibh siad ann ar aon chor. Bhí
eagraíocht eile ann a raibh sé i ndán di cor a chur i stair
na tíre ar ball ach, ach oiread leis na dreamanna sin atá
luaite againn, ní fhéadfadh aon duine a rá go raibh sí i
mbéal an phobail. Bhí cúis ar leith leis sin óir b'eagraíocht
rúnda é Bráithreachas Poblachtach na hÉireann. Rud eile,
bhí rún ar leith ag an mBráithreachas thar mar a bhí ag
na dreamanna sin ; smacht Shasana in Éirinn a bhriseadh
leis an láimh láidir. Tomás Ó Cléirigh, a bhí i ndiaidh cúig
bliana déag den phríosúnacht a chaitheamh i gcarcair
Shasanach, a bhí ina phríomheagraí ar an eagraíocht san
am atá i gceist.

Tharla sa bhliain 1894 tionól ar dócha Séamas Ó

Conghaile suim ar leith a chur ann : cuireadh Comhdháil na gCeardchumann Éireannach ar bun. Ar shlí b'iontach ann ar aon chor iad mar cheardchumainn. Go luath sa chéad bhí na Dlíthe Frithchomhcheangail céanna dírithe ar a ndíothú agus a bhí le troid ag na ceardchumainn taobh thall den Mhuir Mheann. Rud suimiúil, ba é Dónall Ó Conaill a bhí mar chathaoirleach ar an gcumann frithcheangail a bhí ag na máistrí i mBaile Átha Cliath—agus é an-dúthrachtach dáiríre i mbun a chúraim ! Ar ndóigh, níor éirigh leis na dlíthe na ceardchumainn a scrios. Mhair a lán dá n-ainneoin. Mhair cuid eile nó thosaigh cuid eile mar chumainn charthanachta agus thiontaigh ina gceardchumainn le himeacht aimsire. Lagaigh an Gorta Mór agus an tsíor-imirce iad agus le teacht na n-inneall chaill a lán de na ceardaithe a bpoist agus bhí orthu a bheith ina sclábhaithe neamhoilte. D'fhág na himeachtaí sin an Lucht Oibre in Éirinn lagbhríoch go maith. Mar sin féin bhí na hoibrithe in ann troid mhaith ar son a gceart a dhéanamh ó am go chéile nuair a bhí géarghá leis. Sna seascaidí bhí an United Trades Association ag teacht le chéile in aghaidh na seachtaine. Bhí beagnach tríocha ceardchumann cláraithe leis agus é mar chuspóir acu ceardchumainn uile na tíre a chomhcheangal. Ach as an iomlán bhí an ghluaiseacht lag agus bhí fíor-dhrochdhóigh ar na hoibrithe agus ar a gcuid ban agus páistí.

Bhí aon cheardchumann is caoga sa tír cláraithe le Bord Trádála Shasana agus 10,777 ball cláraithe iontu nuair a tionóladh an Chomhdháil sin i 1894. Tháinig an tionól le chéile i mBaile Átha Cliath. Pléadh staid na n-oibrithe i gcoitinne agus gearáin ar leith na gcumann. Tionóladh Comhdháil 1895 i gCorcaigh agus moladh ann gurbh é an t-aon réiteach ar staid na n-oibrithe náisiúnú na talún, agus fós na ngléasanna táirgthe, dáilithe agus malartaithe. Buadh ar an rún le 57 nguth in éadan 25. Sa bhliain sin bhí 93 cheardchumann cláraithe leis an mBord Trádála ann agus 17,476 bhall iontu. Ach maíodh ag an Chomhdháil go raibh 150 ionadaí i láthair in ainm 50,000 ceardchumannach. Is ceart a dhéanamh soiléir gurbh ion-

dúil gur d'oibrithe ceirde na cumainn seo agus nár ghnách
san am úd na hoibrithe neamhoilte dála na n-oibrithe
ilsaothair agus iompair a bheith eagraithe ar chor ar bith.

2

AR LORG OIBRE

Bhí eolas maith ag an gConghaileach ar an dóigh a bhí
ar Éirinn san am. Fiú sula raibh a aigne féin socair ar
theacht go hÉirinn scríobh sé chuig Keir Hardie i 1894 :
" Anois, dá mbíteása le cuairt a thabhairt ar Áth Cliath
agus labhairt le cruinniú maith ansin, agus rudaí a chur go
bríomhar láidir os comhair na ndaoine, gan an tiarna talún
nó an caipitleach a spáráil, agus mar *finale* tagairt a
dhéanamh do chur i gcéill an dá pháirtí ". An té a scríobh
an méid sin bhí fios a ghnó aige. Ní raibh amhras ar bith
ar an gConghaileach faoin dóigh a dtabharfadh sé faoin
obair a bhí le déanamh aige in Éirinn.

An chéad rud, áfach, a bhí le déanamh aige slí bheatha
éigin a fháil a choinneodh an dé ann féin agus ina chúram.
B'iomaí sin lá a bhí air an chathair a shiúl sula bhfuair
sé post mar sclábhaí sa scéim draenála a bhí ar siúl sa
chathair san am. Nuair a tháinig sé abhaile oíche an chéad
lá oibre ní nó ná go raibh sé in ann siúl :

*Oh, God, Lillie. I'm no good. I'm no use to you and
the children. I cannot do the work. I'm no good . . .*

*I was wheeling barrows of cement. All day long . . .
All day long . . . When dinner time came I could not eat
the bread you put in my pocket . . . When the day was
over I was too tired to be thankful. I was afraid I wouldn't
be able to get home . . . People thought me drunk . . .
when I got dizzy and reeled . . . People thought me drunk.*

You know, d'fhreagair an bhean chéile, *that for the
last few months you haven't had enough to eat — not even
for one day . . . It wasn't you ; it was the work. How
could you do it after months of starvation?* (Portrait of a
Rebel Father).

32

Bróga féin ní raibh aige le caitheamh agus é ag dul i mbun oibre an lá sin. Péire slipéar a bhí ar a chosa ! Uaireadóir a fuair a bhean uaidh blianta roimhe sin agus a raibh leisce uirthi scaradh leis, chuir sí i ngeall an lá dár gcionn é agus choinnigh sin bia leo go ceann tamaill. Chaith sé seal leis an náibhíocht, seal eile ina mhangaire ag dul ó theach go teach ag díol pictiúir de na naoimh. Ar ball fuair sé post mar léitheoir profaí ar pháipéar Domhnaigh.

I seomra i dtionóntán i Sráid na Banríona a chónaigh an Conghaileach agus a chúram ar dtús i ndiaidh teacht go Baile Átha Cliath dóibh. I dtosach na bliana a tháinig siad. Roimh dheireadh na bliana bhí teach cónaithe acu, teach beag ag uimhir a 75 Sráid Charlemont, Portobello. Is ann a rugadh an tríú páiste, Ina, i mí na Samhna, 1896.

3
PÁIRTÍ SÓISIALACH POBLACHTACH

Cheana féin bhí Páirtí Sóisialach Poblachtach na hÉireann ar bun aige. "Cumannacht na hÉireann" an teideal oifigiúil Gaeilge a bhaist an Conghaileach air. Ó tháinig sé go hÉirinn bhí sé ag casadh ar dhaoine a raibh eolas aige fúthu ó Albain agus é ag cur agus ag cúiteamh leo. "Bunaíodh P.S.P.É. i mBaile Átha Cliath," a scríobh sé ar ball, "dream beag daoine ar mheall mé féin iad le suim a chur ina theagasc a bhunaigh." Mar seo a leanas a chuir sé roimh an bpobal cuspóir agus clár an pháirtí :

Tionscnamh is ea Poblacht Shóisialach na hÉireann a bheas bunaithe ar dhílsiú úinéireacht phoiblí na talún agus na ngléas-anna táirgthe, dáilithe agus malartaithe i bpobal na hÉireann. Stiúrófar an talmhaíocht mar ghníomhas poiblí faoi bhord bainistíochta a thoghfaidh lucht na talmhaíochta agus a bheas freagrach dóibhsean agus don náisiún le chéile. An uile chineál eile oibreachais is gá do leas an phobail stiúrófar é de réir an phrionsabail chéanna. D'aon ghnó le fórsaí an Daonlathais a eagrú le haghaidh troid ar bith is gá lenár n-idéal a thabhairt i gcrích, leis an mbealach a réiteach chun an chuspóra sin agus le sruth na heisimirce a stopadh trí obair a chur ar fáil in Éirinn agus, faoi dheireadh thiar, le hurchóid ár gcórais láithrigh shóisialta a mhaolú, saothraímid ar mhodh na polaitíochta leis na cuspóirí seo a bhaint amach :

1. Náisiúnú na gcanálacha agus na mbóithre iarainn.
2. Díorscor na mbanc príobháideach agus na n-institiúidí iasachta airgid agus bunú banc stáit faoi stiúradh bhord stiúrthóiri a thoghfaidh an pobal agus a ligfidh airgead ar iasacht ar chostas an ghnó.
3. Bunú ar chostas poiblí lárionad tuaithe a mbeidh na gléasanna talmhaíochta is nuacheaptha le fáil ar iasacht ar chíos a chlúdóidh a gcostas agus costas bainistíochta ar aon.
4. Cáin ioncaim céimnithe ar gach ioncam os cionn £400 sa bhliain d'fhonn airgead a sholáthar le haghaidh pinsean do na sean, na heasláin, na baintreacha agus na dílleachtaithe.
5. Cosc dlí ar shaothrú thar 48 uair sa tseachtain agus bunú íosráta pá.
6. Saorchothú na leanaí go huile.
7. Leathnú de réir a chéile ar phrionsabal na húinéireachta agus an tsoláthair phoiblí le go gclúdóidh sé riachtanais uile na beatha.
8. Smacht agus bainisteoireacht phoiblí ar na scoileanna trí mheán boird a thoghfar le guthaíocht phoiblí don ghnó sin amháin.
9. Oideachas saor fad leis an chéim ollscoile is airde.
10. Vótáil chomhchoiteann.

Dúirt an Conghaileach i nóta leis an eagrán Meiriceánach de *Erin's Hope: The End and the Means*, a foilsíodh na blianta ina dhiaidh seo gur fágadh ar lár cuid de na moltaí sa chlár seo, mar shampla, an moladh i mír a trí, ar an ábhar go raibh sé ar chlár ghluaiseacht na comharaíochta, agus fós " ní ar an ábhar nach bhfuil siad inoibrithe, ach de bhrí nach dtagann siad lán chomh díreach taobh istigh de scóip na bolscaireachta sóisialaí agus go príomha de bharr fhás na gcomhlachtaí idirnáisiúnta a bhfuil greim acu ar an ngnó iompair bia a fhágann moltaí mar é gan bhrí ar na saolta seo ".

Is fiú aird a thabhairt ar an gclár seo, óir tá ann an polasaí agus na prionsabail chéanna, a bheag nó a mhór, a bhí aige ar feadh a shaoil. Deir W. P. Ryan : " Ar shlí níl réabhlóid ar bith i dteagasc an Chonghailigh. San iliomad saothar scríofa, sna leabhair, sna paimfléid agus sna tréimhseacháin, agus fós ina óráidí, bíonn sé ag déanamh scrúdú ar phointe nó ghné éigin de na príomh-fhíricí ba léir ón tosach. Ní fionnachtana nua atá iontu ach treisiú, léiriú nó míniú. Bhí an t-iomlán soiléir nó intuigthe i gclár nó i dteagasc 1896 nuair a bhunaigh sé an P.S.P.É." (*The Irish Labour Movement*—W. P. Ryan.)

Mhínigh an Conghaileach ar ball gurbh é an teagasc lenar mheall sé chuige a lucht leanúna : nár naimhdeach ach comhlántach dá chéile an dá shruth de smaointe réabh-lóideacha in Éirinn — an sruth sóisialach agus an sruth náisiúnta, agus gurbh é, dáiríre, an sóisialach Éireannach an tírghráthóir ab fhearr, ach le go gcuirfeadh an Con-ghaileach an fíoras sin ina luí ar phobal na hÉireann, ba ghá i dtosach, dúirt sé, údar a sheasaimh a fháil in Éirinn agus a sheasamh a dhéanamh in éadan dhaoirse na hÉir-eann agus iomlán a leanann ón daoirse sin. (Réamhrá le *Erin's Hope*.)

Bhunaigh an Páirtí ceanncheathrú i 67 Sráid na Mainis-treach Lár. Bhíodh cruinnithe agus léachtaí acu go tráth-rialta sna seomraí sin de ghnáth agus nuair a bhíodh an aimsir maith bhíodh cruinnithe sráide acu oícheanta Domhnaigh i bPlás Foster. Seastán éadrom adhmaid a bhíodh mar ardán acu, cineál ab fhurasta do na cainteoirí a iompar leo go hionad an chruinnithe.

Taobh istigh de mhí ó bhunú an Pháirtí scríobh Eleanor Marx Aveling, iníon Karl Marx, chuig Ó Conghaile agus gheall gach cuidiú dá raibh ar a cumas dóibh. Chláraigh a fear céile mar bhall den Pháirtí.

Go gearr i ndiaidh bhunú an Pháirtí d'fhoilsigh an Conghaileach *The Rights of Ireland* agus *The Faith of a Felon* le Fiontán Ó Leathlobhair agus réamhrá uaidh féin leo inar dhearbhaigh sé gurbh ionann seasamh an P.S.P.É. agus seasamh Uí Leathlobhair i 1848 — in éadan na bpáirtithe polaitiúla agus ina measc sin na náisiúnaithe a raibh dearcadh lánchoimeádach acu go huile faoi bhun-cheisteanna an tsealúchais agus dearcadh as cuimse coimeádach acu faoi éileamh an oibrí ar lántáirgeadh a shaothair.

D'fhoilsigh sé freisin cuid de scríbhinní Tone agus

35

taoisigh eile '98 faoin teideal *Ninety Eight Readings*. Bhí meas aige ar Tone :

"Deirtear linn aithris a dhéanamh ar Wolfe Tone," dúirt sé, "ach is ar an ábhar seo a bhí Wolfe Tone ina fhear ar leith, nach ndearna sé aithris ar aon duine. D'éiligh an tráth inar mhair sé fear a mbeadh a aigne saor ó cheangail intleachtúla na nglún a d'imigh roimhe agus a thabharfadh le chéile san aon duine amháin dóchas an chreidimh nua réabhlóidigh agus seanaislingí cine faoi ansmacht." (*Workers' Republic*, 5.8.1899).

Shuimigh sé a mheas ar an Leathlobhrach sna focail seo : "Agus sinn ag déanamh staidéir inniu ar a scríbhinní tagaimid iontu ar na prionsabail ghnímh agus shóisialta is fearr a d'fhéadfadh tír a tharraingt chuici agus i ag beartú feachtais lena saoirse a bhaint trí éirí amach in éadan concas náisiúin eile nó fós ag leagan dúshraithe ar a dtógfaí an tsíocháin shóisialta is iomláine ar bith san am atá romhainn." Bhí meas ar leith aige thar fhear ar bith eile de na hÉireannaigh Óga ar an Leathlobhrach : "Is é a bheireann leis an chraobh ar léire a mhínithe ar theagasc na réabhlóide sóisialta agus polaitiúla, Séamas Fiontán Ó Leathlobhair as Tigh na Cille, Laois." *(Labour in Irish History).*

Níor mhiste san áit seo a thuairim a thabhairt ar fhear eile de na hÉireannaigh Óga a raibh ardmheas aige air, Seán Mistéal : "Dhoirt sé nimh a dheargfhuatha ar na saoithíní sin a bhíodh ag stáirrfeach thart air agus iad chomh dícheallach céanna ag cur snas ar abairt le haghaidh léachta nó ar chlaíomh le haghaidh paráide — agus gan cumas iontu dul thairis sin."

Scríobh sé sraith alt freisin sa *Shan Van Vocht*, míosachán poblachtach a bhí á fhoilsiú i mBéal Feirste ag Alice Milligan agus d'fhoilsigh sé na hailt seo agus roinnt alt as páipéir eile ar ball faoin teideal *Erin's Hope : The End and the Means.*

Thrácht sé i gceann de na hailt seo sa *Shan Van Vocht* ar ghluaiseachtaí náisiúnta éagsúla an lae agus gluaiseacht na Gaeilge ina measc :

36

"Gan amhras tá obair mhaith á déanamh acu a mbeidh toradh buan uirthi . . .

"Mura bhfuil an ghluaiseacht náisiúnta sa lá inniu ach leis na seanscéalta brónacha dár stair a insint as an nua, is gá dó a thaispeáint gur féidir leis aghaidh a thabhairt ar cheisteanna an lae inniu.

"Is gá dó a chruthú do phobal na hÉireann nach aon idéalú marbhánta den sean-am atá inár náisiúntacht ach go bhfuil sí in ann, freisin, freagra soiléir ar leith a thabhairt ar fhadhbanna an lae agus creideamh polaitiúil agus eacnamaíoch a sholáthar atá inchomórtais leis an am atá romhainn.

"Mar shóisialaí tá mé réidh gach a bhfuil ar chumas aon fhir amháin a dhéanamh le go mbainfidh ár dtír amach á hoidhreacht—saoirse ; ach má iarrann tú orm aon chuid dá laghad d'éilimh an cheartais shóisialta a ghéilleadh ar mhaithe le haicmí na bpribhléidí a shásamh is éigean dom diúltú." (*Shan Van Vocht*, Eanáir, 1897.)

Léiríonn an sliocht seo nach i ndeireadh a laethanta a thiontaigh an Conghaileach ina náisiúnaí nó ina thírghráthóir, nó ina phoblachtach, mar a mhaítear go minic. Is léir ón sliocht seo go raibh creideamh agus teagasc náisiúnta an Chonghailigh chomh hiomlán i 1897 agus a bhí i 1916.

Ní haon ionadh a iníon Nóra a rá faoi ar ball: "Bhíodh Daidí i gcónaí ag léamh nó ag scríobh agus é sa bhaile. Cead ag na leanaí a bheith ag súgradh nó ag troid thart air, ní dhéanadh sé ach leanúint leis an léamh nó an scríobh." Faoin tráth céanna seo, 1897, scríobh sé alt do pháipéar a bhí á fhoilsiú ag Maud Gonne i bPáras, *L'Irlande Libre*, agus thug sé ann míniú breise ar a chreideamh sóisialach :

"*Scientific Socialism is based upon the truth incorporated in this proposition of Karl Marx, that 'The economic dependence of the workers on the monopolists of the means of production is the foundation of slavery in all its forms, the cause of nearly all social misery, modern crime, mental degradation and political dependence'.*

" Since the abandonment of the unfortunate insurrectionism of the early socialists whose hopes were exclusively concentrated on the eventual triumph of an uprising and barricade struggle, modern socialism, relying upon the slower but surer method of the ballot-box has directed the attention of its partisans towards the peaceful conquest of the forces of government in the interests of the revolutionary ideal.

" Socialism requires the transference of the means of production from the hands of private owners to those of public bodies directly responsible to the entire community."

4

VICTORIA IN ÉIRINN

Tharla an bhliain sin 1897 ina bliain iubhaile ag Victoria, Banríon Shasana, shocraigh an Conghaileach gur cheart an ócáid a chomóradh go fiúntach. D'fhoilsigh sé forógra, ar scaipeadh deich míle cóip de, inar mhínigh sé tábhacht na Banríona i stair na hÉireann !

Murarbh é an Conghaileach agus a pháirtí a d'eagraigh an taispeántas agóide bhí lámh mhaith acu ann. Cuireadh cruinniú poiblí ar siúl i bhFaiche an Choláiste an tráthnóna roimh an gcomóradh oifigiúil. Bhí na mílte i láthair. Labhair an Conghaileach, Maud Gonne agus daoine eile. Ó am go chéile rinne baiclí de na mic léinn as Coláiste na Tríonóide ionsaithe ar an gcruinniú agus d'éirigh racáin dá mbarr. Cuireadh mórshiúl ar bun an oíche dár gcionn. Shiúil an Conghaileach i dtosach na paráide. Bhí slua mór daoine páirteach ann agus measadh go raibh breis agus tríocha míle duine ar fad i láthair ar shráideanna na cathrach. D'ionsaigh na póilíní na daoine lena smachtíní, scaip siad lucht an mhórshiúil agus an slua. Maraíodh seanbhean. Gabhadh an Conghaileach agus chaith sé an oíche sa Bridewell. D'íoc Maud Gonne an fhíneáil an mhaidin dár gcionn agus ligeadh an Conghaileach saor.

Bhí Maud Gonne páirteach freisin leis an gConghaileach

i bhfeachtas sa bhliain 1897 le muintir Chiarraí a chomh-airliú an tráth a raibh gorta ag bagairt orthu de bhrí gur theip ar na prátaí. D'fhoilsigh siad ráiteas inar mhínigh siad go raibh " na húdaráis is eolaí ar theagasc na hEaglaise ar aon aigne nach bhféadfadh dlí ar bith a rinne daoine a chrosadh ar dhaoine a bhí ag fáil bháis den ocras bia a thógáil go hoscailte nó go rúnda áit ar bith a bhfaighidís é, bíodh cead an úinéara acu chuige nó ná bíodh," agus thug siad údarás na bPápaí agus Naomh Tomás leis an ráiteas.

D'íoc Maud Gonne £25 le costas an chlóbhuailte agus le costais taistil an Chonghailigh go Ciarraí a íoc. Chaith sé trí sheachtain sa chontae agus é ag fiosrú staid na ndaoine agus ag scaipeadh an ráitis. (*A Servant of the Queen*—Maud Gonne McBride.)

Bhí an Conghaileach ag obair san am seo mar eagraí don Pháirtí ar phunt sa tseachtain — a híoctaí leis am ar bith a mbíodh airgead ann chuige. Ní bhíodh i gcónaí ! Mar sin féin bunaíodh *The Workers' Republic* i 1898. Cuireadh an chéad uimhir i lámha an phobail ar an 13ú Lúnasa. Ar an chéad leathanach bhí an mana seo i nGaeilge :

"Is dóigh linn gur mór iad na 'daoine móra' mar atáimíd féin ar ár nglúnaibh — Éirghmís."

Tharla gur foilsíodh an chéad uimhir ar ócáid leagtha an chloch bhunaidh le haghaidh an leacht cuimhneacháin do Wolfe Tone, ag barr Shráid Grafton (níor tógadh an leacht ó shin agus tá an chloch bhoinn féin tugtha ar shiúl !). Scríobh an Conghaileach faoi Tone sa *Workers' Republic : " Apostles of freedom are ever idolised when dead, but crucified when living."*

Chuidigh Keir Hardie le bunú an pháipéir agus thug iasacht £50 dó. Mhair an páipéar ar feadh aon eisiúint déag agus b'éigean stad de ansin cheal airgid. Cuireadh chun bailiú airgid mar sin, agus ceannaíodh gléas beag clódóireachta agus chuir lucht an Pháirtí iad féin cló ar an bpáipéar. San oifig sin an Pháirtí i Sráid na Mainistreach, Lár, a clódh é. Leathphingin a bhí air agus mhair sé go 1903, ach bearnaí, a tharla anois agus arís cheal airgid, a áireamh. Páipéar beag bídeach a bhí ann. Ar ócáid amháin nuair a bhí cúis chlúmhillte á plé sa chúirt cuireadh cóip de i lámha an bhreithimh. D'amharc seisean air ar feadh soicinde agus d'fhiafraigh : "Cá bhfuil an chuid eile de ? "

Séamas Ó Conghaile a bhí ina eagarthóir ar an *Workers' Republic* an fad a mhair an páipéar. Ba ina chuid leathanachsan a chuir an Conghaileach i gcló den chéad uair, i sraith alt, an chuid tosaigh de *Labour in Irish History*. Ba ann freisin a nocht sé a thuairimí faoi staid na hÉireann san am agus faoi iliomad gnéithe de shaol na hÉireann agus de shaol an náisiúin.

Mar chuid de imeachtaí Chuimhne '98 socraíodh ar chlubanna '98 a bhunú ar fud na tíre. Ainmníodh na club-anna ó na ceannairí a bhí páirteach in Éirí Amach 1798 agus 1803. Bhunaigh an Conghaileach club, ab ionann a bheag nó a mhór agus an P.S.P.É. agus thug Craobh Jimmy Hope air nó *The Rank and File '98 Club*. Bhí an Conghaileach ar Choiste Cuimhneacháin '98 i dtús ama, ach d'éirigh sé as nuair a socraíodh go mbeadh fáilte ar an gcoiste roimh lucht leanúna Mhic Réamainn agus Uí Dhiolúin den Pháirtí Parlaiminteach.

Tríd an bhaint a bhí aige le Coiste '98 chuir sé aithne ar chuid de na daoine a bhí chun tosaigh sa ghluaiseacht náisiúnta san am — Seán Ó Laoire agus Liam Ó Maol-ruanaidh orthu. Sa Celtic Literary Society chuir sé aithne ar a thuilleadh díobh. Ba ann a chuir sé aithne ar Art Ó Gríofa, a bhí tar éis filleadh ón Afraic Theas, agus ar W. B. Yeats. Ach mura mbeadh aithne aige féin agus ag Ó Gríofa ar a chéile roimhe sin bhí sé i ndán do Chogadh na mBórach iad a thabhairt le chéile.

Thionól an P.S.P.É. cruinniú ag Plás Foster, an 27ú Lúnasa, 1899, agus glacadh le rún a mhol Séamas Ó Conghaile : "Go gcáineann an cruinniú seo cur isteach an rialtais chaipitlígh Bhriotanaigh ar ghnó inmheánach Phoblacht an Transvaal mar ghníomh coiriúil ionsaithe, go nguíonn sé fad saol don Phoblacht agus go mbraitheann sé

40

ar ár gcomhthírigh go dtógfaidh siad airm, más gá le tír a ndídine a chosaint."

Ba é seo an chéad chruinniú poiblí a tionóladh in Éirinn le bá na hÉireann le cúis na mBórach a léiriú agus le cur in éadan an liostáil in Arm Shasana a bhí ar siúl go tréan san am. Thug an *Workers' Republic* tacaíocht láidir do na Bóraigh.

Bhí Art Ó Gríofa i ndiaidh tús a chur leis an *United Irishman* i Márta, 1899. Bhí Coiste For-Bhórach ar obair aige agus thug sé tacaíocht a pháipéir don chúis. Fógraíodh faoi dheireadh 1899 go raibh Joseph Chamberlain, an fear ba mhó ba chúis le Sasana troid a chur ar na Bóraigh, le teacht go hÉirinn. Socraíodh ar chruinniú de phobal Bhaile Átha Cliath a ghairm le fuath mhuintir na hÉireann don fhear agus dá pholasaí a thaispeáint go soiléir. Bhagair fórsaí an Chaisleáin orthu gur dóibh ba mheasa dá dtionólfaí a leithéid de chruinniú. Tháinig Joseph Chamberlain go Baile Átha Cliath ar an 16ú Nollag. Maidin an 17ú deir cuntas an *United Irishman* (23.12.1899) "tiomáineadh carráiste ina raibh Maud Gonne, Séamas Ó Conghaile, Cathaoirleach Pháirtí Sóisialach Poblachtach na hÉireann, George Lyons, E. W. Steward agus Art Ó Gríofa isteach go Plás Dúinsméara. Bhí slua an-mhór daoine bailithe agus dhruid siad i dtreo an charráiste, iad ag liúirigh in ard a ngutha ar son na mBórach. Mhol Mac Uí Ghríofa go rachadh Mac Uí Chonghaile i gceannas an chruinnithe, agus ní raibh ach cúpla abairt ráite ag an duine uasal sin nuair a thug na póilíní fogha faoin gcarráiste, tharraing siad an tiománaí óna shuíochán, rug siad greim cinn ar na capaill agus thriail siad an carráiste a tharraingt leo as an áit.

"Chruinnigh na póilíní isteach orthu go fórsúil agus ghabh siad iad. Thug siad go dtí Stáisiún Shráid na Stór iad ach scaoil siad amach iad arís tar éis a rá leo go bhféadfaidís cruinniú a thionól lasmuigh de theorainn na cathrach. Bhí siad ag dul i dtreo Dhroichead Annesley go dtí teorainn na cathrach ach b'éigean dóibh filleadh mar bhí an slua ag brúchtáil agus ag dlúthú agus ag

teacht sa tslí orthu. D'fhill siad i dtreo na cathrach . . .
Bhí an pobal ar mire le háthas, bratacha Éireannacha agus
Bóracha á luascadh san aer i ngach treo baill, liúireach,
geoin agus rí-rá. Ghabh siad trí Shráid an Dáma, thar
bráid an Chaisleáin, trí Shráid na Parlaiminte, agus is
ansiúd a thug na póilíní fogha fúthu agus claimhte ar
tarraingt acu. D'éirigh leis na póilíní an carráiste a stop-
adh agus labhair Ó Gríofa leis an bhfeidhmeannach á rá
leis nach raibh siad ach ag dul go dtí Sráid na Mainistreach
áit a raibh seomraí acu . . . Shroich siad Uimhir 32 (Sr.
na Mainistreach) agus chuaigh siad isteach. Tionóladh an
cruinniú ansin agus labhair na fir mhóra faoi mar a
fógraíodh. Ní rachadh Seámas Ó Conghaile isteach chun
an chruinnithe. Dúirt sé nach raibh ann ach leithscéal ar
son na ndaoine cúramacha úd nár ghabh aon pháirt sa
chomhshiúl ná sa tranglam. D'fhan sé amuigh sa char-
ráiste agus rinne sé iarrracht dul ar aghaidh leis an
pharáid."

Ghabh na póilíní an carráiste agus a raibh ann — an
Conghaileach, Maud Gonne, Seán Ó Laoire agus Pádraig
Ó Briain, M.P., agus thug isteach go clós bheairic Shráid
na Stór iad, ach ba ghearr gur scaoileadh arís iad.

Ar an 3ú Aibreáin, 1900, tháinig Victoria go hÉirinn.
Mhair sí ina long i nDún Laoire go dtí an lá dár gcionn,
nuair a tháinig sí go Baile Átha Cliath. D'fháiltigh Ard-
mhéara na Cathrach, Sir Thomas D. Pile, roimpi ag geataí
bréige na cathrach.

" 'On behalf of the city of Dublin, I desire to tender to
the Queen a most hearty welcome to her Majesty's ancient
city and on the arrival of her Majesty the city gates will
be thrown open on the instant . . . '

" On passing under the arched gateway, Queen Victoria
found herself in the presence of as enthusiastic a gathering
of her subjects as, perhaps, she had ever witnessed . . .

" The illuminations in the streets that night surpassed
anything ever previously beheld in Ireland, and the myriads
of spectators dispersed quietly to their homes shortly be-
fore midnight without any disturbance or unpleasantness."

(*Five Years in Ireland 1895-1900* — Michael J. F. McCarthy.)

Bhí na cumainn náisiúnta i ndiaidh a mholadh do na daoine gan cur isteach ar mhórshiúl Victoria, ach a bheith páirteach i mórshiúl agóideach oíche an 4ú Aibreán. Tháinig an mórshiúl le chéile i Sráid na Mainistreach. Cuireadh ord agus eagar ar na daoine agus chuaigh Séamas Ó Conghaile agus Art Ó Gríofa i dtús agus i gceannas ar an pharáid. Ní mó ná go ndeachaigh an pharáid i mbun siúil gur ionsaigh na póilíní iad. Leagadh Séamas Ó Conghaile agus Art Ó Gríofa le buillí. Cuireadh atheagar ar an pharáid agus ar aghaidh leo arís. D'ionsaigh na póilíní arís eile iad agus ba ghearr go raibh sé ina dheargspairn. Cuireadh troid ar chuid de lucht leanúna Victoria agus ar a saighdiúirí. Briseadh fuinneoga a lán siopaí. Agus bhí rí-rá agus racán i gceart ann.

5

CÚRSAÍ NÁISIÚNTA AGUS IDIRNÁISIÚNTA

Má bhí an Conghaileach gnóthach go maith in Éirinn sa chéad bhliain sin den chéad nua, ní raibh sé ag ligean le sruth na haimsire imeachtaí sóisialaithe áiteanna eile. Thionól lucht an tsóisialachais an chéad Idirnáisiúntán i 1864, le hoibrithe an domhain a chomhaontú. Ba é Karl Marx a dhréachtaigh an bunreacht. Thit an tIdirnáisiúntán seo as a chéile le himeacht aimsire de dheasca easaontais faoi pholasaí. Tosaíodh ar Chomhdhálacha Idirnáisiúnta a ghairm ó 1876. Ag comhdháil 1889 socraíodh ar an Dara hIdirnáisiúntán a bhúnú. Ba mhinic fós an t-achrann ar siúl ag na comhdhálacha, ach de réir a chéile cuireadh eagar ar chruinnithe na heagraíochta, a raibh sé mar chuspóir aici a bheith mar a bheadh parlaimint ann ag lucht an tsóisialachais.

I 1900 bhí comhdháil ar siúl i bPáras. Bhí triúr i láthair ann ó Éirinn mar ionadaithe ón P.S.P.É. — E. W. Stewart, Mark Derring agus Dónall Ó Briain. Ní raibh an

Conghaileach ann. Bhí cead ag an triúr ó Éirinn a suíocháin a ghlacadh mar ionadaithe náisiún neamhspleách athscartha ar leith na hÉireann. Cuireadh fáilte rompu, buaileadh bosa agus chuathas ar aghaidh le gnó na comhdhála. Ach má ba bheag leis an chomhdháil a raibh déanta acu, ba mhór le hionadaithe na hÉireann é agus ba mhór leis an gConghaileach é. Sa chéad eisiúint eile den *Workers' Republic,* dúirt sé gurbh é ba mhian leis go mbeadh muintir na hÉireann ina máistrí ar a gcinniúint féin agus iad láninniúil ar an chinniúint sin a thabhairt in éifeacht i gcúrsaí náisiúnta agus idirnáisiúnta. Dar leis go raibh ábhar aige féin a bheith sásta go raibh céim ar aghaidh tugtha ag an ghluaiseacht a raibh sé ina cheann treorach uirthi in Éirinn, bíodh an ceart aige nó ná bíodh.

Ar aon nós bhí an Conghaileach láneolach ar a raibh ar siúl ag a chomhshóisialaithe i dtíortha eile agus ar na daoine móra sa ghluaiseacht i Sasana, in Albain agus ar an Mhór-roinn. Agus bhí eolas acusan air agus ar a raibh ar siúl aige. An bhliain dár gcionn, 1901, fuair sé cuireadh óna sheanchairde, lucht an tsóisialachais in Albain, sraith léachtaí a thabhairt sa tír sin. Thug sé léachtaí i nDún Éideann agus i gcathracha agus i mbailte móra na hAlban agus na Sasana sa bhliain sin agus arís i 1902. Fuair sé cuireadh léachtaí a thabhairt sna Stáit Aontaithe, freisin, rud a rinne sé faoi dheireadh 1902. Bhí sé imithe ar feadh ceithre mhí. Bhí cuspóir eile aige seachas eolas ar an sóisialachas a scaipeadh, mar bhí airgead a bhailiú do chiste an P.S.P.É. agus don *Workers' Republic* sa bhaile in Éirinn.

Thug na páipéir sna Stáit " Sóisialaí na Teanga Airgid " air, agus de réir gach cuntais níorbh aon dóichín é ar an ardán. Dúirt Thomas Bell, seanchara dá chuid in Albain :

" *I learned much from Connolly — I carried the platform and took the chair for him at his meetings. He took great pains to coach us and assist us in becoming public speakers. He would arrange to put one of us up for ten minutes before he took the meeting. Afterwards he would give us friendly criticism and words of encouragement to do better and better. Connolly's speeches were a model of simplicity, conciseness and burning class invective, always backed up by quotations and statistics of fact. Being Irish, he excelled in repartee, his ready wit silencing all opposition, though he went to no end of pains to clear up doubts in the minds of workers honestly seeking the truth."* (Arna aithris i *Socialism & Nationalism*—Deasún Ó Riain.)

Agus arís eile chuir seanchara eile, Murtagh Lyng, síos air : *" (Connolly) is particularly well versed in Irish history, especially in the revolutionary phases of it. Connolly excels in the following and applying of abstract principles and historical parallels to the ordinary phases of our social life. An indefatigable propagandist and excellent platform speaker, his speeches are mainly marked by close logical reasoning though there is a plentiful play of the imaginative faculty. Connolly has a sledge-hammer repartee." Ibid.*

Ar ócáid éigin moladh dó roinnt den bhuaileam sciath a chur ina óráidíocht d'fhonn na sluaite móra a mhealladh, ach d'fhreagair sé : " Ní bhfaighidh siad aon bhuaileam sciath uaim. B'fhearr liom labhairt go hionraic le ceathrar nó le cúigear fear a bheadh dáiríre, ná míle fear nach ndéanfadh machnamh a chur a liúirigh. Dhéanfaidís dearmad den mhéid a bheadh ráite agam taobh istigh de chúig nóiméad."

I 1902 agus 1903 sheas an Conghaileach mar ionadaí don lucht oibre i mBarda Ché an Adhmaid i mBaile Átha Cliath sna toghcháin áitiúla. Reachtaíodh Acht an Rialtais Áitiúil i 1898 agus d'fháiltigh an Conghaileach roimh an rún a bhí ag an lucht oibre na toghcháin áitiúla a throid : " Is ábhar ar leith lúcháire againn rún seo na gceardchumann, comhoibreoidh ár n-iarrathóirí go croíúil leo." Is suimiúil linn san alt céanna seo an suimiú a rinne sé ar a theagasc mar pholasaí don lucht oibre, polasaí a raibh blas láidir shiondacáiteachas na Fraince air :

" Nach fearr go ndílseofaí an sealúchas sa phobal eagraithe agus stiúradh an tionscail a fhágáil i gcúram na gceardchumann. D'fhéadfadh siadsan gan amhras na fir a sholáthar a d'eagródh cúrsaí táirgthe agus dáilithe i

45

bhfad níos fearr ná an aicme nach suim leo ní ar bith ach cúrsaí brabaigh" (*Workers' Republic*, Lúnasa 27, 1898). Ceist eile an raibh an lucht oibre sásta glacadh leis an bpolasaí sin. Bhí díomua air nuair a chonaic sé cad é mar a d'iompair ionadaithe Pháirtí Lucht Oibre Bhaile Átha Cliath iad féin. Ar sé : "D'fhógair Ardmhéara Bhaile Átha Cliath, ar ball den Lucht Oibre é, nárbh ionadaí é d'aon aicme nó dream agus d'fhógair sna focail sin nach raibh sa teideal lucht oibre acusan a d'ainmnigh é ach leithscéal chun rógaireachta . . . *We see in this contest not a fight between capital and labour but a sordid scramble for position between two sets of political wire-pullers, both equally contemptible.*"

Buadh air féin sa dá thoghchán. Thug sé a mhíniú air sa ráiteas a chuir sé amach le haghaidh thoghchán 1903 : "*Let us take lesson by the municipal election of last year. Let us remember how the drink-sellers of the Wood Quay combined with the slum owners and the house jobber, let us remember how Alderman Davin, Councillor McCall and all their fellow publicans issued free drinks to whoever would accept, until on the day before election, and election day, the scenes of bestiality and drunkenness around their shops were such as brought the blush of shame to every decent man and woman who saw them. Let us remember how the paid canvassers of the capitalist candidate — hired slanderers — gave a different account of Mr. Connolly to every section of the electors. How they said to the Catholics that he was an Orangeman, to the Protestants that he was a Fenian, to the Jews that he was an anti-Semite, to others that he was a Jew. Remember that all this carnival of corruption and dishonesty was resorted to, simply in order to prevent labour from electing a representative who could neither be bought, terrified or seduced and you will understand how important your masters conceive to be their hold on the public bodies in this country.*"

Caint láidir, gan amhras ! Ar ndóigh, bhí a sheannaimhde os a chomhair arís arbh éigean dó iad a throid roimhe seo i nDún Éideann — lucht an Rialtais Dhúchais.

Nocht sé a mheas orthu go minic : " Ní gá faitíos a bheith ar Rialtas Shasana i dtaca le Éirinn de ; is féidir a bheith lánmhuiníneach as Páirtí an Rialtais Dhúchais, agus a ndeachairde an Chonstáblacht, an tír a choimeád socair." Gan fiú nár ionsaigh sé a sheanchara Keir Hardie faoin meas a bhí aige orthu : " Ní thuirsíonn Mr. Keir Hardie, M.P., ná á chomhleacaí sa *Labour Leader* de bheith ag meabhrú do shóisialaithe Shasana go bhfuil Páirtí Rialtais Dhúchais Mr. John Redmond ar lasadh le grá don lucht oibre agus go bhfuil claonadh acu leis an sóisialachas. Iarraimid ar ár léitheoirí gan pléascadh leis an scolgháire ar léamh an scéil seo dóibh." (*Workers' Republic* — Deireadh Fómhair, 1901.)

Ar ócáid thoghchán 1903, nocht Art Ó Gríofa a thuairim ar an gConghaileach : " Ní sóisialaithe sinn, mar sin féin bheadh lúcháir go deo orainn dá bhfeicfimis fear de cháilíocht Mhic Uí Chonghaile ar Bhardas Bhaile Átha Cliath " (*United Irishman,* 10.1.'03).

Níor dhearmad an Conghaileach an chomaoin a chúiteamh le hArt Ó Gríofa ar ball : " Bhí ar an P.S.P.É. cur suas le baghcat phreas uilig na hÉireann ach amháin an *United Irishman* i dtús ré na hirise sin. B'onórach an mhaise do é " (*The Harp,* Márta, 1908).

6

CÚL LE hÉIRINN

Thug an Conghaileach airgead don *Workers' Republic* ar ais leis ó na Stáit — ceithre chéad táille cláraithe láníoctha. Má thug bhí sé féin chomh bocht céanna i ndiaidh dó filleadh agus a bhí sé roimh imeacht dó. Bhí cúram na clainne ag dul i méid. Rugadh iníon dá bhean i dtosach 1899 agus mac i dtosach 1901. Ba é an chéad mhac acu é agus an mac deireanach. Cúigear iníon a bhí anois sa chlann. In árasán i 54 Pimlico, plódcheantar i ngearr don Chúm, a bhí cónaí orthu.

Bhí an bhochtaineacht ag goilleadh go géar air. Ar

seisean ar ball faoin tráth sin : "Ní thig liom filleadh ar phlódcheantair Bhaile Átha Cliath arís. Is leor i saol duine ar bith eolas a chur orthu aon uair amháin." Níorbh é sin ba mheasa ach nach raibh na táillí a gealladh dó á n-íoc. Fiú an t-airgead a bhailigh sé sna Stáit ar mhaithe leis an bpáipéar, caitheadh ar ghnó éigin eile é. Le méid a mhíshástachta leis an tslí ar caitheadh airgead an pháipéir, thairg an Conghaileach a dhíorscor agus glacadh leis. Éiríodh as an *Workers' Republic* i mí na Bealtaine, 1903.

D'imigh an Conghaileach go hAlbain faoin tráth sin ina eagraí don Social Democratic Federation agus nuair a bunaíodh, go gearr ina dhiaidh sin, an Socialist Labour Party bhí sé ina eagraí don Pháirtí in Albain ar feadh tamaill. Shiúil sé cuid mhór den tír agus labhair ag cruinnithe sna cathracha agus sna príomhbhailte. Taobh amuigh de Ghlaschú agus de Dhún Éideann níor glacadh go rófhonnmhar leis an bPáirtí.

Bhí air machnamh a dhéanamh ar a dhóigh. I ndiaidh iomlán a shaothair i mBaile Átha Cliath — agus shaothraigh sé go dian mura mbeadh ann ach saothar a phinn — ní fhéadfadh sé a rá ach nár éirigh leis a theagasc a chur i bhfeidhm ar Éirinn — rud nach ionann agus a rá nár fhág sé a lorg ar lucht oibre na príomhchathrach. Bhí ceist níos práinní le freagairt aige, cuma cad é chomh maith agus a bhí toradh ar a shaothar : cén dóigh a raibh sé le greim a choimeád i mbéal na clainne — dhá scilling a bhí leis abhaile mar thuarastal deireadh seachtaine amháin. I dtaca le hAlbain de, níor léir gur mórán níb fhearr a bheadh an scéal dá mbeadh sé lena chónaí a dhéanamh ann.

Ar an láimh eile, d'éirigh go han-mhaith leis nuair bhí sé ag timireacht sna Stáit, bhí an-mheas ag na sóisialaithe thall air agus bhí an fear ceannais orthu ag impí de shíor air dul anonn. Fós bhí cairde agus gaolta leis thall. Shocraigh sé ar imeacht. Níor fhill sé ó Albain go raibh traenáil faighte aige mar oibrí inneall línechló. I mí Meán Fómhair, 1903, d'fhág sé slán ag a bhean chéile agus ag na páistí agus thug aghaidh siar.

Seacht mbliana a bhí caite ag Séamas Ó Conghaile
i mBaile Átha Cliath san am ar imigh sé go dtí na Stáit.
Cúig bliana is tríocha a bhí sé. B'fhurasta dó a cheapadh,
agus an taom míshástachta a bhí air, gur seacht mbliana
amú, de na blianta ab fhearr dá shaol, a bhí iontu.
Níorbh amhlaidh, ar aon chor. Is léir gur thuig sé féin é sin le
himeacht aimsire, óir, na blianta ina dhiaidh sin, dúirt sé :
" An botún is mó dá ndearna mé i mo shaol imeacht go
Meiriceá." Ach chuir sé aguisín leis : " An dara botún is
mó a rinne mé Meiriceá a fhágáil."
    Tháinig an Conghaileach go hÉirinn ó Dhún Éideann
i ndeireadh an naoú céad déag. Agus cuimhne bhriseadh
'98 beo fós sna daoine i dtús an chéid, chonaic siad Emmet
á chrochadh. Agus glúin i ndiaidh glúine ba é an briseadh
agus an díomua a bhí i ndán dóibh. B'fhéidir gurbh é an
buille ba dhéine orthu dá dtuigfidís é, Dónall Ó Conaill,
as ar mhór a ndóchas, loiceadh ar an náisiún. Bhí an
Conghaileach deas go maith don fhírinne :
    " Stiúraigh Dónall Mór Ó Conaill, an fuascailteoir, mar
dhea, a chruinnithe i mBéarla. Agus é ag labhairt ag na
cruinnithe i gConnachta mar a raibh Gaeilge ag an uile
dhuine san am agus gan ach Gaeilge ag breis agus 75
faoin gcéad, is i mBéarla amháin a labhair Ó Conaill . . .
Mar thoradh air sin agus ar a leithéid eile thiontaigh na
daoine saonta a ndroim ar a dteanga féin agus thosaigh
ag déanamh aithris ar na ' huaisle '. Ba é tús a réime é
ag an lútálaí agus ag an snámhaire, ag an seoinín agus ag
an daor." (*The Harp*, Aibreán 1908).
    Cé a déarfadh nach raibh an ceart ag an gConghaileach?
D'fhág Ó Conaill cinnte é nach dtroidfeadh na daoine nuair
a tháinig an Gorta Mór. Agus cé gur thóg Éire a ceann ó
am go chéile idir sin agus deireadh an chéid, ar feadh beag-
nach leathchéad blian ar éigean a d'fhéadfaí a rá go raibh
anam nó anáil fágtha sa tír. B'fhíor do Chesterton : " *and
huksters watched and betted, when would the great heart
break* . . . " Tháinig Parnell agus an dóchas mór fad a
mhair sé. Agus ina dhiaidh an náire : " *Followers of
Parnell they are indeed, but they follow at such a respect-*

49

able distance that they have lost sight not only of the leader but of his principles." (*Workers' Republic*, 8.10.1898).

Nuair a tháinig Iubhaile Victoria : *"Home Rule orators and Nationalist Lord Mayors, whig politicians and Parnellite pressmen, have ere now lent their prestige and influence to the attempt to arouse public interest in the sickening details of this Feast of Flunkeyism. It is time that some organised party in Ireland — other than those in whose mouths Patriotism means compromise, and Freedom High Dividends — should speak out bravely and honestly the sentiments awakened in the breast of every lover of freedom by this ghastly farce now being played out before our eyes"* (Forógra leis an gConghaileach ar son P.S.P.É.).

Anois níorbh é an Conghaileach amháin a bhí san iomaire agus i mbun gnímh na blianta deireanacha sin den chéad. Mar sin féin, ar feadh beagán blianta bhí sé leis féin i mbun an bhearna baoil, agus ní raibh sé sásta fanacht i mbun a chosanta amháin, ach bhí de shíor ag ionsaí agus ag tabhairt comhraic ar an uile dhream a bhí, dar leis, ina namhaid ag an tír agus bhí fós ag comhairliú agus ag misniú gan stad iadsan arbh é a gcuspóir leas na hÉireann a dhéanamh.

"Deirimid, gan faitíos ár gceartaithe, gur thug ár bpáipéar beag athrú réabhlóideach i gcríoch i dtuairimí polaitiúla na ndaoine. I mBaile Átha Cliath, ar aon nós. Den chéad uair ionsaíodh feitis mhór an Rialtais Dhúchais ó thaobh na hÉireann agus an daonlathais de, agus nochtadh é mar bhréagshamhail na saoirse, mar chur i gcéill agus mar chaimiléireacht na lúbairí agus na rógairí . . . Ón am sin amach tá daoine eile i mbun na cúise céanna ach is don *Workers' Republic* an buíochas gur cuireadh tús leis an bhfeachtas in éadan Éireannaigh a bheith ag déanamh féasta le naimhde na tíre." (*Workers' Republic*, 12.5.1900.)

Ní gá a rá nár chuir an Conghaileach fiacail sa tuairim ba mhian leis a nochtadh. Agus níorbh í an tseirbhís ba lú a thug sé d'Éirinn sna blianta sin cuid mhór den chamastáil agus den dallamullóg a nochtadh agus an fhírinne a léiriú faoin aicíd agus faoi chúis na haicíde a bhí ag goilleadh ar an tír.

"Is rún dúinn a bheith saor agus san uile dhuine atá naimhdeach don tíorántacht aithnímid bráthair, is cuma cén áit ar rugadh é, san uile dhuine atá naimhdeach don tsaoirse aithnímid freisin ár namhaid is cuma má tá sé chomh hÉireannach leis na sléibhte . . . Ní féidir le náisiún a bheith aontaithe fad agus tá an Caipitleachas agus an tiarna-talúnachas i réim. Roinneann an córas an tsochaí ina dhá dream naimhdeacha — na robálaithe agus iadsan a robáileadh, na leisceoirí agus na hoibrithe, lucht an tsaibhris agus lucht an daibhris. Dála Tone agus an Mhistéalaigh romhainn is chucu a chuirimid ár n-impí, 'an dream líonmhar measúil sin den phobal, na fir gan mhaoin'." (*Workers' Republic*, 5.8.1899).

Ar an láimh eile bhí fírinne eile ba ghá a léiriú do dhream sa tír nár mhiste Éireannaigh mhaithe a thabhairt orthu : " Éire gan a muintir ní ní liom í agus an fear atá ag dul as a chraiceann le grá ar ' Éirinn ' agus le díograis ar a son agus ar féidir leis siúl tríd ár sráideanna agus iomlán na héagóra agus an chruatain, na náire agus an truaillithe atá á n-imirt ar mhuintir na hÉireann a bhreathnú gan a bheith i mbroid le deireadh a chur leis, níl ann, dar liom, ach rógaire agus bréagaire ina chroí, is cuma cad é an cumasc sin de na dúile ceimiceacha ar rogha leis ' Éire ' a ghairm dó." (Workers' Republic, 7.7.1900.)

Ní raibh moill air ach oiread comhairle a leasa, mar ba léir dó féin é, a thabhairt do Chonradh na Gaeilge de réir mar atá ráite roimhe seo, agus fós :

" Ní féidir Gaeilge a theagasc do dhaoine ocracha, agus séanfar saibhreas ár litríochta náisiúnta ar na sclábhaithe bochta atá daortha ag an gcóras sóisialta atá againn chun saothrú ó dhubh go dubh ar mhaithe le pá suarach gortach.

" Dá bhrí sin, deirim lenár gcairde i ngluaiseacht na Gaeilge . . . cuidígí linn saol saor sona iomlán a bhaint amach dár gcomh-Éireannaigh . . . agus ansin beidh lánchaoi ag tréithe uaisle ár gcine fás agus forbairt.

" Ní iarraim oraibh stad de bhur saothar oideachais mar

atá ar siúl faoi láthair agaibh, ach amháin go n-aithneodh sibh ionainn bhur gcomhghuaillithe." (*Workers' Republic*, 1.10.1898).

Agus arís : "*We are not bigoted on the language question ; we recognise, however, that in this country those who drop Irish in favour of English are generally actuated by the meanest of motives, are lick-spittles desirous of aping the gentry, whereas the rank and file of the Gaelic Movement are for the most part thoroughly democratic in sentiment and spirit. If these latter did not so persistently revert for their inspiration to the past they would lose nothing and gain much in our estimation.*" (*Workers' Republic*, Márta, 1903.) B'fhéidir nár mhiste tagairt a dhéanamh anseo d'alt a scríobh sé i *The Harp*, Aibreán, 1908: "*It is well to remember that nations which submit to conquest or races which abandon their language in favour of that of an oppressor do so, not because of the altruistic motives, or because of a love of brotherhood of man, but from a slavish and cringing spirit, from a spirit which cannot exist side by side with the revolutionary idea.*

"*This was amply evidenced in Ireland by the attitude of the Irish people towards their language.*"

Arís agus arís eile le linn na mblianta seo a bhí caite in Éirinn aige thrácht Séamas Ó Conghaile ar "na sclábhaithe pá", ar na "robálaithe" agus ar "an dream a robáileadh" ar na "caipitlithe" agus ar na "tiarnaí talún" agus ar an lucht saothair a bhí faoi leatrom ag lucht an airgid. Bhí a réiteach féin aige ar an cheist sin agus bhí sé sásta nach raibh réiteach ar bith eile air ach réiteach sin an tsóisialachais :

"'Let us free Ireland,' says the patriot who won't touch socialism. Let us join all together and cr-r-ush the br-r-utal Saxon. Let us all join together, says he, all classes and creeds, and, says the town worker, after we have crushed the Saxon and freed Ireland, what will we do ? Oh, then you can go back to your slums, same as before. Whoop it up for liberty !

"And, says the agricultural worker, after we have*

52

freed Ireland, what then ? Oh ! then you can go scraping around for the landlords' rent on the money-lenders' interest same as before. Whoop it up for liberty !

" After Ireland is free, says the patriot who won't touch socialism, we will protect all classes, and if you won't pay your rent you will be evicted same as now. But the evicting party, under command of the sheriff, will wear green uniforms and the Harp without the crown, and the warrant turning you out on the roadside will be stamped with the arms of the Irish Republic. Now, isn't that worth fighting for ? "

Anois, ní ionann agus daoine a tháinig ina dhiaidh, níorbh áil le Séamas Ó Conghaile an teideal " sóisialachas " a thabhairt ar theoiric nó ar chóras ar bith murarbh é an sóisialachas dáiríre a bhí i gceist aige. Níor shéan sé gur theagasc Marx a bhí sé a mholadh. Ní hé sin amháin é ach d'fhógair sé gan scáth gan eagla a mhuinín as Karl Marx — *" the ablest exponent of socialism the world has seen and the founder of that school of thought which embraces all the militant socialist parties of the world."* (*Workers' Republic*, 1.7.1899.)

Ní hé seo an áit leis an teagasc sin a phlé nó géillsine an Chonghailigh dó a scrúdú. Is leor a dhearcadh ar an cheist a dhéanamh soiléir, go fóill agus de bhrí go raibh cuid mhaith le rá aige faoi cheist na talún sna blianta seo agus de bhrí gur tháinig athrú bunúsach i gcóras sealbhaithe na talún san am, is ceart a thuairimí air a nochtadh anseo, freisin.

I bhforógra an P.S.P.É. a d'fhoilsigh sé i 1896 dúirt sé " go mbunófaí Poblacht Shóisialach na hÉireann ar úinéireacht phoiblí na talún . . . " agus " go raibh sé in éadan bhunphrionsabail an cheartais úinéireacht na talún a bheith i seilbh phríobháideach aicme amháin agus gurbh é sin ba bhun le gach leatrom náisiúnta, polaitiúil agus sóisialta." Le fada b'amhlaidh a bhí an scéal gur leis na tiarnaí Sasanacha an talamh. Faoi Achtanna 1870-1896, áfach, bhí na tionóntaí ag fáil seilbhe ar a gcuid feirmeacha. Le linn an ama sin ghlac 73,809 díobh seilbh ar bhreis agus dhá mhilliún go leith acra. B'eol don Chonghaileach an t-athrú seo :

" Is maith is eol dúinn gur bac, ar shlí, ar scaipeadh an teagaisc shóisialta an talamh a bheith i seilbh na bhfeirmeoirí, ach ní bac ar bith é ar an gcaipitleachas . . .

" Ní gá dúinn seilbh na bhfeirmeoirí a throid, ní gá ach ligean le forbairt an chaipitleachais le go bhfeicfimid córas na bhfeirmeacha beaga scriosta ag an gcomórtas ó na feirmeacha móra agus ón talmhaíocht eolaíoch sna Stáit agus san Astráil — ní shaorann seilbh a fheirme an feirmeoir beag ón tsíorsclábhaíocht agus ón ocras, a chuid den saol sa lá inniu.

" Ach shaorfadh prionsabail an tsóisialachais é agus san am céanna shásódh siad a aislingí sóisialta agus polaitiúla . . . Nuair a bheas an talamh i seilbh na ndaoine sa chiall is iomláine (i seilbh na ndaoine go léir), is cuma cé acu lucht na mbailte nó lucht na tuaithe iad beidh na háiseanna talmhaíochta go léir a sholáthraíonn an talmhaíocht eolaíoch á gcur ar fáil ag an riarachán náisiúnta . . . Thuig feirmeoirí na hÉireann an tábhacht a bhí leis an chomharaíocht sa talmhaíocht . . . tuigfidh siad ar an dóigh chéanna an toradh a bheadh ar an chomharaíocht ar scála náisiúnta agus maoin iomlán an náisiúin taobh thiar di. Is í an chomharaíocht seo i gcás na tionsclaíochta agus na talmhaíochta ar aon is bunsmaoineamh don phoblacht shóisialach amach anseo." (*Workers' Republic*, 27.8.1898.)

Mhínigh sé an smaoineamh seo níba shoiléire ar ball :

" Is gá go mbeadh an mhaoin den uile chineál faoi riar an phobail, agus más gá ar mhaithe le leas an phobail go ngéillfeadh an mhaoin a cearta dlíthiúla nó go gcuirfí ar ceal ar fad iad, caithfear sin a dhéanamh." (*Workers' Republic*, 24.9.1890.) Agus arís sa ráiteas toghcháin i 1903 mhínigh sé gurbh é a bheadh sa phoblacht shóisialach :

" Córas ina mbeadh an talamh agus na tithe, na bóithre iarainn, na monarchana, na canálacha, na ceardlanna go léir agus gach ní atá riachtanach le haghaidh na hoibre, a sealbhú agus á n-oibriú mar mhaoin phoiblí."

Sa bhliain sin 1903 ghlac Rialtas Shasana le moltaí

breise ar na hAchtanna Talún agus ritheadh Acht Wyndham. Faoi na hAchtanna Talún seo go léir cuireadh beagnach 400,000 gabháltas a raibh breis agus 13,000,000 acra iontu i seilbh na bhfeirmeoirí. Ní le grá d'Éirinn a ritheadh na hachtanna seo agus níl aon lá buíochais ag dul do Shasana dá mbarr. Ba ghá di réiteach éigin a fháil ar an bhfaopach ina raibh a cuid tiarnaí talún. Is é an toradh a bhí air : *" under the Tory land purchase laws great progress was made towards an Irish property owning democracy."* (Irish *Nationalism and British Democracy*, E. Strauss.)

Agus ní le grá don Eaglais Chaitliceach ná don Phápa Leo XIII, a bhí sa tráth sin ag teagasc thábhacht na húinireachta príobháidí, a tharla Rialtas Shasana freagrach as méadú san úinéireacht sin sa tír seo. Dá mb'amhlaidh a bhí córas na dtiarnaí talún á neartú agus á chosaint seans éigin go bhfaigheadh Séamas Ó Conghaile tacaíocht do náisiúnú na talún. Agus seilbh na talún á fháil cheana ag na daoine, beag an seans go ligfidís uathu í gan troid a dhéanamh lán chomh fíochmhar leis an troid a chuir siad lena fáil.

B'fhada siar cuimhne na ndaoine agus bhí a gcuid amhrán agus filíochta agus scéalta ag treisiú na cuimhne sin. Bhí cuimhne acu ar an saol a bhí in Éirinn tráth, agus bhí siad ag tuiscint, dá bhrí sin, cuid mhór den chaint faoi shaoirse a bhí ar siúl ag lucht na hóráidíochta agus ag lucht na scríbhneoireachta. Agus i dtaca leis an talamh de ba é a chiallaigh an tsaoirse : an talamh a shealbhú. Dá mbeadh sé gan chíos nach mar sin ab fhearr é ?

B'fhéidir gur chuala an Conghaileach an t-amhrán seo nach raibh chomh sean sin ar fad :

Éirígí suas, a thogha na bhfear,
A's cuirigí píce ar bharr gach cleath',
Leagaigí síos iad, lucht an drochdhlí
Agus cuirigí dlí na Fraince ar bun
Agus ó, 'bhean an tí, nach suairc é sin !
Ó, 'bhean an tí, faoi dhó nó faoi thrí
Beidh talamh gan chíos ón bhliain seo amach againn
'S ó 'bhean an tí, cén bhuairt sin ort ?

III

SNA STAIT AONTAITHE

1

AR THÓIR A CHODA

THARLA comhrá idir Séamas Ó Conghaile agus a bhean chéile i rith an tsamhraidh, 1903 :
"Tá mé ag ceapadh gurbh fhearr dom filleadh ar Mheiriceá."

"Ach ní raibh tú le himeacht arís."

"Gheobhaidh mé obair thall, a Lile, agus roimh i bhfad beidh tú féin agus na páistí ag teacht anall chugam. Is fuath liom é. B'fhearr liom fanacht i mBaile Átha Cliath ach níl croí ionam chuige i ndiaidh ar tharla."

"Má imímid, ní fhillfimid go deo. Ní thabharfaimid an chaoi dóibh do chroí a bhriseadh arís."

"Bhuel, a Lile, beidh sin le feiceáil."

I mí Mheán Fómhair, 1903, d'fhág Séamas Ó Conghaile Éire agus thug aghaidh ar na Stáit. Bhí an ghluaiseacht shóisialach gníomhach ansin faoi stiúradh Pháirtí Sóisialach an Lucht Oibre. I gceannas ar an bPáirtí bhí fear darbh ainm Daniel de Leon. Fuair an Conghaileach post mar oibrí línechló in oifig pháipéar de Leon, an *Weekly People*. Bhí post ina dhiaidh sin aige ar feadh tamaill mar fhear árachais i dTroy, i Stát Nua-Eabhrac, breis agus céad míle ar shiúl ón chathair, ar abhainn Hudson. Bhí post aige ina dhiaidh sin arís i monarcha mhuintir Singer i Elizabeth, Newark, cóngarach do Nua-Eabhrac. Faoi dheireadh thiar is sa Bhronx in Nua-Eabhrac a rinne sé áit chónaithe don chlann.

Tháinig an bhean agus na páistí go dtí na Stáit i mí Lúnasa, 1904. Bhí drochscéala leo, faraoir. Cailleadh Móna, an páiste ba shine, an lá go díreach sula raibh siad le Baile Átha Cliath a fhágáil. Bhí an cáilín ar cuairt i dteach aintín léi agus nuair a bhí sí ag ardú tuláin den tine chuaigh a cuid éadaigh trí thine. Fuair sí bás an lá dár gcionn in Ospidéal Dhroimchonrach. An litir a cuireadh chuig an athair, ní bhfuair sé í agus ba ón mháthair a chuala sé an scéal.

Poist mhaithe agus airgead maith a bhí ag Ó Conghaile sna Stáit agus bhí compord éigin ag an bhean chéile agus ag na páistí. Ní fhéadfadh an Conghaileach, áfach, gan a bheith ag tógáil thaobh na n-oibrithe am ar bith dár tharla achrann idir iad agus na fostóirí. Dúirt sé uair amháin : " Nuair a iarrtar orm cuidiú leis na daoine, ní thig liom diúltú." B'amhlaidh sin dó anois, agus dá bhrí sin ba ghearr go raibh a ainm in airde, mar shóisialach agus mar fhear tacaíochta na stailceoirí. Ba é sin a d'fhág go raibh sé ag imeacht ó phost go post chomh minic sin agus é sna Stáit.

D'fhoghlaim Seámas Ó Conghaile a lán sna Stáit ; d'fhéadfaimis a rá gur sna Stáit a chuir sé an dlaíóg mhullaigh ar a thuairimí sóisialacha. Más ea is ó theagasc Daniel de Leon agus ó pholasaí na n-eagraíochtaí a raibh baint ag de Leon leo a thóg sé gnéithe áirithe de na tuairimí sóisialacha a raibh sé le seasamh leo i rith a shaoil.

Ba de shliocht Giúdach Spáinneach é Daniel de Leon. Fuair sé a chuid oideachais sa Ghearmáin agus in Ollscoil Cholumbia, Nua-Eabhrac, mar a raibh clú air as a éirim aigne. Le himeacht aimsire ghlac sé leis an Marxachas. Chuir sé *The People* ar bun i 1892 agus de réir a chéile aithníodh mar cheannaire Pháirtí Sóisialach an Lucht Oibre é. B'fhear ceanndána é nár thaitin aon trasnaíl ar a thuairimí leis. Bhí teanga ghéar aige agus é réidh i gcónaí leis na daoine sin nach raibh ag aontú leis a sciúrsáil agus a fheannadh.

Deirtear gurbh eisean thar aon duine eile ba chúis leis an lucht oibre sna Stáit Aontaithe droim láimhe a thabhairt don sóisialachas. An fáth a bhí leis sin gur thug sé faoi lucht na gceardchumann a thiomáint i dtreo an tsóisialachais gan buíochas dá dtreoraithe féin, rud a d'fhág na treoraithe agus a lucht leanúna ar aon naimhdeach dó féin agus dá theagasc. Deirtear freisin gur mhó a aird ar an teoiricíocht ná ar fhírinní an tsaoil arbh éigean do na hoibrithe a slí bheatha a thuilleamh agus allas a malaí a shileadh ann.

I mbeagán focal, theip ar de Leon agus ar a lucht leanúna ar an ábhar gurbh intleachtaigh sóisialacha agus nár shaothróirí pá iad ; ar an ábhar gur theoiriceoirí iad ; ar an ábhar gur bheag leis an oibrí Meiriceánach an fhealsúnacht, gur lú ná sin leis an pholaitíocht shóisialach agus nár shuim leis ar aon chor an réabhlóideachas.

Mar sin féin, níorbh aon phleidhce gan chéill é de Leon. Dúirt Lenin faoi gurbh é an t-aon sainmhínitheoir é a chuir le tuairimí Marx. Ba é a chuir de Leon roimhe na ceardchumainn sna Stáit a úsáid mar ghléas leis an stát caipitleach a scrios agus an stát sóisialach a chur ina áit. Ba scorn leis an gnáthdhearcadh ceardchumannach — cuspóirí praiticiúla, pá, uaireanta agus dála oibre agus mar sin de. Chuir sé roimhe ceannas na gceardchumann a bhaint amach nó, mar mhalairt air sin, iad a cheangal dá pholasaí féin.

I dtús an chéid bhí dhá roinn mhóra sna ceardchumainn sna Stáit. Bhí na gnáthchumainn ceirde ann. Chomh maith leo sin, bhí líon an-mhór oibrithe nár bhain le ceird ar bith, a raibh eagar éagsúil ó am go chéile orthu. Sa bhliain 1905 cuireadh tús le heagraíocht dar theideal Oibrithe Tionsclaíocha an Domhain *(Industrial Workers of the World)*, nó O.T.D., sna Stáit agus é bunaithe ar na hoibrithe seo gan cheird. Bhí de Leon páirteach ina bhunú agus ba é ba chúis leis an eagraíocht nua glacadh le polasaí polaitiúil ina chlár. Ach cheana aithníodh an eagraíocht as a ceangal leis an gCeardchumannachas Tionsclaíoch *(Industrial Unionism)*. Ba é an bhunchiall a bhí leis an gCeardchumannachas Tionsclaíoch na hoibrithe a eagrú, ní de réir ceirde, ach de réir an tionscail a raibh siad ag saothrú ann. " Ba i Meiriceá a tháinig an smaoineamh chun tosaigh an chéad uair." *(The World of Labour* — G. D. H. Cole.) Tharla amhlaidh ar an ábhar go raibh na haonaid tionscail san Stáit chomh hollmhór sin agus ar an ábhar go raibh slua an-mhór imirceoirí, agus iad gan cheird de ghnáth, ag plódú isteach sa tír ar lorg oibre. Níor oir na seanmhodhanna eagraíochta dá leithéid agus bunaíodh an t-eagras nua le fónamh don riachtanas.

Ón tús bhí ciall eile ceangailte leis an gCeardchumannachas Tionsclaíoch. San fhógra a cuireadh amach i 1904 le haghaidh an chruinnithe sin 1905 ar ar bunaíodh O.T.D. *(I.W.W.)* dearbhaíodh dóchas *" in the ability of the working class if correctly organised on both political and industrial lines to take possession of and operate successfully the industries of the country,"* agus fós toisc go mbeadh an gníomh polaitiúil gan bhrí in éagmais eagraíocht lucht oibre taobh leis, beartaíodh a leithéid d'eagraíocht *" in approximately the same groups and departments and industries that the workers would assume in the working-class administration of the co-operative Commonwealth."* *(Labour in Modern Industrial Society.*—Norman J. Ware.)

Is léir nárbh aon dóithín é an O.T.D. agus nár bheag an fuadar a bhí faoin eagraíocht ón tús. Ar feadh tamaill bhí de Leon chun tosaigh san eagraíocht agus áit thábhachtach ag a pháirtí, Páirtí Sóisialach an Lucht Oibre, inti. Bhí lucht leanúna le roinnt blianta roimhe sin aige in Albain agus *The Socialist* á fhoilsiú acu. Deirtear nuair a theip ar an *Workers' Republic* i 1903 gur shocraigh Séamas Ó Conghaile go bhfaigheadh na léitheoirí cláraithe *The Socialist* ina áit. Níl aon amhras ná go raibh an Conghaileach go mór faoi thionchar de Leon agus a theagaisc i dtosach an chéid, mar is léir ach comparáid a dhéanamh le scríbhinní an Chonghailigh féin.

Bhí saol corrach go maith ag an O.T.D. Caitheadh de

Leon amach as i 1908 agus baineadh a pholasaí polaitiúil as an gclár san am céanna. De réir a chéile chaill an eagraíocht a tábhacht ach mhair sí go dtí gur ghlac na Stáit páirt sa chéad Chogadh Domhanda. Shaothraigh an Conghaileach mar thimire don O.T.D. ar feadh tamaill. Mhínigh sé féin mar a thángthas ar an modh oibre seo, an Ceardchumannachas Tionsclaíoch, in aiste leis, *Old Wine in New Bottles*, a scríobh sé roinnt blianta i ndiaidh an ama seo.

" I mbliain a 1905 tionóladh comhdháil de Eagraíochtaí Saothair Mheiriceá i Chicago le heagraíocht nua den aicme saothair a bhunú a bheadh eagraithe ar mhodhanna níos míleata agus níos mó de réir eolaíochta ná a bhí roimhe. Ba é toradh an chruinnithe sin gur bunaíodh Oibrithe Tionsclaíocha an Domhain — an chéad eagraíocht den lucht saothair a raibh sé de chuspóir cinnte aige seilbh a ghlacadh agus a choimeád ar mheaisínteacht eacnamaíoch na sochaí. An gléas a moladh chuige sin an lucht oibre a chlárú i gceardchumainn a bheadh bunaithe ar na tionscail mhóra. Ba é cuspóir bhunaitheoirí na heagraíochta nua riar ar chúram na gceirdeanna agus na ndreamanna teicniúla trí bhunú craobhacha agus ionadaíocht a bheith ag na craobhacha sin ar an gcoiste láir agus na baill go léir a bheith i gceardchumann an tionscail . . . Bheadh an uile cheardchumann tionsclaíoch ceangailte san aon cheardchumann mór amháin agus an t-aon chárta ballraíochta amháin ag eagraíocht an lucht oibre ina iomláine. Sa tslí seo thógfaí eagras den lucht oibre a bheadh in ann don ghníomh réabhlóideach — glacadh as láimh riaradh na sochaí."

I 1914 a scríobh sé an aiste as a mbaintear an sliocht sin agus scríobhadh an aiste mar eolas don lucht oibre i Sasana agus sa tír seo. I *The Axe to the Root,* a bhfuil aistí ann a scríobh sé i 1908, léirigh sé an tábhacht mhór pholaitiúil a bhí leis an gCeardchumannachas Tionsclaíoch, dar leis.

" Níl ar domhan inniu sóisialaí ar bith atá in ann a rá le cinnteacht ar bith cad é mar is féidir an comhlathas of 17° & 18° Vict. Cap. 80, §§ 57 & 58, and   10 Edw. VII. & 1 Geo. V., Cap. 32, § 1.

No.	When, where, and how Married.	Signatures of Parties.	Age.	Residence.	Rank or Profession, and Condition (whether Bachelor or Widower, Spinster or Widow). Relationship of Parties (if any).	Name, Surname, and Rank or Profession of Father. Name and Maiden Surname of Mother.	If a regular Marriage, Signatures of Officiating Minister and Witnesses.	If irregular, date of Extract Sentence of Conviction, or Decree of Declarator, and in what Court pronounced.
119	On the 20th day of October,1856,at 17 Brown Square, Edinburgh, Marriage (after Banns) was solemnized between us according to the Forms of the Catholic Church	(Signed) John Connolly	23	6 Kings Stables Grassmarket	Agricultural Labourer	John Connolly Labourer (deceased) Mary Connolly Maiden name Markie	(Signed) Alexr. O'Donnell Catholic Clergyman Edinr	
					Bachelor			
		(Signed) Mary McGinn	23	6 Kings Stables aforesaid	Domestic Servant (Spinster)	James McGinn Labourer Maria McGinn deceased, Maiden name Burns	Myles X Clark Mary X Carthy	

The above Marriage was Registered by me at   Edinburgh   , on the   21st   day of   October   , 1856.   (Signed) Dav. Beatson   Registrar.

EXTRACT of an Entry in a Register of Births, kept at the General Registry Office, Edinburgh, in terms of 17° & 18° Vict. Cap. 80, §§ 57 & 58, and   10 Edw. VII. & 1 Geo. V. Cap. 32, § 1

No.	Name and Surname.	When and Where Born.	Sex.	Name, Surname, and Rank or Profession of Father. Name and Maiden Surname of Mother. Date and Place of Marriage.	Signature and Qualification of Informant, and Residence, if out of the House in which the Birth occurred.	When and Where Registered, and Signature of Registrar.
605	James CONNOLLY	1868 June Fifth 2h. 30m. P.M. No. 107 Cowgate, Edinburgh	M	John Connolly Manure Carter Mary Connolly M.S. McGinn 1856 October 20th, Edinburgh.	(Signed) John Connolly Father	1868 June 19th. At Edinburgh. (Signed) Wm. S. Sutherland Assist. Registrar (Initd.) D.B.

comharaíochta a thabhairt i bhfeidhm ach amháin de réir
eagrú tionsclaíoch na n-oibrithe . . .

"Agus an smaointeoir sóisialach ag míniú an chrutha
a bheidh ar an ord nua sóisialta, ní shamhlaíonn sé córas
tionsclaíoch a bheidh á stiúradh ag eagras fear nó ban
a thoghfar as measc áitritheoirí na gceantar éagsúil . . .

"Is é an ní is léir don sóisialaí gur i lámha ionadaithe
thionscail éagsúla an náisiúin a bheidh an riarachán gnó
nuair a bheith an cruth sóisialta daonlathach curtha ar
an tsochaí ; go n-eagróidh oibrithe na gceardlanna agus na
monarchana iad féin ina gceardchumainn agus an uile
oibrí i ngach tionscal sa cheardchumann céanna ; go
mbeidh an ceardchumann sin ag stiúradh go daonlathach
ghnóthaí ceardlainne an tionscail agus é ag toghadh na
maor oibre, srl., agus ag riaradh ghnó an tionscail i
gcomhar le riachtanais na sochaí i gcoitinne, agus riacht-
anais na gcomhcheirdeanna agus na ranna tionscail lena
mbaineann sé ; go dtiocfaidh ionadaithe ó na ranna éag-
súla tionscail le chéile le riarachán tionsclaíochta nó rial-
tas náisiúnta na tíre a dhéanamh.

"Is léir go gciallaíonn an cineál seo sóisialachais nach
gá aon eagla roimh an stát maorlathach a stiúrfadh agus
a riarfadh saol an uile dhuine agus dearbhaíonn sé go
leanfaidh méadú in áit cúngú ar shaoirse an duine faoi
réim an oird shóisialta san am atá le teacht."

2

THE HARP

Ba ghearr a bhí clann Uí Chonghaile socraithe sna Stáit
go ndeachaigh an t-athair i mbun oibre i gceart i bPáirtí
Sóisialach an Lucht Oibre, agus de réir mar a bhí na
comhaltaí ag cur aithne air bhí a meas air ag meadú sa
chaoi go raibh an-tóir air mar chainteoir agus mar chomh-
airleoir. Faoin am a raibh sé ag obair in Elizabeth, New
Jersey, bhíodh na cruinnithe sráide ar siúl aige agus bhíodh

sé go han-mhinic i Nua-Eabhrac féin i mbun cruinnithe poiblí nó cruinnithe coiste. D'fhoghlaim sé Iodáilis le go mbeadh sé in ann a theagasc a chur go soiléir roimh na hIodáiligh, a raibh a lán acu sa chomharsanacht. Ar ndóigh, níor chuir foghlaim teangacha stró ar bith air. Bhí sé in ann an Iodáilis a léamh agus a labhairt agus, chomh maith leis sin, bhí léamh na Gearmáinise aige agus tuiscint éigin aige ar an Fhraincis. Bhí roinnt éigin Gaeilge aige, freisin, agus é i gcónaí ag iarraidh cur lena stór.

Le himeacht aimsire rinneadh ball de Choiste Náisiúnta Pháirtí Sóisialach an Lucht Oibre de agus bhí post mar thimire don pháirtí aige. Thug an cúram seo air cuid mhór taistil a dhéanamh. D'fhoghlaim sé a lán le linn na tréimhse seo dá shaol, agus d'aibigh sé go mór mar chainteoir poiblí ach fós mar smaointeoir agus mar threoraí an lucht oibre. Bhí sé ag dul i gcionn go mór ar na hÉireannaigh thall go háirithe agus i 1907 bhunaigh sé Cónascadh Sóisialach na nÉireannach i Nua-Eabhrac. Éireannaigh sna Stáit a bhí san eagraíocht.

Sa bhliain sin a rugadh iníon eile leo, Fíona, an duine deireanach den teaghlach. Agus sa bhliain sin leis a d'fhoilsigh sé *Songs of Freedom*.

Tuairim agus dáréag a bhí i láthair ag an gcruinniú tionscnaimh de Chónascadh Sóisialach na nÉireannach. I bhFórógra Phrionsabail an Chónasctha, a d'fhoilsigh Ó Conghaile i mí Eanáir, 1908, dúradh:

"Dearbhaíonn an Cónascadh gurb é ár gcreideamh nach dhá smaoineamh athscartha ar leith iad an tsaoirse pholaitiúil agus an tsaoirse shóisialta, ach dhá ghné den aon phrionsabal agus gach gné díobh mí-iomlán gan an ghné eile . . .

"Aithníonn an Cónascadh an dá ghné seo den fhorbairt dhaonna, geallann dílseacht a chuid ball do na prionsabail a eascrann uaidh agus séanann lena linn ceart náisiúin ar bith ollsmacht a imirt ar náisiún eile ; tugann sé dúshlán páirtí ar bith a aithníonn riail Shasana in Éirinn is cuma cén dóigh nó cén tslí ; agus mar réiteach ar éileamh na hÉireann ar shaoirse . . . tá sé ag éileamh Phoblacht na nOibrithe — riar na talún agus na ngléasanna oibre go léir agus an tsealúchais phoiblí go léir ina bhfuil gach aon duine ina chomhoidhre agus ina chomhúinéir."

Ba thábhachtach go mór leis an gConghaileach an t-alt deireanach sin. " Lochtóidh a lán sóisialaithe é," ar seisean, " as a bheith go dearfach fornáisiúnach mar mhalairt ar a bheith frithnáisiúnach. Is dóigh lena lán, agus is mór a mbotún, gurb ionann an t-idirnáisiúnachas agus an frith-náisiúnachas. Sé mo bharúil gurb é sin an fáth nach ndearna siad ach an beagán dul chun cinn leis na hÉireann-aigh. Ní thuigeann siad sinn." *(Portrait of a Rebel Father.)* Bhí sé leis an dearcadh sin ar an náisiúntacht a nochtadh arís agus arís eile ar feadh a shaoil agus bhí sé le cuimhneamh ar lochtú sin agus ar mhíthuiscint sin na sóisialaithe agus é daortha chun báis i ndiaidh Éirí Amach na Cásca.

Chuaigh Cónascadh Sóisialach na nÉireannach i mbun oibre mar ba ghnách le cumainn dá shórt agus leis na heagraíochtaí a raibh baint ag Séamas Ó Conghaile leo go háirithe. Bhíodh cruinnithe sráide acu sa samhradh agus cruinnithe i seomra an chumainn i gCearnóg Cooper sa gheimhreadh mar aon leis na díospóireachtaí agus na léachtaí agus díol na leabhrán agus na n-irisí. I mí Eanáir, 1908, chuir an cumann tús le hiris dá chuid féin : *The Harp.* Míosachán a bhí ann. Ba é an Conghaileach a bhí ina eagarthóir air agus ar feadh tamaill ba í a iníon Nóra a bhí ina bainisteoir gnó air. Is dócha gurbh é bunú an phaipéir sin an gníomh ba shuimiúla dá ndearna an cum-ann, óir is ann a d'fhoilsigh an Conghaileach a lán de na haistí is tábhachtaí dár scríobh sé. Is ann a d'fhoilsigh sé, i sraith alt, an chuid eile den saothar, *Labour in Irish History,* ar fhoilsigh sé an chéad chuid de sa *Workers' Republic* i dtús an chéid. Is mar phríomh-ailt i *The Harp* freisin a d'fhoilsigh sé den chéad uair na haistí as a ndearna sé *Socialism Made Easy* agus *The Axe to the Root.*

3

AN BRISEADH LE DE LEON

I mí Aibreáin, 1908, i ndiaidh aighneas a bheith ar siúl idir an Conghaileach agus de Leon ar feadh tamaill, d'éirigh an Conghaileach as an bPáirtí. Más ait le rá é, chuir de Leon ina leith le linn an aighnis gurbh *agent of the Jesuits* é !

Bhí cúiseanna éagsúla aige le briseadh le de Leon. Níor aontaigh sé leis an míniú a bhí ag de Leon ar ghnéithe éagsúla de theagasc na sóisialaíoch, agus bhí sé míshásta lena dhearcadh ar an tírghrá, ar an gcreideamh, agus ar an bpósadh. Dar leis gur dhuine é de na " sóisialaithe teoiriciúla ", mar a thugadh an Conghaileach orthu, nár de thír ar bith iad féin agus nár thug dílseacht do thír ar bith agus a shíl gur bhac sa bhealach ar an sóisialachas an tírghrá tús áite a ghlacadh ar idirnáisiúnachas na Marxach. Dúirt an Conghaileach sa tráth a raibh sé ag scaradh le de Leon :

" Chuala mé cuid de na sóisialaithe teoiriciúla ag rá nár cheart do na sóisialaithe aon bhá a nochtadh leis na náisiúin atá faoi chois nó atá ag troid in éadan na gabhála. Dar leo dá thúisce a chuirtear na náisiúin seo faoi chois is ea is fearr, óir bheadh sé níos éascaí an chumhacht pholaitiúil a bhaint amach i mbeagán d'impireachtaí móra ná ina lán de stáit bheaga." (*The Harp,* Aibreán, 1908.)

B'fhuath leis an gConghaileach an teoiriciúlacht, b'fhuath fós leis an deachtóireacht agus pearsantacht dheachtóiriúil de Leon. B'fhuath leis riamh adhradh an cheannaire :

" *Teach them, O Lord,*" a deireadh sé, " *that in the heaven of liberty there are neither leaders nor great men.*" (*James Connolly,* le Deasún Ó Riain.)

Bhí ceist an chreidimh ina cnámh spairne eile idir é féin agus de Leon. Ní fhéadfadh de Leon glacadh le aon duine a raibh aon chuid de chreideamh sa saol eile aige. Agus ní raibh an Conghaileach sásta géilleadh dó.

Ba í ceist sin na hEaglaise agus an phósadh a luadh roimhe seo an chúis a bhí ag an gConghaileach le scaradh ar fad le de Leon faoi dheireadh. Scríobh August Bebel, sóisialaí clúiteach Gearmánach, leabhar, dar theideal *Die Frau* ar thionchar an oird shóisialaigh ar chúrsaí gnéis. Rinne lucht an tsóisialachais san am an-díospóireacht faoin leabhar. "Sa chasaoid a chuir an Conghaileach chuig de Leon faoi sheasamh an Pháirtí ar an cheist dhearbhaigh sé gur sheas sé féin leis an bpósadh monagamach agus nar aontaigh sé le Bebel a raibh a mhalairt á theagasc aige. 'Diúltaím,' ar sé, 'go pearsanta do gach iarracht, is cuma liom cé is údar dó, leis an sóisialachas a cheangal le ceist ar bith a bhaineann leis an bpósadh nó le cúrsaí gnéis'."
(*James Connolly*, le Deasún Ó Riain.)

IV

AN LUCHT SAOTHAIR I STAIR
NA hEIREANN

1

AR AIS IN ÉIRINN

I ndiaidh dó scaradh le de Leon cheangail an Conghail-
each le Páirtí Sóisialach Mheiriceá. Rinneadh timire
náisiúnta an Pháirtí sin de agus mhair sé bunús bliana
ag taisteal na Stát ag tabhairt léachtaí agus ag eagrú an
pháirtí. Ar ócáid amháin thug a ghnó fad le cósta an
Chiúin-Aigéin é.

Bhí sé tamall maith ar shiúl an iarraidh seo agus bhí
an-ríméad roimhe nuair a bhain sé an baile amach arís. Le
linn na scléipe bhain sé beairtín beag as a phóca agus
thug dá bhean chéile é. Uaireadóir óir a bhí ann mar
bhronntanas di agus mar chuimhneachán ar an drochshaol
a bhí acu i mBaile Átha Cliath nuair ab éigean di an t-uair-
eadóir a fuair sí tráth mar bhronntanas uaidh a dhíol.
Ghoil sí le tréan aoibhnis.

" Féach anois, a Lile," ar sé, " ní dhearna mé dearmad."

B'fhíor dó, ní raibh dearmad déanta ach oiread aige de
ghné eile dá shaol i mBaile Átha Cliath — an ghné phol-
aitiúil. Bhí a smaointe ag éalú soir ar feadh an ama a
raibh sé ag taisteal na Stát mar thimire do Pháirtí Sóisial-
ach Mheiriceá. Bhí scéala ag teacht anoir chuige i gcónaí,
ar ndóigh, agus níorbh é an scéal ba lú ar chuir sé suim
ann go raibh eagar nua curtha ar lucht an tsóisialachais

in Éirinn agus go raibh dúnghaois sách leathan anois acu le go bhféadfadh gach duine a raibh suim sa cheist aige a bheith páirteach sna himeachtaí.

Rud eile a raibh scéal aige faoi go raibh fear óg darbh ainm Séamas Ó Lorcáin, a rugadh i Sasana de shliocht Gael, i ndiaidh teacht go hÉirinn ó Learpholl mar thimire don lucht oibre agus go raibh an lasóg á cur sa bharrach cheana aige. Bhí an cogadh fógraithe ar na fostóirí i mBéal Feirste aige agus stailceanna ar bun. Gan fiú nár chuir sé eagar ar phóilíní na cathrach agus thionóil cruinniú stailce i gclós na beairice. Ar ócáid amháin scaoil na saighdiúirí a ngunnaí le slua de na hoibrithe gur mharaigh beirt. Chuir sé stailc ar bun i gCorcaigh. Bhí sé ag eagrú na n-oibrithe i nDoire nuair a gairmeadh go Baile Átha Cliath é le stailceoirí a stiúradh. I mí Eanáir, 1909, bunaíodh Ceardchumann Oibrithe Iompair na hÉireann agus an Lorcánach i gceannas air.

B'iontach mura mbeadh Séamas Ó Conghaile ag déanamh a mhachnaimh ar chúrsaí in Éirinn. Níorbh aon tráth faillí é ag duine ar bith a raibh a chroí sa tír mar a bhí aigesean. "Tá mo chroí istigh i mBaile Átha Cliath," ar seisean lena bhean tamall i ndiaidh an ama seo. "B'fhearr liom a bheith i mo bhochtán thall ná i mo mhilliúnaí abhus."

I dtaca leis na sóisialaithe i mBaile Átha Cliath, b'fhearr leo é gualainn ar ghualainn leo i mBaile Átha Cliath mar a raibh a threoir de dhíth go géar orthu. Scríobh Liam Ó Briain chuige i 1909 faoin gceist. D'fhreagair an Conghaileach i mí Bealtaine na bliana sin : "Ní miste a rá leat go measaim go raibh m'imirce go dtí na Stáit ar an mbotún is mó dá ndearna mé i mo shaol. Is trua liom riamh ó shin é. Mhúscail do litir gairm na hÉireann i mo chroí sa tslí go mbím ag brionglóid de shíor uirthi agus ar fhilleadh le bheith páirteach sa troid. Le tamall anuas tá mé ag déanamh staidéir go han-chúramach ar chúrsaí in Éirinn, oiread agus is féidir sin a dhéanamh anseo, agus tá mé tagtha ar an tuairim go bhfuil an uile chineál fóirsteanach do dhul ar aghaidh na cúise . . . D'fhéadfainn an táille pasáiste a fháil ach ní léir dom cén chaoi a mbeinn beo

67

ina dhiaidh sin. Ní fhéadfainn dul ar ais sna slumanna arís ; is leor d'aon duine eolas a chur ar an saol sin uair amháin . . . Tá mé ag fáil de chroí a cheapadh go bhféadfainn obair mhaith a dhéanamh in Éirinn. Tá fonn go deo orm dul anonn, ach conas is féidir sin ? "

. Chuir an Brianach coiste le chéile agus é féin ina rúnaí air, le féachaint leis an cheist sin a fhreagairt. Chuaigh siad i mbun bailiú an airgid. Idir an dá linn socraíodh ar *The Harp* a chur á fhoilsiú in Éirinn. Rinne an Conghaileach amhlaidh agus ó eagrán Eanáir, 1910, cuireadh an páipéar á chlóbhualadh in oifig an *Irish Nation*. Bhí Séamas Ó Lorcáin ina eagarthóir air. Ba pháipéir iad an *Irish Nation* agus *The Peasant* a bhunaigh Liam P. Ó Riain le teagasc náisiúnta agus teagasc sóisialach a chraobhscaoileadh. Níor bheag tionchar na bpáipéar ar an lucht oibre san am agus níor thuirsigh an Rianach ach ag gríosadh an dream sin a bhí ag áiteamh ar an gConghaileach teacht ar ais go hÉirinn.

Sa chéad eagrán dár foilsíodh de *The Harp* in Éirinn scríobh an Conghaileach alt faoin teideal *A New Labour Policy.* " Leis an eisiúint seo," ar sé, " cuirimid tús le heagrán nua agus le tráth nua inár saol." Mhínigh sé an polasaí nua sin :

" Is gá go mbeadh guth sa phreas ag an sóisialachas in Éirinn a bheidh dílis don chúis agus gan ceangal ar bith eile dílseachta air. Is rún dúinn an t-easnamh seo a líonadh . . . ní bheimid ag éileamh gur gá go mbeidh an uile fhear agus bean dá bhfuil in éadan na tíorántachta ar aon fhocal linn faoin dóigh le tabhairt faoi thógáil an oird nua shóisialta, bímis ar aon fhocal gur gá an t-ord sóisialta a thógáil as an nua chun críocha an cheartais agus go dtógfar é ar bhun na comhoidhreachta agus na comhúinéireachta agus, creidimid, le linn na troda leis an aon namhaid go dtiocfaimid ar aon aigne faoin modh cogaíochta is fearr. Dá bhrí sin is féidir linn foighne a dhéanamh agus iarraimid ar na sóisialaithe sin nach n-aontaíonn linn faoin modh cogaíochta is ceart d'arm na réabhlóide a ghlacadh foighne a dhéanamh freisin."

Chuir sé roimhe ansin a mhíniú cad é an obair ba thábhachtaí dá raibh le déanamh i ndiaidh prionsabail an tsóisialachais a theagaisc :

"Is é an obair é an lucht oibre in Éirinn a eagrú in aon ghluaiseacht chomhtháite amháin faoin aon stiúradh agus san aon eagraíocht amháin, iad a eagrú de réir tionscal, ní mar phluiméirí, dathadóirí, bríceadóirí, dugairí, clódóirí, oibrithe talmhaíochta, tiománaithe, gréasaithe agus mar sin de, ach na ceardchumainn éagsúla a mhealladh le ceangal mar fhochumainn den aon cheardchumann mór amháin a mbeadh sé mar aidhm aige eagraíocht fhoirfe a chothú ina mbeadh cúram gach uile dhuine mar chúram ar chách.

"Beidh sé mar chuspóir againn i *The Harp* saothrú lena leithéid sin d'atheagrú a chur ar fhórsaí an lucht saothair eagraithe in Éirinn — *an uile dhuine a shaothraíonn ar phá a eagrú san aon eagraíocht amháin ar chomhleithead agus ar chomhréimse leis an náisiún faoin aon cheannas gnó a thoghfaí le guthanna na gceardchumann go léir agus a stiúrfadh cumhacht na gcumann sin in iarrachtaí aontaithe i dtreo ar bith is gá.*"

Ba é seo, ar ndóigh, an Ceardchumannachas Tionsclaíoch tagtha go hÉirinn. Lean an Conghaileach leis agus mhínigh sé an teagasc nua seo dá léitheoirí ó mhí go mí.

I mí Aibreáin scríobh sé alt tábhachtach eile sa pháipéar inar mhol sé go mbunódh an lucht oibre páirtí dá gcuid féin in Éirinn :

"Tá an t-am ann le céim ar aghaidh a dhéanamh ! Molaimid dá bhrí sin, go mbunófaí páirtí polaitiúil in Éirinn a bheadh comhdhéanta de na dreamanna go léir atá eagraithe de réir phrionsabal an lucht saothair . . . D'fhéadfadh na ceardchumainn Éireannacha, na heagraíochtaí talmhaíochta agus saothair agus Páirtí Sóisialta na hÉireann aontú ar pholasaí a d'fhágfadh saor gach ceann acu le dul ar aghaidh lena ghnáthbholscaireacht, lena ghnó féin a choimeád ar siúl agus le haire a thabhairt dá ghnó féin le linn saothrú ar son daoine eile.

"Is é ár nguí féin go bhfeicfimid na heagraíochtaí

eacnamaíocha go léir in Éirinn ceangailte le chéile san aon ghluaiseacht amháin a thabharfadh stiúir d'fhórsa uilig an lucht saothair in Éirinn ar cheist ar bith am ar bith . . . " (*The Harp*, Aibreán, 1910.)

An coiste sin a bhunaigh Liam Ó Briain le ciste a sholáthar a chuirfeadh ar chumas an Chonghailigh teacht ar ais go hÉirinn, bhí siad sásta go bhféadfaidís cuid éigin den chostas a íoc agus shocraigh siad ar chuireadh a chur chuige teacht go Baile Átha Cliath le sraith léachtaí a thabhairt.

"Níl ann ach go mbeidh mé imithe ar feadh mí nó dhó," a dúirt sé lena bhean chéile. "Tá corraí éigin sa saol thall arís agus ba mhaith liom mo chuidiú a thabhairt. Ar scor ar bith, ba mhaith liom Baile Átha Cliath a fheiceáil arís." "Cuimhnigh ar an anró a bhí orainn ann," d'fhreagair sise. "Ach is dócha go gcaithfidh tú imeacht. Ná déan dearmad, áfach, gur fusa imeacht ná teacht ar ais."

I mí Iúil, 1910, tháinig Ó Conghaile go Baile Átha Cliath. Chomh maith leis an obair léachtóireachta a bhí roimhe, bhí sé le gníomhú mar thimire do Pháirtí Sóisialach na hÉireann — " dream ilchineálach a raibh daoine meabhracha, trodacha, teoiriciúla agus tíriúla ann agus arbh iad Peadar Ó Maicín, Proinsias Síothach-Sceimhealtún, Feardorcha Ó Riain, Váitéar Carpenter, R. de Moirtiséid agus Séamas Ó Píce na daoine ba bheoga orthu." (*The Irish Labour Movement.*—L. P. Ó Riain.)

Thug an Conghaileach léachtaí i mBaile Áthe Cliath agus i mBéal Feirste agus i gCorcaigh. Chláraigh sé gan mhoill mar bhall de Cheardchumann Oibrithe Iompair na hÉireann. Roimh dheireadh na bliana sin 1910 d'fhoilsigh sé *Labour, Nationality and Religion* agus *Labour in Irish History* i mBaile Átha Cliath.

2

LABOUR, NATIONALITY AND RELIGION

Cíoradh a bhí i *Labour, Nationality and Religion* a rinne an Conghaileach ar Aitheasc an Charghais in éadan

an tsóisialachais a thug an tAth. Ó Catháin, C.Í., in Eaglais
Shráid Ghairdinéir i mBaile Átha Cliath sa bhliain 1910. I
dtús an leabhráin cuireann an Conghaileach roimhe a
chruthú nárbh iontaofa agus nárbh inleanta breith na
nEaglaiseach i gcónaí i stair na hÉireann, agus i dtíortha
eile.

" *They have often insisted,*" deir sé, " *that the church
is greater than the secular authority and acted, therefore,
in flat defiance of the secular powers, but they have for-
gotten or ignored the fact that the laity are a part of the
church and that, therefore, the right of rebellion against
injustice so freely claimed by the Papacy and the Hierarchy
is also the inalienable right of the laity.*"

Ar ndóigh, níor dhearmad an Eaglais riamh an ceart a
bheith ag na daoine éirí amach in éadan na héagóra i gcás
nach raibh leigheas eile ar an scéal agus go raibh an
éagóir réasúnta mór. Rud eile, cé gur fíor a insint ar an
gceart atá ag na daoine éirí amach in éadán na héagóra
ní eascrann an ceart sin ón fhréamh a luann sé. Leanann
sé leis :

" Agus dearbhaíonn an stair am ar bith ar éirigh idir
aislingí polaitiúla nó aislingí sóisialta na dtuataí agus
toil na cléire gurbh iad na tuataí a bhí ag seasamh do leas
na hEaglaise ina hiomláine agus do leas an chine dhaonna
i gcoitinne. Am ar bith ar éirigh leis an chléir smacht a
fháil ar an chumacht pholaitiúil i dtír ar bith ba thubais-
teach an toradh a bhí air don chreideamh agus ba naimh-
deach do dhul ar aghaidh na ndaoine."

Is ráitis an-láidre iad sin agus ráitis an-ghinearálta
gan cruthúnas ar bith mar thacaíocht leo. Mar sin féin is
leor ag an gConghaileach iad lena chonclúid féin a bhaint
astu, conclúid atá as cuimse saoithiúil :

" *From whence we arrive at the conclusion that he
serves religion best who insists upon the clergy of the
Catholic Church taking their proper position as servants of
the laity, and abandoning their attempt to dominate the
public, as they have long dominated the private life of
their fellow-Catholics.*"

71

Is léir ó thús seo a réamhrá cad é chomh mór agus a ghoill aitheasc an Ath. Uí Chatháin ar an gConghaileach. Tá an réamhrá san iomlán gangaideach nimhneach as cuimse sa tslí go bhfuil an chuma air gur chuir an Conghaileach roimhe an seanmóirí a dhíspeagadh sula dtabharfadh sé faoin tseanmóir féin a scrúdú ar chor ar bith. Teanga ghangaideach agus peann géar a bhí riamh aige agus níor nós leis iad a spáráil ar a naimhde, ach sin, de ghnáth, gan dochar do chiall agus do réasún a argóinte. Níorbh amhlaidh sa chas seo dó.

Sna sleachta sin thuas mar shampla, tá dhá ní i gceist, teagasc na hEaglaise agus seasamh na nEaglaiseach. Ní ar an teagasc a dhíríonn sé a argóint ach ar na hEaglaisigh. Mar an gcéanna, más fíor féin gach focal dá ndeireann sé faoi mhíchríonnacht sheasamh polaitiúil na nEaglaiseach, ní chruthaíonn sé ach an t-aon ní amháin — go raibh Eaglaisigh míchríonna. Más amhlaidh is mian leis a chruthú go raibh teagasc na hEaglaise earráideach is air sin ba chóir dó a pheann a dhíriú.

Mar an gcéanna sa sliocht seo a leanann ar na sleachta thuas :

"Tá sóisialaithe na hÉireann buíoch díobhsan a spreag óráidí chomh léannta agus chomh deisbhéalach leis (an tAth. Ó Catháin) le tabhairt faoin sóisialachas a throid ina bpríomhchathair féin. Dá mba chéile comhraic ba lú tábhacht ná é a bheadh acu ní bheadh a sásamh baol ar chomh mór. Ach tá siad cinnte anois agus an focal deireanach ar an cheist ráite ag fear chomh hábalta agus chomh léannta, chomh heolach ina léiriú, chomh hinmholta as modh a ionsaithe, agus chomh réidh ina chaint leis, gur féidir leo a bheith sásta go bhfuil an cás is fearr déanta is féidir a dhéanamh in éadan a gcúise."

Ní féidir go raibh an Conghaileach dáiríre sa mholadh as cuimse seo. An féidir gur d'aonghnó a dhathaigh an Conghaileach an pictiúr sármholtach seo den sagart le gur mhó an tábhacht bholscaireachta a bheadh lena leagan ? Tá an chuma sin ar an sliocht sin thuas, óir, gan beag a dhéanamh den sagart, b'fhéidir nárbh iad a chuid seanmóirí Carghais, a raibh an Conghaileach á n-ionsaí, an cás ab fhearr a d'fhéadfaí a dhéanamh in éadan an tsóisialachais. Go dearfa, dá m'áil leis an gConghaileach ceartúdar an " ionsaithe " a aimsiú, ba cheart dó tabhairt faoin bPápa Leo XIII agus faoina shaothar scríofa. Ní hamhlaidh nach raibh a fhios aige *Rerum Novarum* a bheith ann. Tá an chéad alt den Imlitir sin i gcló sa saothar seo leis an gConghaileach. Ach ní bhacann sé a thuilleadh leis.

I dtaca le *Rerum Novarum* de, tá dealramh ar a argóintí in áiteanna sa leabhar nár thuig an Conghaileach i gceart ná ina iomláine teagasc sóisialta Marx, ná a lán dá n-eascrann ón teagasc sin. Go dearfa, ba shaonta an mhaise dó an chiall a bhain sé as an teagasc céanna i gcásanna áirithe : " Is é a chiallaíonn an sóisialachas, staid ar leith na sochaí ina mbeidh ceannas ag toil na ndaoine . . . dá bhrí sin ní raibh Marx agus daoine eile ag díriú ar chóras a bhúnú ina mbeadh siad in ann a dtuairimí faoin reiligiún a bhrú ar na daoine," agus "*If any opposition party, any new philosophy, doctrine, science or hair-brained scheme has enough followers to pay society for the labour of printing its publications, society will have no right to decline nor desire to refuse the service.*"

Ní léir, fad agus a nochtann an leabhar seo a dhearcadh, gur thuig sé an bhundifríocht fealsúnachta atá idir teagasc Marx agus teagasc Chríost — Marx ag diúltú glacadh le Dia, le Críost, leis an ord osnádúrtha, leis an anam marthanach sa duine agus le tosaíocht na nithe spioradálta. Deir an Conghaileach : "*Socialism is neither Protestant nor Catholic, Christian nor Freethinker, Buddist, Mohommedan nor Jew ; it is only HUMAN.*"

Ní léir, ach oiread, gur thuig sé go raibh de cheart ag an Eaglais agus de dhualgas uirthi cur isteach ar ghníomhartha an Stáit má sháraíonn siad an dlí morálta agus cearta an duine ; nó gur thuig sé go bhfuil dualgas ar an gCaitliceach géilleadh do theagasc na bPápaí. B'fhéidir gurbh eol don Chonghaileach nach ionann ar aon chor údarás na nImlitreacha agus údarás na sainmhínithe sollúnta ex cathedra. Mar sin féin is iontach linn nach dtugann sé an aird a thuigeann an gnáth-Chaitliceach is ceart a thabhairt ar ráitis na bPápaí sna hImlitreacha. Ach duine ar bith a léann an leabhrán seo leis an gConghaileach sa lá inniu ní bheidh aon amhras air ach nach ag an gConghaileach a bhí an chuid ab fhearr den scéal. Cuid mhór dár ionsaigh sé de chaint an tsagairt faoin sóisialachas fíoradh ó shin é sa Rúis agus i dtíortha eile ar cuireadh ceangal an chumannachais orthu. Fíoradh a ndúirt an sagart faoi ábharachas dialactach Marx, faoi chogadh na n-aicmí, faoi na hionsaithe ar an eaglais Chaitliceach agus ar na heaglaisí Críostaí eile, faoin bhfrithnáisiúnachas agus mar sin de. Ach taobh amuigh den scrúdú seo ar aitheasc an Ath. Uí Chatháin ar an sóisialachas, tá anchuid sa leabhrán seo faoin Eaglais Chaitliceach atá suarach agus maslach. Le mórán a chur i mbeagán focal ní maise ar bith do Shéamas Ó Conghaile *Labour, Nationality and Religion*.

3

AN LUCHT SAOTHAIR I STAIR NA hÉIREANN

Scéal eile ar fad an leabhar eile a d'fhoilsigh an Conghaileach i ndeireadh na bliana 1910 — *Labour in Irish History*. Bhí ábhar an leabhair seo á mheabhrú aige le fada an lá, rud nárbh iontach ag duine ar fhág teagasc Marx a lorg go domhain air. Bhí cuid den leabhar i gcló i *The Workers' Republic* chomh fada siar le 1898 agus i *The Harp* agus an páipéar sin á fhoilsiú sna Stáit. I gcomórtas le *Labour, Nationality and Religion* is maise mhór don Chonghaileach an leabhar seo. Gan amhras bhí sé ina ábhar dúisithe meanman ag na daoine a léigh é sna blianta sin. Féadaimid a rá go bhfuil sé ar cheann de na leabhair is spreagúla agus is suimiúla dár scríobhadh riamh faoi stair na hÉireann. D'fhág sé a lorg ar Éirinn a linne, lorg a mhaireann go dtí an lá inniu.

Le go dtuigfimis an leabhar seo is gá go dtuigfimis an t-athrú as cuimse a tháinig ar Éirinn ó thús an chéid, an t-am ar scríobhadh é, i leith. Ní hé amháin gur baineadh amach féinrialtas dár gcuid féin ach gur bhain an lucht oibre, na " *toilers* " nó na " sclábhaithe pá " mar b'áil leis an gConghaileach a thabhairt orthu, seasamh agus caighdeán maireachtála amach dóibh féin nach gcreidfeadh an duine ab aislingí agus ba dhóchasaí orthu caoga bliain ó shin.

Is gá dúinn an meon a bhí ag an gConghaileach a thuiscint agus an leabhar á bheartú aige agus an intinn a bhí aige agus é á scríobh.

Bhí grá aige ar an lucht saothair sa chéad áit — Éire gan a muintir níor ní leis í — agus bhí grá aige ar an náisiún ar de iad. Ba mhian leis an mhuintir sin a shaoradh ó dhaorsmacht Shasana agus fós ó dhaorsmacht lucht an airgid ó ba léir dó an dara smacht sin a bheith orthu, agus bhí a thuairim féin aige faoin dóigh le tabhairt faoin gcuspóir, mar a bhí léirithe go minic aige ina chlár sóisialta agus ina scríbhinní éagsúla.

Níorbh aon *dilettante* staire é Séamas Ó Conghaile. Ní hé a chuir sé roimhe ceachtleabhar staire dá shuimiúla é a scríobh. Ní hé sin ba chuspóir dó ach an lucht saothair a mhúscailt, a gceart a léiriú dóibh agus iad a theagasc agus a chreideamh sóisialta a chur ina luí orthu. Is leabhar bolscaireachta é dá bhrí sin *Labour in Irish History*. Bhí sé dírithe ar an lucht saothair sa chéad áit. Bhí sé dírithe fós ar threoraithe lucht na saoirse, nár lag a líon san am, ar mhaithe lena mealladh ar aon taobh leis an lucht saothair agus lena gcur ar a n-aire roimh na botúin a rinne na treoraithe náisiúnta rompu trí gan an aon chúis a dhéanamh leis an lucht saothair céanna. Bhí sé dírithe fós ar na náisiúnaithe — ar Chonradh na Gaeilge agus ar lucht na Gaeilge i gcoitinne. Dar leis an gConghaileach go raibh sin aige an polasaí a shnaidhmfeadh le chéile iad, go raibh sin aige réiteach na bhfadhbanna uile a raibh a réiteach mar chuspóir acusan.

Mar seo a leanas, sa réamhrá leis an leabhar seo, a mhíníonn sé a dhearcadh ar stair na hÉireann :

" . . . San am ar chaill Éire a seanchóras sóisialta, chaill sí a teanga mar mheán machnaimh acusan a bhí mar threoraithe aici. An tuathánach Éireannach a bhí tráth ina shaorfhear treibhe, agus seilbh aige ar thalamh na treibhe agus lámh aige ina stiúradh i gcomhar lena chomhleachaí, ní raibh sé feasta ach ina thionónta agus cumas a dhíshealbhaithe, a easonóraithe agus a éignithe ag úinéir príobháideach éigin gan stuaim gan fhreagracht ...

"Agus prionsabal Gaelach chomhshealbhú fhoinse a mbia agus a gcothaithe á athbhunú ag na daoine, is é an bac is mó a bheidh le sárú naimhdeas na bhfear agus na mban sin a ghlac a mbarúlacha de charachtar na nÉireannach agus de stair na hÉireann ón litríocht Ghall-Ghaelach ...

"Dá bhrí sin, agus sinn ag díriú sa leabhar seo ar sheasamh shluaite díshealbhaithe mhuintir na hÉireann a léiriú ar ócáid seo na cinniúna i nuastair na hÉireann, creidimid gur féidir é a mheas mar chuid de litríocht na hathbheochana Gaelaí ...

"Idir an dá linn is mian linn a chur roimh na léitheoirí an dá thuairim ar a bhfuil an leabhar bunaithe.

"An chéad cheann, in éabhlóid na sibhialtachta is gá go mbeadh an troid ar son na saoirse náisiúnta céim ar chéim le troid na haicme sa náisiún sin is mó atá faoi dhaorsmacht ar son a saoirse ...

"An dara ceann, de thoradh throid fhada na hÉireann tá na seantaoisigh ar lár ... tá an mheánaicme anois ag feacadh na glúine do Bhál ... Is í aicme na n-oibrithe Éireannacha amháin a mhaireann ina n-oidhrí gan chlaon ar throid na hÉireann ar son na saoirse."

Nochtann sé cuspóir an leabhair níos soiléire fós sa chéad chaibidil :

"Is rún dúinn a bhfuil ar ár gcumas a dhéanamh le deireadh a chur leis an neamhshuim a chuir ár staraithe d'aonghnó sa cheist shóisialta in Éirinn le súil go léireoidh daoine is ábalta ná sinn an dóigh ar smachtaigh agus ar riaraigh a tosca eacnamaíochta stair na hÉireann.

"Cuirfidh sé iontas, b'fhéidir, ar a lán a léamh gur ar chomhúinéireacht nó ar threibhúinéireacht na talún a bhí

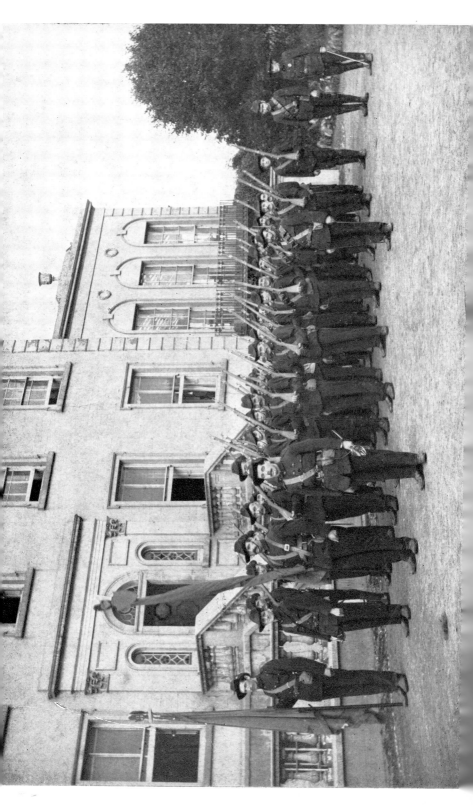

an tsochaí bunaithe in Éirinn, ach amháin sa Pháil, go dtí 1649. Is é is dóichí go ngéillfeadh an chomhúinéireacht d'úinéireacht phríobháideach chóras na dtiarnaí talún fiú dá maireadh Éire ina tír neamhspléach. Tharla, áfach, gur chumhacht armtha ón taobh amuigh, in áit na gcumhachtaí·eacnamaíochta ón taobh istigh, a thug an t-athrú i gcrích, ghoill sí go géar ar mhuintir na hÉireann. Dá bhrí sin, le linn dóibh a bheith ag aislingeadh ar an tsaoirse, bíonn siad fós ag mianú filleadh ar sheanchóras sealbhaithe na talún. Chuir scaipeadh na gclann deireadh, ar ndóigh, le huachtaránacht na dtaoiseach agus ar an ábhar sin, ó ba choimhthígh an t-uaslathas as sin amach, ba ar an mheánaicme a thit stiúradh na ngluaiseachtaí polaitiúla agus as sin amach ba léiriú idéalta iad ar éilimh na meánaicme na gluaiseachtaí sin.

"Bhí na hoibrithe báúil go leor leis an tsaoirse ach ó ba léir dóibh an tromlach mór ina n-éadan agus ó bhí na treoraithe á dhéanamh soiléir dá n-éireodh féin leis an troid nach mbeadh aon imeacht ón smacht sóisialta a bhí orthu, ba leasc leo mar dhream baint leis mar throid agus fágadh faoin mbeagán ba ard-aidhmeannaí agus ba chróga ar a n-aicme aghaidh a thabhairt ar an namhaid agus ar fhuath an tíoránaigh."

Sa chaibidil ina dhiaidh sin, ar eagla nach dtuigfeadh an léitheoir an chiall atá lena argóint, scaoileann an t-údar linn eochair a leabhair :

"Ar mhaithe lenár léitheoirí is fearr dúinn eochair na staire de réir na sóisialaithe a mhíniú anseo sa tslí gur fearr a thuigfeadh siad an fáth ar dhírigh an aicme rialaithe riamh agus choíche ar an chumhacht pholaitiúil a shealbhú mar dhearbhú ar a gceannas eacnamaíochta — nó, lena rá níos soiléire, mar ghléas smachtú sóisialta na sluaite — agus an fáth nach iomlán agus nach buan saoirse na n-oibrithe, fiú sa chiall pholaitiúil, go mbaine siad as lámha na n-aicmí rialaithe seilbh na talún agus na ngléasanna táirgthe saibhris."

"Is mar seo a leanas a mhíníonn Karl Marx, an fear is mó ar na nuasmaointeoirí agus an ceann ar na sóisialaithe eolaíochta, an teoiric nó an eochair staire seo :

" ' I ngach ré stairiúil is é 'an gnáthmhodh táirgthe agus
malartaithe eacnamaíochta agus an t-eagar sóisialta is
éigean a leanann air/an bun amháin 'ar ar féidir stair
pholaitiúil agus intleachtúil na ré sin a mhíniú.' "

Mar sin de agus é ar tí áit an lucht oibre i stair na
hÉireann a léiriú agus a mhíniú dúinn sa leabhar seo, tá
an Conghaileach tar éis dhá thuairim ar a mbeidh an
léiriú agus an míniú seo bunaithe a chur romhainn : Ceann
amháin — eochair na staire de réir Marx ; an dara ceann
— gur ar chomhúinéireacht nó ar threibhúinéireacht na
talún a bhí an tsochaí bunaithe in Éirinn go dtí 1649, is é
sin go dtí gur briseadh ar Éirí Amach 1641.

4

EOCHAIR NA STAIRE

I dtaca le heochair staire Marx de tá a lán lán tagairtí
don sóisialachas agus do theagasc Marx i *Labour in Irish
History*. Ní hé seo an áit le breith a thabhairt ar cad é
chomh mór is a bhí an Conghaileach tógtha leis an teagasc
sin ina iomláine. Is leor linn go fóill an teoiric áirithe
seo na staire a scrúdú. Cuireann an Conghaileach romhainn
í gan cur chuige ná uaidh ionann agus gurbh fhírinne
fhollasach shoiléir í, nár ghá aon argóint a dhéanamh
fúithi. Ní féidir gur ghlac sé féin léi gan a scrúdú. Má
rinne níor mhiste toradh a scrúdaithe a thabhairt dúinn,
rud nach ndéanann sé.

B'fhurasta glacadh le teoiric seo na staire dá mbeadh
duine gan machnamh a dhéanamh uirthi. Tá a lán den
fhírinne inti agus tá cuma na fírinne uirthi go háirithe
má chuirtear i láthair duine í mar thoradh ar mhachnamh
an té is mó ar na nuasmaointeoirí. Is léir gur cuid mhór
de shaol an duine, agus dá bhrí sin de shaol na náisiún,
táirgeadh agus malartú na nithe is riachtanais bheatha
dó. Is léir fós go bhfágfadh na cúrsaí sin a lorg ar ghnéithe
polaitiúla agus intleachtúla an tsaoil agus lena linn ar an
stair. Ach ní léir ar aon chor gurb é an modh táirgthe

agus malartaithe eacnamaíochta an bun amháin ar ar féidir an stair a mhíniú nó a thuiscint.

Tá sé ag trasnú ar ár n-eolas go huile a rá linn go bhfuil cúrsa iomlán na staire agus an tsaoil shóisialta á shocrú ag an eacnamaíocht ag forbairt na bhfórsaí ábhartha táirgthe agus malartaithe agus nach bhfágann cúrsaí spioradálta, an creideamh diaganta, an fhealsúnacht, an ealaín, an cultúr ina iomláine, lorg ar bith ar chúrsaí na staire nó ar an saol sóisialta.

Eascrann teoiric seo eochair eacnamaíochta na staire ó bhunteagasc Marx — an tÁbharachas Eacnamaíoch nó Stairiúil. "De réir an teagaisc seo níl ar an saol ach an t-aon réaltacht, ábhar a bhforásann a chumhacht dhall ina planda, ina hainmhí agus ina duine. De bhíthinn dhlí an riachtanais dobhogtha agus trí shíorchoimhlint na bhfórsaí, druideann an t-ábhar i dtreo shintéis dheiridh na sochaí neamhaicmí. Ina leithéid de theagasc, mar is léir, níl áit do Dhia ; níl difríocht ar bith idir ábhar agus sprid, idir anam agus corp ; ní marthanach don anam i ndiaidh báis nó níl dóchas ar bith as an saol atá le teacht." (*Divini Redemptoris* — *ar an gCumannachas Aindiach.* Imlitir an Phápa Pius XI.)

Úsáideann an Conghaileach an eochair seo, mar shampla, leis an toradh eacnamaíochta a bhí ar Pharlaimint Grattan a mheas. "Sa lá inniu," deir sé, "ní thuirsíonn ár lucht gríosaithe polaitiúil ach ag insint dúinn arís agus arís eile gur thráth ratha d'Éirinn é tráth Pharlaimint Grattan thar mar a chonacthas riamh agus dá bhrí sin gur féidir linn a bheith ag súil le hathnuachan na staide sona sin nuair a bhainfimid reachtas dúchasach athuair.

"Admhóimid, ar mhaithe lenár n-argóint, go raibh an rath ar Éirinn le linn Pharlaimint Grattan ach is gá dúinn a shéanadh go lándearfa gurbh í an Pharlaimint ba chúis leis, ach amháin, b'fhéidir, mionchuid de. Anseo arís soláthraíonn fealsúnacht shóisialta na staire an eochair don fhadhb — agus léiríonn gurbh í an eacnamaíocht an fíor-réiteach. An chéim thobann ar aghaidh a tháinig i gcúrsaí gnó sa tráth faoi thrácht, ba thoradh í beagnach ar fad ar theacht na cumhachta meicniúla agus ar an laghdú i gcostas na n-earraí déantúsaíochta a lean air. Ba é ré na réabhlóide tionsclaí é, nuair a bhain córas monarchan an lae inniu a n-áit ó thionscail bhaile na meánaoiseanna."

Tá teoiric seo an Chonghailigh scrúdaithe ag an Ollamh Seoirse Ó Briain. Deir seisean :

"Is léir go maith go dtéann an Conghaileach thar fóir agus é ag maíomh na háite a bhí, dar leis, ag an réabhlóid thionsclaíoch i ndul ar aghaidh eacnamaíochta na hÉireann ; dealraíonn sé go raibh an dara tuairim sin a bhí aige, nach raibh aon chuid den bhuíochas as rath na tíre ag dul do Pharlaimint Grattan, lán chomh hearráideach.

"Scrúdaítear (an teoiric) seo . . . sa leabhar seo mar a dtagtar ar an tuairim, agus mar a ndeimhnítear í go sásúil, meastar, gur tráth é tráth Pharlaimint Neamhspleách ná hÉireann a raibh rath ar an tír agus fás faoi i gcónaí agus go raibh an rath sin ina thoradh díreach ar na dlíthe a hachtaíodh sa Pharlaimint sin." (*Economic History of Ireland in the Eighteenth Century.*—George O'Brien.)

5

COMHÚINÉIREACHT NA TALÚN

An tuairim eile sin go raibh comhsheilbh ag an bpobal nó ag an treibh ar an talamh bhí sí go láidir ag an gConghaileach. Nochtann sé go minic i *Labour in Irish History* agus in áiteanna eile í. Ar ndóigh, dá mba fíor gur chóras den chineál sin a bhí i bhfeidhm in Éirinn sa seanam, d'fhágfadh sé níos éasca ag daoine é glacadh le polasaí an chomhshealbhaithe sa lá inniu. Ní ceart dúinn a cheapadh nár chreid an Conghaileach go fírinneach go raibh an córas sin i bhfeidhm sa tír seo sa seanam. Bhí an tuairim sin ag lucht staire i gcoitinne san am a raibh sé ag scríobh. Agus na tuairimí eile sin a nocht sé sa réamhrá leis an leabhar seo, go raibh an tuathánach Éireannach ina shaorfhear agus córas na gclann ar bun, glacadh go coitianta leo mar an gcéanna.

Dealraíonn sé ón taighde atá déanta ag lucht staire ó shin nach raibh aon chúis lena rá go raibh córas sóisialta na nGael i bhfabhar na coitiantachta ar aon chor. Ó bhun go barr ní raibh ann ach na huaisle agus dhealródh sé nuair a bhíodh na Gaeil ag maíomh as a saorántacht go raibh sluaite — an tromchuid b'fhéidir — de na daoine ann nach raibh saor.

I dtaca leis an treibheachas nó córas na gclann "ní hé amháin gur dhearbhaigh an tOllamh Eoin Mac Néill nach raibh a leithéidí ann riamh in Éirinn, ach níl aon fhocal Gaeilge ann a thógann leis díreach brí an fhocail *clan* as Béarla." (*Saoirse gan Só* le Seán de Fréine.)

Deir an tOllamh Eoin Mac Néill : " Tuairim eile atá ar aon dul le míthuiscint an lae inniu faoi chóras na gclann is ea go raibh an treibh nó an chlann ag sealbhú na talún. Is é fírinne an scéil nach raibh a leithéid de chóras comhchoiteann ann ar aon chéim chomh leitheadach leis an bhfearann. Bhí comhchearta ar thalamh gharbh nár oir don churaíocht ann. An chuid eile roinneadh í ar na grúpaí teallaigh." (*Phases of Irish History* — Eoin Mac Néill.)

Ní hé amháin gur mhaith leis an gConghaileach agus an leabhar seo á scríobh aige go nglacfaimis leis na tuairimí sin faoi chóras sealbhaithe na talún in Éirinn sa seanam ach thapaigh sé an deis in áiteanna eile sa leabhar le tacaíocht a fháil dá thuairimí féin faoin sealúchas príobháideach agus faoi náisiúnú an tsealúchais i gcoitinne.

Agus é ag cur síos ar Roibeard Emmet mar shampla deir sé : " Is é Emmet an té is mó a ndéantar dia beag de agus is é is leitheadaí a mholtar ar iomlán na mairtíreach Éireannach. Is fiú, dá bhrí sin, a thabhairt faoi deara go n-achtaíonn an chéad ált san fhorógra a dhréachtaigh sé le heisiúint in ainm Rialtas Sealadach na hÉireann go ngabhfar seilbh ar mhaoin na heaglaise agus go náisiúnófar í agus go n-achtaíonn an dara agus an tríú halt go gcoiscfear agus go gcuirfear ar ceal aistriú an uile sheilbh talún, nascbhanna, dibhinní agus fuillimh phoiblí go dtí

81

go mbunófar an rialtas náisiúnta agus go bhfógrófar an toil náisiúnta ina dtaobh.

"Dearbhaíonn sin an dá rud seo — viz., gur chreid Emmet go raibh tosaíocht ag an ' toil náisiúnta ' ar chearta an tsealúchais agus go bhféadfadh an toil sin iad a chealú de réir mar ba mhian léi, agus gur thuig sé nach bhféadfaí a bheith ag súil leis na haicmí táirgthe tacaíocht a thabhairt don réabhlóid mura mbeadh sé le tuiscint acu go mbainfeadh sé amach dóibh saoirse shóisialta chomh maith leis an tsaoirse pholaitiúil."

Mhínigh Emmet an dearcadh a bhí aige áit eile san fhorógra céanna. Níl focal ag an gConghaileach faoin míniú seo : " Ní chuirimid cogadh ar an sealúchas — ní chuirimid cogadh ar lucht creidimh ar bith — cuirimid cogadh ar thiarnas Shasana." Is léir ón abairt seo nach raibh sé ar aigne ag Emmet ar aon chor cur isteach ar chearta an tsealúchais. Rud eile, níor dhúirt Emmet an ní a chur an Conghaileach ina bhéal: " go gcoiscfear aistriú an uile sheilbh talún . . . go bhfógrófar an toil náisiúnta ina dtaobh " ach " . . . go mbunófar an rialtas náisiúnta, go bhfógrófar an toil náisiúnta agus go n-eagrófar cúirteanna dlí agus cirt ".

Léirigh Emmet an gnó a bhí leis an dara agus an tríú halt ina fhorógra in áit eile sa doiciméad sin : " Tá sé ar intinn ag an Rialtas Sealadach a fheidhmeannas a ghéilleadh an túisce a bheidh a dteachtaí roghnaithe ag an náisiún ach, idir an dá linn, tá sé socraithe aige na rialacháin seo a leanas a fheidhmiú : Glacann sé, dá bhrí sin, maoin na tíre faoina choimirce agus cuirfidh sé pionós go neamhthrócaireach ar aon duine a chuirfidh isteach ar an mhaoin sin agus a dhéanfaidh dochar lena linn do mhaoin láithreach na hÉireann agus dá dul ar aghaidh san am le teacht."

Is é a deir údar a rinne staidéar ar leith ar Emmet : " Im thuairimse, níor doctrinaire Emmet ar chor ar bith. Tháinig sé ar ais ón bhFrainc gan aon mheas aige ar an bhFrainc nó ar na teoiricí nó ar an bhfealsúnacht a bhí i réim ansin. Agus nuair a labhair sé leis an bpobal sa bhForógra, ba ar an seanchogadh le Sasana nach mór ar fad a thrácht sé." (*Emmet* le Leon Ó Broin.)

Is éadócha go raibh aon duine i stair na hÉireann ba ghile le croí an Chonghailigh ná Fiontán Ó Leathlobhair. " Is éigean an chraobh as géire a mhínithe ar theagasc na réabhlóide sóisialta agus polaitiúla a bhronnadh ar Shéamas Fiontán Ó Leathlobhair," a deir sé. "Ina scríbhinní faighimid prionsabail an ghnímh agus na sochaí a bhfuil sin iontu ní amháin an plean is fearr ceannairce ach freisin síolta na síochána sóisialta is fearr don todhchaí." Gan aon amhras bhí an Leathlobhrach i bhfad chun tosaigh ar aon duine dá chomhghuaillithe sna blianta sin ar a ghaire a chuaigh sé do fhréamh olc na hÉireann lena linn féin.

An iontach linn go bhfuil an méid seo a leanas i measc an dornán sleachta a thugann an Conghaileach dúinn as a scríbhinní ?

" Gur chóir dóibh (na tionóntaí talmhaíochta) ar phrionsabal, diúltú cíos ar bith a íoc leis na húinéirí forghabhálacha láithreacha, go dtí go mbíonn sé socraithe ag na fíorúinéirí i gcomhthionól náisiúnta cad iad na cíosanna is ceart a íoc agus cé leis a n-íocfar iad.

" Agus gur chóir do na daoine, mar pholasaí agus leis an eacnamaíocht a shocrú (mar riail ghinearálta ar féidir imeacht uaidh) gur leo féin, na daoine, a íocfar na cíosanna seo le haghaidh gnóthaí poiblí, agus ar mhaithe leosan agus ar a sonsan an pobal go hiomlán agus go huile."

Ní thagraíonn an Conghaileach go díreach do bhrí na n-abairtí sin. Ní gá dúinn féin aon ní a rá fúthu ach oiread go fóill.

Is suimiúil go mór an scrúdú a dhéanann an Conghaileach ar an chéad tréimhse eile sa stair, ar an nGorta Mór. I leabhar údarásach ar an ngorta sin a foilsíodh le blianta beaga anuas feicimid gurbh fhiú leis na heagarthóirí, ollúna le stair sa lá inniu, tagairt a dhéanamh sa réamhrá dá theoiricí.

" Bhí Séamas Ó Conghaile in ann a rá ina scrúdú géar ar shochaí na hÉireann : ' Fear ar bith a ghlacann leis an gcóras caipitleach agus a dhlíthe ní ceart dó locht a

fháil ar Státairí Shasana as a ngníomhartha sa tráth uaf-
ásach sin.' Ach cibé acu a ghlactar nó nach nglactar le
coinníollacha tábhachtacha an Chonghailigh is ceart do
staraithe an lae inniu an Gorta Mór a scrúdú go mion
mar fheiniméan sóisialta, mar ócáid ar cuireadh Stát an
naoú céad déag ar a thriail." (*The Great Famine 1845-'52*
— Editors, R. Dudley Edwards & T. Desmond Williams.)

Agus deir siad ar ball sa réamhrá céanna : "Faoi
dheireadh thiar, is beag idir an pictiúr a nochtann taighde
an lae inniu dúinn agus léaráid Shéamais Uí Chonghaile i
An Lucht Oibre i Stair na hÉireann."

Agus é ag déanamh cur síos ar Mhícheál Daibhéid agus
ar Chonradh na Talún tráchtann an Conghaileach ar an
"gcogadh ar chuir Conradh na Talún tús leis agus ar
thréig sé ansin é sula raibh sé caillte nó buaite."

In agallamh leis an *New York Daily World*, mhínigh
Mícheál Daibhéid a dhearcadh ar "peasant proprietary"
agus náisiúnú na talún :

" . . . más é a chiallaíonn an Cumannachas gur leis na
daoine go léir úinéireacht na talún go léir, is ionann agus
an Cumannachas náisiúnú na talún. Ach más é a chiallaíonn
an Cumannachas go bhfuil comhcheart cothrom ag na
daoine go léir ar shealbhú na dtairbhí atá le baint as aon
ghiodán ar leith talún, ní aon Chumannachas é náisiúnú na
talún . . .

" . . . na daoine atá ag sealbhú talún, is ceart go n-íoc-
faidís leis an Stát, mar chaomhnóirí na ndaoine, cáin as
an talamh a bhfuil siad á sealbhú, cómhaoin na ndaoine.

" . . . Ach is é atá dáiríre sa náisiúnú talún seo,
mar a thug mé air, an feo simplí faoi theideal eile agus
is sampla é úsáid an teidil nua dá mhéad atá daoine faoi
smacht ag focail."

Agus an "náisiúnú" seo a bhí i gceist ag an Daibhéid-
each, ní gan chúiteamh a dhéanfaí é : "Is gá go mbeadh
socrú (sa chóras seo) le hairgead ceannaigh a íoc leis na
tiarnaí talún agus más le hÉirinn úinéireacht na talún is í
a chaithfidh, ar shlí éigin, é seo a íoc í féin." (Arna aithris
i *The Life of Michael Davitt* — D. B. Cashman.)

An féidir nach raibh an míniú seo léite ag an gConghaileach ? Má bhí, cad é is ciall leis " an cogadh ar cuireadh tús leis agus ar tréigeadh é " ? An é nach ionann toradh chogadh na Talún agus " máistreacht na bhfeirmeacha " ar thrácht sé uirthi ?

Mar thoradh ar obair Chonradh na Talún agus ar lean air chuaigh na feirmeoirí i seilbh na talún. An é bhí i gceist ag an gConghaileach an tseilbh sin a bhaint as lámha na bhfeirmeoirí ?

In alt i *Forward* i 1913 scríobh sé na focail seo :

" *The Land acts have despite their faults destroyed the slavery of the Irish tenancy.*" Mar sin féin, deir sé san alt céanna : " *Of course it is not the Land Nationalisation many of us would like to see, but it is nevertheless the germ out of which a socialisation of the land may ultimately develop.*" (Forward, 16.8.1913.)

As a bhainimid nár leor leis náisiúnú Mhíchíl Daibhéid mar a mhínigh seisean dúinn é, nó náisiúnú Fhiontáin Uí Leathlobhair mar a mhínigh seisean é, ach oiread.

6
TÁBHACHT AN LEABHAIR

Agus i ndiaidh an méid sin ar fad a bheith ráite is gá a rá arís eile gur leabhar an-tábhachtach é seo agus insint an-suimiúil ar thráth tábhachtach dár stair. Is cinnte gur saibhrede ár dtuiscint ar an stair agus gur géirede ár mbreith ar chuid de na treoraithe náisiúnta. Dónall Ó Conaill, mar shampla, a chuir i n-éadan an " *Bill to more effectually regulate Factory Works* " de bhrí " go raibh an Pharlaimint ag achtú in éadan nádúr an tsaoil agus in éadan cheart an tionscail." " Ná bíodh sé le rá fúinn," deir sé, " go rabhamar chomh hamaideach sin agus go rabhamar ag iarraidh saothar na ndaoine fásta a riaradh, *and go about parading before the world their ridiculous humanity which would end by converting the manufacturers into beggars . . .* "

Cathal Gabhánach Ó Dubhthaigh, mar shampla eile.

"Nuair a gabhadh é . . . tháinig oibrithe Bhaile Átha Cliath thart ar an ngarda míleata agus iad á thionlacan chun an phríosúin . . . 'An áil leat go scaoilfimis saor thú?' arsa duine díobh. 'Ní áil go dearfa,' ars an Dubhthach," agus i bhfocail an Chonghailigh féin "*the puzzled toilers fell back and allowed the future Australian Premier to go to prison*". É féin a déarfadh é!

Liam Gabhánach Ó Briain, mar shampla eile fós. "Shiúil sé an tír agus é ag agairt ar na feirmeoirí ocracha déanamh réidh, ach é ag diúltú ligean dóibh a bheith beo ar chuid na dtiarnaí talún. Ag Muileann na hUamhan dhiúltaigh sé ligean dá lucht leanúna na crainn a ghearradh le bádhúin a dhéanamh go dtí go bhfaighidís cead na dtiarnaí talún."

Tá sé géar go deo ina bhreith agus tá faobhar go deo ar a theanga : " — *While the people perished the Young Irelanders talked and their talk was very beautiful, nicely polished and the proper amount of passion introduced always at the proper psychological moment . . .*" Agus tá neart samplaí den chineál sin sa leabhar seo.

Ach is é an rud, b'fhéidir, is mó is ábhar iontais linn agus caibidil i ndiaidh caibidle á léamh againn a fheabhas a d'éirigh leis an t-eolas a bhailiú faoin pháirt a bhí ag na hÉireannaigh i ngluaiseacht an lucht oibre — ní dheirimid i ngluaiseacht an tsóisialachais—agus chomh maith agus a d'éirigh leis teacht ar an eolas ar na hÉireannaigh a bhí ina dtreoraithe ar an lucht oibre in Éirinn agus i Sasana. Má deirimid nár éirigh leis páirt na nÉireannach sa ghluaiseacht shóisialta a léiriú dúinn, is é an fáth atá leis sin gur ar éigean a fhréamhaigh an ghluaiseacht sin in Éirinn riamh. Ach, mar a deir sé féin sa chaibidil dheireanach, ní hé a chuir sé roimhe stair an lucht oibre in Éirinn a scríobh ach cuntas a thabhairt ar pháirt an lucht oibre i stair na hÉireann. Is é an trua é nár thug sé faoin chéad stair sin a scríobh. Tá sí gan scríobh go fóill, agus ní thuigfear stair na hÉireann i gceart go scríobhfar í. Ní hé a chuir sé roimhe ach oiread stair na gceardchumann in

Éirinn a scríobh cé gur gheall sé go ndéanfadh sé sin
b'fhéidir ar ócáid níb fheiliúnaí. Níor tháinig an ócáid.
Suimíonn sé toradh an leabhair san alt deireanach :
*"As we have again and again pointed out, the Irish question
is a social question, the whole age-long fight of the Irish
people against their oppressors resolves itself, in the last
analysis, into a fight for the mastery of the means of life,
the sources of production, in Ireland."* Ar ndóigh, ní raibh
aige sa mhíniú sin ar cheist na hÉireann ach cuid amháin
den scéal. Is fíor gur dhírigh sé ár n-aird ar ghné den scéal
ab fhurasta a dhearmad agus a dearmadadh go minic. Is
é an trua é nar ghéill sé sa suimiú seo don fhírinne ar
ghlac sé léi go minic in áiteanna eile : gur ghá an tsaoirse
pholaitiúil leis an gceartas a thóraíocht agus a bhaint
amach agus a chaomhnú agus a chosaint agus gur ghá
sprid na náisiúntachta le go seasfaimis go daigh daingean
leis an tsaoirse sin. Ach bhí sé le fairsingeacht a dhear-
caidh agus le hiomláine a thuisceana a léiriú ar ball ar
dhóigh nach bhfágfaí amhras ar aon duine faoina
chreideamh náisiúnta.

Níor staraí é an Conghaileach. Mar sin féin, is gá dúinn
a aithint gur shoilsigh sé cuid den stair a fágadh roimhe
sin faoin dorchadas, agus lena linn gur léirigh sé don lucht
oibre a dtábhacht i stair na hÉireann agus an áit thábh-
achtach ba dhual dóibh a ghlacadh ar stáitse na staire san
am a bhí rompu. Scríobh sé leabhar arbh éigean don lucht
oibre agus don lucht léinn ar aon aird a thabhairt air.
" Is leabhar é *An Lucht Oibre i Stair na hÉireann*," deir
Deasún Ó Riain, " a scríobhadh faoi dheifir, ar ócáidí mí-
oiriúnacha i saol fir ghnóthaigh a raibh air bheith ag
saothrú a choda go dian. Mar sin féin, is saothar ardéirime
é fiú nuair a bheidh an claon follasach atá ann, na
hearráidí, na heasnaimh, agus na lochtaí, mínithe ag an
ollamh agus ag an léirmheastóir deireanach." (*James
Connolly* le Deasún Ó Riain.) Is breith é sin nach féidir
gan géilleadh dó.

87

V

AN LASOG SA BHARRACH

1

FÁILTE

AR AN 8ú Samhain, 1910, chuir an Conghaileach cóip dá leabhar nuafhoilsithe *An Lucht Oibre i Stair na hÉireann* go Nua-Eabhrac chuig a bhean chéile, agus an inscríbhinn seo air : " Do mo chéile ionúin a bhí páirteach i mo chuid spairne, agus a spreag chun gnímh mé riamh."

Bhí tuairim mhaith aige san am gur ghearr go mbeadh air litir a scríobh chuici a rá go raibh ar intinn aige fanacht in Éirinn. Scríobh sé an litir sin cúig lá i ndiaidh an leabhar a sheoladh chuici.

" Seo é litir na cinniúna. Ba mhaith liom go dtiocfá ar ais go hÉirinn. Anois agus d'anáil leat arís tabharfaidh mé an mioneolas duit. Tá mé le pá dhá phunt sa tseachtain a fháil, agus tá an chuid is mó den airgead ar lámha cheana. Rud eile, tá mé cinnte gur fearr an saol a bheidh in Éirinn agam ná mar a bheadh i Meiriceá. Ní bheidh mé chomh minic sin nó chomh fada as baile agus a bheinn dá bhfanfaimis sna Stáit. Níl tú le filleadh ar an gcruatan a d'fhág tú. Ná bíodh an eagla sin ort. Ar an chéad phost eile cuirfidh mé chugat ticéid dara grád go Doire — trí lánticéad agus ceithre leath-ticéad."

Litir na cinniúna a bhí inti gan amhras. Le sraith

léachtaí a thabhairt a tháinig sé go hÉirinn agus gan aon rún aige fanacht, dar leis. Bhí a chroí in Éirinn. Má bhí féin, bhí sé ag déanamh a mhachnaimh ar an saol a bhí acu sular fhág siad slán léi i 1903, ar an bhochtaineacht, ar an ocras, ar na plódtithe gránna ar chónaigh siad iontu. Agus ní fhéadfadh sé gan rún a bhean chéile a thabhairt chun cuimhne : "Má imímid, ní fhillfimid go brách. Ní ligfimid dóibh do chroí a bhriseadh an dara huair."

Bhí sé i ndán dó, áfach, gur in Éirinn a chuirfeadh sé an dlaíóg mhullaigh ar a shaothar agus an uair amháin a tháinig sé ar ais b'éadócha go bhfillfeadh sé ar na Stáit. Agus bhí daoine eile ag ceapadh go gcaithfidís ar dhóigh nó ar dhóigh eile féachaint chuige go bhfanfadh sé ina measc. An dream sin a choinnigh a theagasc beo ó d'fhág sé Éire, iad sin a raibh Páirtí Sóisialach na hÉireann ar bun acu agus a thug ar ais é leis an tsraith sin léachtaí a thabhairt, bhí a fhios acu, agus a laige a bhí a n-iarrachtaí ina éagmais, nach raibh seans dá laghad go dtiocfadh a n-aisling in éifeacht mura mbeadh an Conghaileach lena chónaí a dhéanamh in Éirinn feasta.

Dhá phunt a bhí an Conghaileach le fáil in aghaidh na seachtaine in áit an phuint amháin a bhí aige — an uair a fuair sé é — sularbh éigean dó slán a fhágáil ag Éirinn. Dar leis go raibh sé ina shá den saol. Fuair sé teach don chlann i mBóthar na Scar (South Lotts Rd.) agus chuir baill troscáin ann mar ba ghá.

I Mí na Nollag bhí sé i nDoire in airicis na loinge ar a raibh an bhean chéile agus na páistí. Tháinig siad go Baile Átha Cliath an lá dár gcionn. Bhí brat Mheiriceá crochta trasna faoi bhun fhuinneoga an tí agus bladhairí na tine sa seomra istigh ag fáiltiú rompu.

An tráthnóna i ndiaidh dóibh teacht bhí comóradh fáiltithe ina n-onóir sa halla i The Antient Concert Rooms i Sráid an Phiarsaigh (Sr. Brunswick mar a bhí air san am) mar a raibh ceathrú ag an bPáirtí Sóisialach. Bhí slua mór i láthair agus is ríméadach mar a d'fháiltigh siad roimh an gConghaileach agus a chlann.

Bhí ionadaí de chuid an Pháirtí ina iarrthóir sna toghcháin san am agus an Conghaileach mar eagraí ar an strucáil agus ar an obair thoghchánaíochta eile. Chomh maith leis sin bhí roinnt craobhacha bunaithe ag an bPáirtí. Ba leis an obair sin a bhí an Conghaileach ag gabháil an tráth sin — deireadh 1910 agus tús 1911.

2

FEAR AIBÍ INNIÚIL

Níorbh aon amadán é an Conghaileach a d'imigh go dtí na Stáit i 1903. Bhí clú cheana air in Éirinn as géire a intinne, as doimhne a thuisceana ar staid na n-oibrithe, as treise a chreidimh i dteagasc Marx agus na sóisialaithe i gcoitinne, as tréine a dhearcaidh ar staid pholaitiúil na tíre, as brí a phinn agus a theanga, as a dháiríreacht agus as a eolas ar an iliomad ceisteanna poiblí mar ba dhual d'fhear a dtiteann cúram an tsaoil pholaitiúil ar a ghuaillí. Bhí an clú sin imithe fada leitheadach. Is dá bharr a hiarradh air dul go Meiriceá an chéad lá.

Fear aibí inniúil agus é tagtha in inmhe an fear a d'fhill i 1910. Ba é an fear céanna é, ar ndóigh, agus an creideamh agus an dearcadh céanna aige. Ní raibh aon phioc dá thuairimí tréigthe aige, níor dhruid sé siar orlach ón seasamh a bhí glactha aige roimhe sin. Ach bhí caoi aige agus é sna Stáit na tuairimí agus an dearcadh sin a mheabhrú agus a thriail i gcomórtas leis an saol mór tionsclaíoch thiar faoi mar nach mbeadh riamh aige in Éirinn. Agus bhí air a thuairimí agus a dhearcadh a phlé agus a mheas i gcomórtas le daoine thall a raibh éagsúlacht cúlraidh agus cuspóra acu faoi mar nach mbeadh caoi aige a dhéanamh nó fiacha air a dhéanamh in Éirinn. D'fhág sin a lorg air. Cé go raibh sé ag glacadh fós mar a ghlac sé riamh le prionsabail Mharxacha, ba lú de theoiricí é ná mar bhí.

Fear oilte, éirimiúil, cruadhéanta, mar sin de, ab ea an Conghaileach a chuaigh athuair i mbun oibre in Éirinn i 1910 agus é lena chois sin eolach cleachtach ar chúrsaí eagraíochta ceardchumann.

"Bhí dearcadh níos leithne agus níos doimhne aige ná mar a bhí ag na hóráidithe tírghrácha uilig a bhí cloiste agam go dtí sin . . . Bhí sé ina chainteoir foirfe, ar an ábhar go raibh a thuairimí soiléir agus go raibh rud éigin cinnte le rá aige. Níorbh aon mhála gaoithe riamh é. Ní raibh sé doiléir ná ina dhochtrinaire. Bhí ciall don ghreann aige go cinnte . . . Bhí sé ar na daoine ab uaisle de lucht mo ghlúine féin." (H. W. Nevinson sa réamhrá le *James Connolly* le Deasún Ó Riain).

Is fiú tuairim eile ó dhuine nach raibh aon bhá aige leis an lucht oibre ná leis an dream náisiúnta a chur síos anseo : "Ba Chumannaí eolaíoch é Séamas Ó Conghaile, a raibh fíorchumas intleachtúil ann agus cumas scríbhneoireachta nár bheag — is léiriú cumhachtach iad a leabhair ar a dhearcadh" (*History of Ireland 1798-1914* — Sir James O'Connor, Solicitor-General for Ireland 1914-16).

Bhí ní amháin ar leith leis aniar nach raibh aige agus é ag fágáil na hÉireann i 1903 — polasaí an cheardchumannachais thionsclaígh. Mar a bhí mínithe aige i *The Harp*, bhí gléas sa pholasaí sin ag an lucht oibre lena dtoil a chur i bhfeidhm nárbh eol don Chonghaileach gur tháinig sé air sna Stáit. Bhí gléas nua cogaíochta sa teagasc sin a bhí antábhachtach, dar leis. Mhair sé féin ag craobhscaoileadh an teagaisc sin fad a mhair sé.

I dtaca leis an gcumas scríbhneoireachta sin — bhí stíl forbartha aige faoin am seo, stíl a bhí ag oiriúint go maith don ghnó a bhí aige leis an bpeann. Bhí an stíl sin beacht de ghnáth — gach abairt ag teacht ina áit cheart, gach focal ag cur le brí na habairte, argóint ag teacht go féiltiúil i ndiaidh argóinte, sa tslí gur ábhar iontais é nuair a bhíonn deireadh ráite nach mbíonn an Q.E.D. ag teacht in áit an lánstaid. Ach ní raibh an Conghaileach sásta, de ghnáth, an cumas scríbhneoireachta sin nó a chumas óráidíochta, ach oiread, a úsáid le croí an duine a mhealladh d'fhonn a mheabhair a dhalladh. Ba é a mhian riamh tuairimí an duine a threorú trí mheán na céille, an réasúin agus na hargóinte. Deir Liam Mac Maoláin (Uachtarán Ginearálta C.O. I. & I.É., 1920-53) gur chas sé ar an gConghaileach den chéad uair i 1910 : "Is cuimhin liom go raibh ábhar a óráide agus modh a óráidíochta éagsúil leis an gcineál a rabhamar cleachta leis — níor imigh sé leis ar ghaoth na samhlaíochta bladhmannaí. Ní ar na mothúcháin a dhírigh sé ach ar an gceann. Go ciúin, soiléir, géarchúiseach scrúdaigh sé an t-ábhar, rinne tagairt chuí ó am go chéile do stair na hÉireann agus labhair go réidh ar dhóigh a chuirfeadh a theagasc ina luí ar na daoine" (*The Workers' Republic* — in eagar ag D. Ó Riain — Reamhrá le William McMullen).

3

PÁIRTÍ SÓISIALACH NA hÉIREANN

Bhí an Conghaileach eolach go maith ar an dóigh a bhí ar Éirinn agus é ag filleadh uirthi. Agus bhí fhios aige cad iad na dreamanna a raibh suim acu i gcúrsaí polaitíochta agus cad iad na cuspóirí a bhí acu.

"Dá bhfiafraítí dínn cad é ár seasamh faoi Shinn Féin, an Rialtas Dúchais, an Páirtí Parlaiminteach, etc.," dúirt sé i *The Harp*, Aibreán, 1910, "d'fhreagróimis go socródh seasamh na n-eagraíochtaí sin fúinne ár seasamhna fúthu san."

I dtaca leis na forchéimnithe náisiúnta, mhair Sinn Féin ar thús cadhnaíochta óna bhunú i leith. Níorbh aon Phoblachtach é Art Ó Gríofa. Mar sin féin bhí feidhm leis an bpolasaí a mhol sé agus leis an neamhspleáchas intinne agus anama agus an mhuinín asainn féin agus an meas orainn féin mar náisiún a bhí mar dhúshraith leis an bpolasaí sin. Chruinnigh an chuid is mó de na daoine ba dhíograisí agus ba dhoimhne machnamh isteach i Sinn Féin nuair a bunaíodh mar eagraíocht é i 1905, agus bhí lucht léite líonmhar ag páipéar Uí Ghríofa, *The United Irishman,* i gcónaí. I 1908 throid ionadaí Sinn Féineach an toghchán i Liatroim ach bhuaigh ionadaí an Pháirtí Pharlaimintigh air.

Scríobh an Conghaileach alt faoin teideal *Sinn Féin, Sóisialachas agus an Náisiún* an tráth seo a léiríonn a thuairimí féin faoin ghluaiseacht. Scríobh sé an t-alt seo mar thráchtaireacht ar *a very fair and reasonable article* a scríobh "Cairbre" agus a foilsíodh san *Irish Nation*. B'ionann "Cairbre" agus Earnán de Blaghd.

"Tá dhá ghné de pholasaí Shinn Féin ann — a theagasc eacnamaíochta agus a fhealsúnacht féinmhuiníne. Níl aon bhá ag na sóisialaithe leis an teagasc eacnamaíochta de réir mar mhíníonn mo chara, an tUasal Art Ó Gríofa, é agus é ag tabhairt a insinte féin ar theagasc Frederick List, ar an ábhar go meallann sé iadsan amháin a mheasann dul ar aghaidh an náisiúin de réir méid na maoine a tháirgeann an tír, in áit é a mheas de réir mar a roinntear an mhaoin sin ar an bpobal. I dtaca leis sin de ba thír rafar Éire i 1847 ar an ábhar go raibh bia á onnmhairiú aici, agus ar an láimh eile bhí an Danmhairg a bheag nó a mhór gan rath ar an ábhar nach raibh sí ag onnmhairiú ach an beagán. Ach leis an ghné sin de pholasaí Shinn Féin a theagascann gur mithid d'Éirinn seasamh ar a boinn féin, meas a bheith aici ar a traidisiúin féin, eolas a chur ar a stair féin, a teanga agus a litríocht féin a chaomhnú, is féidir leis na sóisialaithe a bheith tógtha ; agus, ár ndóigh, le gan ach an fhírinne lom a rá, bhí an polasaí sin á theagasc i mBaile Átha Cliath ag Páirtí Sóisialach Poblachtach na hÉireann ó 1896 i leith, sular bunaíodh gluaiseacht Shinn Féin" (*Irish Nation*, 23.1.1909).

An chuid ba dhíograisí de na daoine a bhí ceangailte i dtosach le Sinn Féin bhí ceangal acu freisin le dream nach raibh iomrá orthu san am, Bráithreachas Poblachtach na hÉireann. Cuireadh tús leis an mBráithreachas sna Stáit Aontaithe i 1858 agus athbhunaíodh in Éirinn é i 1873 agus bunú Phoblacht na hÉireann mar chuspóir aige. I mblianta tosaigh an chéid nua bhí Tomás Ó Cléirigh ar fhir mhóra an Bhráithreachais agus é ina eagraí agus ina chomhairleoir ag na fir agus ag na mná óga a bhí ag dúil leis an lá a mbeadh ar a gcumas buille a bhualadh ar son saoirse na hÉireann.

Faoi thús 1910 d'éirigh cuid de lucht an Bhráithreachais as Sinn Féin agus bhunaigh míosachán dá gcuid féin dar theideal *Irish Freedom*. Bhí Seán Mac Diarmada ina bhainisteoir air agus ba é Bulmer Hobson an t-eagarthóir. Sheas an páipéar go deimhnitheach oscailte ar son an Phoblachtais agus ní dhearna rún gurbh é an lámh láidir an gléas leis an tsaoirse a bhaint amach a thúisce agus a bheadh an t-am aibí. Ar ball bhí Pádraig Mac Piarais agus Tomás Mac Donncha le bheith ina scríbhneoirí rialta sa pháipéar seo. In am a bhunaithe, áfach, bhí siad an-ghnóthach i mbun Scoil Éanna. I dtaca leis an bPiarsach de cé gur léirigh sé a thuairimí ar chás na tíre minic go leor agus cé go raibh meas air mar fhear a raibh tábhacht lena thuairimí náisiúnta, ní fhéadfadh éinne a rá sa bhliain 1910 gur bhain sé le dream ar bith ach le Conradh na Gaeilge amháin. Mar sin féin bhí sé sásta ina chroí féin agus níor staon sé óna fhógairt go raibh gá leis an ghníomhaíocht pholaitiúil agus leis an réabhlóideachas díreach mar ba ghá cuspóir an Chonartha a chur ar aghaidh. De réir a chéile bhí sé ag claonadh i dtreo na gníomhaíochta míleata. Ba fear é a raibh lucht an Bhráithreachais ag ceapadh gur mhithid dóibh dul chun cainte leis.

Le linn don Bhráithreachas a bheith ag seasamh ar son poblachta agus *Irish Freedom* a bheith ag seasamh " do dheighilt ghlan iomlán na hÉireann ó Shasana agus do bhunú Rialtais Éireannaigh nach mbeidh faoi smacht ná ceangal ag aon Rialtas eile ar domhan," bhí Seán Mac Réamainn, ceannaire an Pháirtí Pharlaimintigh, ag fógairt gurbh é a bhí ó Éirinn : " Smacht reachtach agus feidhmitheach ar an uile chúrsa Éireannach ar leith faoi riar Ardúdarás na Parlaiminte Impiriúla."

Sna toghcháin i 1910 níor chuir Sinn Féin in éadan an Pháirtí, cé nár aontaigh Ó Gríofa le héileamh teoranta Mhic Réamainn. Bhain an Páirtí Liobrálach an toghchán agus cóimheá na cumhachta. I 1911 cuireadh an tAcht Parlaiminte i bhfeidhm. Ba é brí an Achta seo nach bhféadfadh Teach na dTiarnaí bac a chur feasta le Bille um Rialtas Dúchas tar éis do Theach na dTeachtaí glacadh leis trí sheisiún i ndiaidh a chéile. Nuair ba léir d'Oráistigh an tuaiscirt cad é mar a bhí an cluiche ag dul, thosaigh siad ag réiteach le seasamh daingean a dhéanamh ar son na hAontachta. Sa tuaisceart bhí na hIbearnaigh, faoi cheannas Sheosaimh Uí Dhoibhlín, ag cur eagair orthu féin lena gceart a sheasamh do na Caitlicigh má b'fhíor dóibh féin. Is é a dúirt *Irish Freedom* faoin iarracht seo : *" A silent, practical riveting of sectarianism on the nation."* Ní raibh meas madra ag an gConghaileach ar Mhac Réamainn. " Tá stair frith-ghníomhaí ag an Réamannach is deacair a shárú," dúirt sé.

Agus i dtaca le Seosamh Ó Doibhlín de, seo cuid dá ndúirt an Conghaileach faoi san alt céanna :

" A real representative of the Irish democracy might go on to show how Mr. Joseph Devlin's organisation, the A.O.H., supposed to be the Ancient Order of Hibernians, but by some believed to be the Ancient Order of Hooligans, has spread like an ulcer throughout Ireland, carrying social and religious terrorism with it into quarters hitherto noted for their broadmindedness and discernment." (*Forward*, 18.3.1911.)

Sin iad, mar sin de, na dreamanna polaitiúla a raibh an Conghaileach ag rá fúthu go mbeadh sé leo de réir mar a bheidís-sean leis. Bhí seanaithne ag Ó Gríofa air agus meas dá réir, cé nach raibh sé ag glacadh lena theagasc sóisialta. Bhí meas ag lucht ceannais an Bhráithreachais air cé nach raibh siadsan ag géilleadh dá dhearcadh sóisialta ná dá idirnáisiúnachas. Bhí cúis ag an Réamannach agus ag lucht a pháirtí i gcoitinne gan bá a bheith acu leis agus a liacht uair a d'ionsaigh sé iad ina scríbhinní.

Ar scor ar bith ní dhearna an Conghaileach mórán moille gur chuir sé a theagasc agus a sheasamh go soiléir i láthair an uile dhuine ar ghnó dó saol poiblí agus polaitiúil na tíre. Faoi dheireadh 1910 nó faoi thús 1911 d'fhoilsigh sé clár agus cuspóir Pháirtí Sóisialach na hÉireann ón cheanncheathrú sna Antient Concert Rooms.

" Is rún do Pháirtí Sóisialach na hÉireann oibrithe na tíre seo, gan bacadh lena gcreideamh nó lena gcine, a eagrú in aon Oll-Pháirtí Lucht Saothair amháin . . . Is é a chomhairle don aicme oibre in Éirinn . . . iad féin a eagrú i gcúrsaí tionsclaíochta agus polaitíochta agus é mar chuspóir acu smacht agus máistreacht a fháil ar acmhainn iomlán na tíre.

"Sin é ár n-aidhm ; sin é is sóisialachas ann. Seo é ár modh oibre : Eagar polaitiúil a dhíriú ar an mbosca toghcháin le hionadaithe a mbeidh prionsabail shóisialacha acu a thoghadh ar na heagrais phoiblí reachtúla uilig sa tír agus sa tslí sin cumhacht pholaitiúil an Stáit a chur de réir a chéile i lámha na ndaoine a úsáidfidh é le prionsabal na comhúinéireachta agus na húinéireachta poiblí a neartú agus a mhéadú . . . Is rún dúinn a thabhairt i gcrích gurb iad muintir na hÉireann agus iad amháin a bheidh ina n-úinéirí ceannasacha ar Éirinn, ach fágaimid sinn féin saor lenár rogha modha a ghlacadh de réir mar a oireann don mhalairt saoil . . .

"Geallann an Páirtí go leanfaidh sé ag tóraíocht a mhór-chuspóra — comhúinéireacht na ngléasanna táirgthe agus dáilithe maoine. I bhfocail eile, comhúinéireacht ár gcomhthíre, bunús ábhartha na forbartha intleachtúla agus na forbartha morálta is airde sa todhchaí."

Ní fhéadfadh aon duine de lucht leanúna Shinn Féin, nó Bhráithreachas na Poblachta, nó an Pháirtí Pharlaimintigh nó éinne den lucht saothair, nó den phobal i gcoitinne, a léifeadh an ráiteas polasaí sin a bheith idir dhá thuairim faoin gcuspóir a bhí ag an bPáirtí Sóisialach. Aon duine a mbeadh an beagán tuisceana féin aige ar chúrsaí polaitiúla na tíre agus a léifeadh an ráiteas sin, ní fhéadfadh aon amhras a bheith air ná go raibh Séamas Ó Conghaile i mbun oibre arís in Éirinn !

4

BÉAL FEIRSTE NA LONG

In Earrach na bliana 1911 chuaigh an Conghaileach go Béal Feirste leis an bPáirtí Sóisialach a bhí bunaithe cheana sa chathair sin a neartú. Níorbh í an chéad chuairt aige í ó tháinig sé ar ais go hÉirinn. An iarraidh seo, áfach, tháinig sé le fanacht, óir chonacthas do lucht an Pháirtí go raibh sé i ndán dóibh dul ar aghaidh níos mó a dhéanamh i mBéal Feirste, áit inar líonmhaire na hoibrithe tionsclaíocha ná i mBaile Átha Cliath. Rud eile, bhí drithle beo ann i gcónaí den dílseacht don daonlathas a spreag na Preispitéirigh le dul sa chuibhreann i 1798. Dar leis na sóisialaithe nár mhiste a bheith ag súil lena gcuidiú. Bhunaigh an Conghaileach an cheanncheathrú in uimhir a 5 Sráid Rosemary, agus chuaigh i mbun oibre — na cruinnithe sráide, a labhraíodh sé féin ag trí cinn díobh gach seachtain, díol paimfléad, agus irisí sóisialacha, cruinnithe istigh, léachtaí, díospóireachtaí agus mar sin de.

Bhí cheana i mBéal Feirste craobh de Pháirtí Neamhspleách an Lucht Saothair, an eagraíocht Shasanach. Ba pháirtí sóisialach an páirtí seo, dar leo féin ar aon nós, cé nach bhféadfaí a rá gur Mharxaigh iad. Bhí James Keir Hardie, M.P., ar dhuine de na ceannairí. Bhí greim ag an bpáirtí ar an chuid ba mhó de lucht an taoibh chlé i measc an lucht oibre i mBéal Feirste. Níorbh fhurasta don Chonghaileach agus a pholasaí Poblachtach á chraobhscaoileadh aige earcaigh a chruinniú dá pháirtí féin. Mar sin féin chuir sé chun na hoibre le croí maith agus le dóchas mór agus murar chruinnigh sé na sluaite chuige féin, mheall sé an chuid sin díobh ba dhoimhne machnamh. Bhí Caitlicigh na cathrach — teideal ba chomhionann agus náisiúnaithe, i bhformhór mór na gcásanna — ag géilleadh dílseachta i gcoitinne don Pháirtí Parlaiminteach agus do cheannaire an pháirtí sa tuaisceart, Seosamh Ó Doibhlín.

I rith an ama bhí an Conghaileach ag cuidiú lena sheanchairde i ngluaiseacht na sóisialaithe i nAlbain. Níor spáráil sé a pheann, ach mhair seachtain i ndiaidh seachtaine ag soláthar alt dá gcuid tréimhseachán, agus d'fhág sé lorg a theagaisc ar an ghluaiseacht thall a mhair go ceann i bhfad i ndiaidh an ama sin.

San am seo scríobh sé alt dar theideal *A Plea for Socialist Unity in Ireland* i *Forward*, páipéar seachtainiúil sóisialach a fhoilsítí i nGlaschú. San alt seo thrácht sé ar an dá eagraíocht shóisialacha a bhí i mbun oibre in Éirinn — Páirtí Sóisialach na hÉireann sa deisceart agus craobh

97

aige i mBéal Feirste agus Páirtí Neamhspleách an Lucht
Saothair (I.L.P.) an páirtí ba láidre sa tuaisceart — agus
d'fhéach leis an cheist a fhreagairt : cad é an gnó a bhí
leis an dá cheann díobh ?

" Measann Páirtí Sóisialach na hÉireann gurb é an t-aon
pháirtí idirnáisiúnta in Éirinn é ar an ábhar gurb é a
thuiscint ar an idirnáisiúnachas cónascadh saor na bpobal
saor. Is beag an difríocht is léir idir tuiscint chraobhacha
Bhéal Feirste de Pháirtí Neamhspleách an Lucht Saothair
agus an t-impiriúlachas, ceangal na gciníocha smachtaithe
i gcóras polaitiúil na ngabhálaithe . . . Is doiligh dúinn a
thuiscint cén fáth a mbeadh ár gcomrádaithe ag maíomh
nach idirnáisiúnaithe sinn agus nach féidir linn a bheith
amhlaidh mura ngéillimid seasamh do shóisialaithe na
Breataine Móire thar mar a ghéillimid do shóisialaithe na
Mór-roinne, nó na Stát nó na hAstráile." (Forward,
27.5.1911.)

Lean an-díospóireacht ar an alt seo idir an Conghaileach
agus William Walker, príomhionadaí an Pháirtí Neamh-
spleáigh sa tuaisceart. Ba é seo an fear a mhol leasrún ag
Comhdháil na gCeardchumann i nGaillimh, a tionóladh um
Chincís an bhliain sin, in éadan rún a bhí ar an gclár
go mbunófaí Páirtí Lucht Saothair na hÉireann. Bhuaigh
an leasrún. Fuair Walker post ó Rialtas Shasana ar ball.
Níl iomrá air sa stair agus is é an t-aon tábhacht atá leis
gur spreag sé an Conghaileach le tuairimí a nochtadh a
bhfuil ciall leo sa lá inniu féin.

I mí Bealtaine na bliana sin 1911 freisin labhair Liam Ó
Briain le Séamas Ó Lorcáin faoi sheasamh oifigiúil a bheith
ag an gConghaileach sa Cheardchumann Oibrithe Iompair
agus Ilsaothair. D'fhreagair an Lorcánach nár ghlac an
Conghaileach, fad a bhí sé i mBaile Átha Cliath, páirt ar
bith in obair an Cheardchumainn, cé go raibh sé ina bhall.
Ba é taobh an Chonghailigh den scéal gur eagraigh Séamas
Ó Lorcáin a lán tabhairt amach fad a bhí sé féin i mBaile
Átha Cliath " and invited all sorts of hybrids to speak for
him but never invited me at all. Do not pay any attention
to what Larkin says . . . The man is utterly unreliable and

dangerous because unreliable." (Attempt to Smash the Irish Transport and General Workers' Union.)

Ón tráth seo bhí iarracht den aighneas ar siúl idir an bheirt. Mar sin féin ba mhian leis an Lorcánach a thabhairt le fios gurbh eisean a mheall an Conghaileach le teacht ar ais go hÉirinn. Bhí a bhuanna féin ag gach duine díobh. Bhí an Lorcánach in ann an slua a bhogadh le neart na hóráidíochta gan buíochas go minic don réasún ná do thábhacht na fírinne. Bhí an Conghaileach in ann iad a bhogadh lán chomh maith ach, ar a dhóigh féin, tríd an chiall. Bhí grá na gcomharsan i gcroí na beirte agus bhí siad ar aon misniúil, neamheaglach, dána agus dóchasach agus iad ag tóraíocht an chirt don dream a bhí thíos agus faoi leatrom.

Bhí an Lorcánach teasaí agus tobann ina bhreith. Bhí an Conghaileach fadbhreathnaitheach agus tugtha don phleanáil. Bhí an ghluaiseacht níos tábhachtaí i gcónaí ina thuairim ná an duine agus níor thaitin leis an nós a bhí ag fás san am sin féin dia beag a dhéanamh den Lorcánach, ní de bharr éad ar bith a bheith air ach ar an ábhar go lagódh sé an ghluaiseacht le himeacht aimsire.

Fad agus ab eol don phobal, áfach, ní raibh aon aighneas ann idir an dá Shéamas agus d'oibrigh siad gualainn ar ghualainn agus thug aghaidh ar aon taobh in éadan naimhde an lucht saothair go dtí gur imigh an Lorcánach go dtí na Stáit.

I mí Iúil, 1911, cuireadh an Conghaileach i mbun gnóthaí an Cheardchumainn i mBéal Feirste mar rúnaí agus ceapadh é san am céanna ina thimire don Cheardchumann i gCúige Uladh. Tháinig a bhanchéile agus na páistí go Béal Feirste agus fuair sé áit chónaithe ag Ardán Ghleann an Léana, Bóthar na bhFál.

Bhí saol sona aige féin agus ag an chlann ar feadh beagán blianta i mBéal Feirste. Tá focal Madame Markievicz againn air sin: "Teach beag deas, siar go maith ar Bhóthar na bhFál, páirceanna fairsinge thart air agus páirc ghlas taobh thiar ... Bhí sé féin lán brí, lán dóchais, agus bhí sé de bhua aige cairdeas a dhéanamh leis an chuid ab fhearr de na fir agus de na mná ar chas sé orthu le linn obair an lae . . .

"Teach ríthaitneamhach a bhí acu agus bhí Bean Uí Chonghaile ina bean tí aoibhinn. Is cuimhin liom na hoícheanta pléisiúrtha taitneamhacha a chaith mé ann ag éisteacht le Séamas agus lena chairde ag caint. B'fhairsing an t-ábhar comhrá a bhí acu — stair, polaitíocht, eacnamaíocht, córais shóisialta, idirdhealú aicmí, cultúr, réabhlóidí ; agus an chríoch chéanna ar gach díospóireacht — cad é mar is féidir saoirse na hÉireann a bhaint amach."

Bhí drochdhóigh ar an lucht oibre i mBéal Feirste san am. An stailc ar chuir an Lorcánach tús léi i 1907 agus é ina thimire ag Ceardchumann Náisiúnta na nOibrithe Duganna, níor thug ceanncheathrú an chumainn i Learpholl tacaíocht di agus thángthas ar shocrú nach bhféadfaí a rá gur le leas na n-oibrithe é. I ndiaidh an tsocraithe tuigeadh do na fostóirí go raibh siad san áit a bhféadfaidís cos ar bolg a imirt ar na dugairí. Tosaíodh ar dhlús a chur le hoibriú na long gráin ar dhóigh a bhain i bhfad níos mó oibre ná mar a dhéanaidís roimhe as na hoibrithe agus sin ar fhíorbheagán breisphá.

Bhí súile an Chonghailigh ar an chamastaíl seo agus é ag obair leis agus ag dul ó dhream go dream agus ó dhug go dug ag míniú thábhacht an chur le chéile agus thábhacht an tseasamh le chéile i gceardchumann Éireannach seachas a bheith ina maidríní gan tábhacht sa cheardchumann Sasanach. Thosaigh na fir ag teacht isteach de réir a chéile. Ba ghearr go bhfuair an Conghaileach an seans a bhí uaidh. Tháinig sé ar an eolas go raibh Líne Galtán Uladh ag diúltú an pá céanna a íoc leis na mairnéalaigh agus leis na fir thine i mBéal Feirste a bhí siad a íoc leis na fir i mBristol. Chuaigh sé i gcomhar le rúnaí Cheardchumann na Mairnéalach agus na bhFear Tine agus shocraigh siad go dtabharfadh na dugairí tacaíocht d'éileamh na mairnéalach. Roimh oíche bhí sé chéad dugairí ar stailc. An uair seo ba ag na hoibrithe a bhí an bua. Ní raibh aon chúlchiste dá gcuid féin acu ach mhair siad ar

phá stailce 4/6 an chéad seachtain agus 5/- an dara seacht-
ain. Ba de bharr deontais ó Halla na Saoirse i mBaile
Átha Cliath agus as na bailiúcháin a rinne na hoibrithe féin
a bhí an chraobh den cheardchumann in ann an pá stailce
seo a íoc. Ba mhinic mórshiúlta ag na stailceoirí. Bhíodh
buíon cheoil leo dá gcuid féin á dtionlacan. D'fhaighidís
na gléasanna ceoil ar iasacht ó na cumainn Chaitliceacha
nó Oráisteacha de réir mar ba bhaill díobh na fir. Baineadh
amach pá cuí do na mairnéalaigh agus ardú do na dugairí
iad féin agus b'éigean do na fostóirí aontú gur céad tonna
gráin an lá an díorma an uasmhéid a dhíluchtófaí feasta in
áit 160-200 tonna roimhe sin.

Ach ní raibh an Conghaileach ach i dtosach a chuid
oibre sa tuaisceart fós. D'oibrigh sé leis go han-dúthracht-
ach agus mar chúiteamh ar a shaothar ghéill na hoibrithe
a ndílseacht dó. Áit ar bith ar tháinig sé ar an gcos ar
bolg nó ar thrasnú dá laghad ar chearta na n-oibrithe, níor
chian dó gur thug sé na hoibrithe amach ar stailc thintrí
sa tslí gur ghearr uilig gur thuig na fostóirí gur de réir
riail na gceardchumann a riarfaí cúrsaí idir fostóirí agus
fostaithe ar dhuganna Bhéal Feirste feasta.

" An Modh Díreach " an teideal a thug an Conghaileach
ar an modh oibre seo aige agus mhínigh sé mar a leanas é:
" *Ignoring all the legal and parliamentary ways for obtain-
ing redress of the grievances of Labour and proceeding to
rectify those grievances by direct action upon the em-
ployer's most susceptible part — his purse.*" Mar shampla,
ar ócáid amháin agus é ar na duganna ag plé leis na fir,
d'ordaigh constábla de chuid an chalaidh dó imeacht ó
thalamh údarás an chalaidh. " Maith go leor," arsa an
Conghaileach, " tabharfaidh mé na fir liom go háit ar cead-
mhach dom labhairt leo." Taobh istigh de dheich nóiméad
bhí ciúnas ar dhuganna uilig Bhéal Feirste. Agus taobh
istigh d'uair a chloig eile tháinig ionadaithe na n-úinéirí
chuige gur shocraigh an cheist a thug ann é an chéad uair.
Ghabh máistir an chalaidh a leithscéal as gníomh an
chonstábla agus gheall cead a chos don Chonghaileach ar
chaladh agus ar longa i mBéal Feirste as sin amach.

Bhí cáil ar an gConghaileach i measc oibrithe Bhéal Feirste faoin am seo. I bhfómhar na bliana sin 1911 chuaigh na mná agus na cailíní, oibrithe na muilte i mBéal Feirste, ar stailc agus tháinig go dtí oifig an Cheard-chumainn ar lorg chabhair an Chonghailigh. Ní raibh siad sa Cheardchumann roimhe sin agus ní raibh aon chiste stailce acu. Mar sin féin níor cheil sé cuidiú orthu. Bhí sé eolach ar an saol a bhí acu. Lá agus a iníon Nóra ina oifig chuala sí an saol sin á mhíniú ag bean amháin de na mná sin na seálta dubha.

" Tá sé thar chúig bliana is daichead ó thosaigh mise ag obair sna muilte. Bhí mé díreach thar ocht mbliana d'aois nuair a thosaigh mé. Bhí an obair le déanamh i néal gaile a fhliuchadh do cheirteacha, agus ar amanna bheifeá in uisce go dtí ailt na gcos. De réir mar a chuaigh tú in aois is ea is mó an méid oibre a bhí agat le déanamh. Dá mba ea gur phós tú bhí ort leanúint i mbun oibre. Ní bhfaigheadh d'fhear céile leis féin dóthain don chlann. D'oibrigh tú gur tháinig do naíonán agus d'fhill tú an túisce a bhí tú in ann, agus ansin, go maithe Dia duit é, chuntas tú na blianta go mbeadh do leanbh in aois a bheith ina ' leath-amaí ' agus í réidh le tosú ar an ifreann céanna de shaol arís eile."

Scríobh an Conghaileach féin : " Saol na sclábhaíochta an saol a bhí sa mhuileann. Bhí na hoibrithe á gciapadh ag na mionsaoistí agus á bhfíneáil as na coireanna ba lú agus á robáil agus á gcreachadh sa dóigh ba rialta ar bith."

Gan fiú nár fineáileadh na cailíní as gáire a dhéanamh nó as a bheith ag caint nó as a gcuid gruaige a chóiriú.

Nuair a chinn na banoibrithe seo ar stailc dhiúltaigh ionadaithe an Cheardchumann Fíodóireachta cuidiú leo agus mhol dóibh fanacht i mbun oibre. Shocraigh an Conghaileach ar chruinniú de na cailíní a reachtáil i Halla Mhuire. Tháinig trí mhíle díobh ann le héisteacht leis na cainteoirí agus mar a dúirt an Conghaileach " gan oiread agus hata amháin ina measc."

Bhíodh cruinnithe móra acu ag Teach an Chustaim, áit

ar ghnách leis an lucht oibre cruinnithe a thionól. D'imíodh na cailíní amach leis na boscaí ag bailiú airgid don chiste folamh stailce. Mháirseáilidís tríd an chathair agus iad ag ceol :

Cheer up, Connolly, your name is everywhere,
You left old Baldy sitting in his chair.
Crying for mercy ; mercy wasn't there ;
Cheer up, Connolly, your name is everywhere.

Ach ní raibh maith ann. Ní raibh gléas beatha ag na créatúirí agus bhí ar an gConghaileach a chomhairliú dóibh filleadh ar an obair. Má chomhairligh, mhol sé dóibh a bheith ag ceol agus iad ag dul ar ais agus gach riail de na mionrialacha a bhriseadh. Dá gcuirtí isteach ar bhean as ceol nó gáire bhí ar an uile dhuine tosú. Dá mbristí aon duine bhí siad go léir le dul abhaile. Rinneadh amhlaidh. I gcás gur cuireadh cailín amháin abhaile, lean iomlán na mban í agus bhí ar an mbainisteoir an cailín a ligean ar ais. Failtiú ceoil a cuireadh roimpi !

San am seo, deir Nóra, iníon an Chonghailigh, dhírigh an sagart sa séipéal a sheanmóir Domhnach amháin ar an gConghaileach, agus ar a imeachtaí i gcúis an lucht saothair. Bhí sé féin agus Nóra i láthair. Ba mhian le Nóra imeacht ach fuair an t-athair greim láimhe uirthi agus thug uirthi fanacht. Níor thug sé féin le fios gur thuig sé gur chuige a bhí an seanmóirí. Mhínigh sé a dhearcadh di nuair a bhí an tAifreann thart ! " Coinnigh smacht ort féin agus tú faoi ionsaí. Má choinníonn ní bheidh do namhaid in ann tabhairt ort rud ar bith a dhéanamh a mbeadh aiféala ort faoi ar ball."

B'fhéidir nár thuig na cailíní sna muilte i mBéal Feirste cad é chomh cóngarach don fhírinne a bhí siad agus iad ag ceol :

" Sonas ort, a Chonghailigh, tá iomrá ort i ngach áit."

I dtrátha an ama a raibh siad féin ag déanamh stailce bhí fir i Loch Garman ag seasamh an fhóid ar son ceart cláraithe sa Chumann Oibrithe Iompair agus Ilsaothair. I mí Lúnasa, 1911, dhún na fostóirí i dtrí theilgcheárta i Loch Garman na geataí ar chúig chéad dá n-oibrithe, cé nach raibh aon éileamh foirmiúil déanta acu, ach ar an ábhar amháin gur cheangail siad leis an gCeardchumann. Mhair an t-achrann ar feadh sé mhí beagnach, agus le linn an ama dhiúltaigh na fostóirí arís agus arís eile do gach iarracht a rinneadh teacht ar réiteach. Pádraig T. Ó Dálaigh, timire de chuid an Cheardchumainn, a bhí i mbun na n-oibrithe. Thairg sé go mbeadh an C.O.I & I.É. sásta dá bhféadfadh na hoibrithe athchlárú le ceardchumann ar bith eile ach na fostóirí a ghéilleadh go raibh ceart acu clárú leis an gCeardchumann Oibrithe Iompair agus Ilsaothair. Rinne roinnt sagart agus an Chomhairle Contae iarracht réiteach a dhéanamh ach ní bhogfadh na fostóirí.

Thosaigh fostóirí eile ar an mbaile gur dhún siad amach oibrithe a bhí cláraithe leis an gCeardchumann. Thosaigh na póilíní gur ionsaigh siad na hoibrithe lena smachtíní le linn na mórshiúlta. Fuarthas oibrithe ó bhailte eile leis na teilgcheártaí a oibriú. Tugadh póilíní breise go dtí an baile leis na hoibrithe sin a chosaint ar na stailceoirí. Lean air sin a thuilleadh ionsaithe ar na stailceoirí. Buaileadh na stailceoirí go minic agus go han-dona. Faoi dheireadh fuair duine díobh bás i ndiaidh na póilíní é a léasadh. I mí Eanáir, 1912, gabhadh an Dálach. Cuireadh "gríosú chun círéibe" ina leith, agus gearradh príosúnacht i bpríosún Phort Láirge air.

Cuireadh fios go Béal Feirste ar an gCongaileach. Tháinig sé gan mhoill agus thosaigh an mhargáil as an úr. Thairg na fostóirí go rachadh na hoibrithe iad féin, mar aon le roinnt sagart, ach gan aon oifigeach den Cheardchumann leo, i ndáil margála leis na fostóirí, ag súil go dtiocfadh as an mhargáil go mbunófaí ceardchumann nua d'oibrithe na dteilgcheártaí agus gan baint aige leis an gCeardchumann Iompair agus Ilsaothair. Níor ghéill an Conghaileach agus is é an socrú ar glacadh leis ag an deireadh : " ceardchumann nua a bhunú do na hoibrithe, Ceardchumann Oibrithe Teilgcheárta na hÉireann agus é a bheith ceangailte leis an C.O.I. & I.É. ; na hoibrithe a bhí dúnta amach a bpoist a fháil ar ais agus gan díoltas a imirt ar aon oibrí as páirt a ghlacadh sa stailc.

" Cluiche cothrom " a thug an Conghaileach ar an socrú. I gceann bliana cheangail an ceardchumann nua leis an chraobh áitiúil den C.O.I. & I.É.

Lean an Conghaileach i mbun a chúraim i mBéal Feirste. Labhraíodh sé ó am go chéile ag cruinnithe taobh amuigh den chathair. Labhair sé, mar shampla, i mBaile Átha Cliath i gCorcaigh agus i gCóbh agus é ag éileamh go gcuirfí *" The Feeding of School Children's Act "* i bhfeidhm in Éirinn — Acht, a deir sé, nach raibh an tUasal Mac Réamainn sásta vótáil ar son a fheidhmithe sa tír seo. Ag Cóbh tógadh racán ag ceann de chruinnithe an Chonghailigh " le bac a chur ar an gcainteoir sóisialach a theachtaireacht a chraobhscaoileadh ". Dar leis féin gurbh é an tOrd Ársa Ibéarnach ba chúis leis an racán.

Faoi dheireadh na bliana 1911 nuair ba léir do na hOráistigh go raibh an bealach réidh do Bhille an Rialtais Dhúchais, thosaigh siad ag cur eagair mhíleata orthu féin. Chuir siad Edward Carson i gceannas agus bhunaigh Óglaigh Uladh. Freisin roghnaigh siad baill den Rialtas Sealadach a rachadh i mbun Rialtas Uladh dá dtiocfadh an Bille Rialtais Dhúchais i bhfeidhm.

Agus an bille le teacht os comhair Theach na Parlaiminte i Londain, thug an Conghaileach cruinniú le chéile i Halla Naomh Muire i mBéal Feirste.

Eisean a dhréachtaigh an rún ar moladh ann :

" Fáiltíonn an cruinniú seo d'fhir agus de mhná oibre Bhéal Feirste roimh bhunú Pharlaimint na hÉireann mar atá beartaithe óir osclaíonn sé an tslí don atheagrú sóisialta a bhfuil géarghá leis agus d'athaontú dhaonlathas na hÉireann . . . ach measann sé gur gá go mbeadh gléasanna breise ann le gurb iomláine agus gur fearr a mbeidh ionadaíocht ag Pobal na hÉireann ; agus dá bhrí sin éilímid gur ceart go mbeadh sé sa Bhille go n-íocfaí na teachtaí agus go n-íocfaí a gcostais toghchánaíochta, gur de réir na hionadaíochta cionmhaire a thoghfar iad agus go mbeidh guthanna ag na mná . . . "

Tháinig an bille os comhair na Parlaiminte i mí Aibreáin, 1912. Amach ó na Feisirí ní raibh aon duine sásta leis.

I mí Bealtaine bhí an Conghaileach i láthair ag an gcruinniú bliantúil de Chomhdháil Ceardchumann na hÉireann mar ionadaí ón C.O.I. & I.É. Tionóladh an cruinniú an bhliain sin i gCluain Meala. An mhí roimhe sin tugadh isteach an tríú Bille Rialtais Dhúchais i bParlaimint Shasana. Dá rithfí é bheadh teachtaí le toghadh go luath do Pharlaimint na hÉireann. Dá bhrí sin glacadh ócáid chruinniú na bliana sin den Chomhdháil le hionsaí a dhéanamh ar an socrú a rinne an Chomhdháil roimhe sin nuair a diúltaíodh glacadh le clár polaitiúil.

Mhol an Conghaileach rún go mbunófaí " Páirtí Lucht Saothair na hÉireann, neamhspleách de gach páirtí eile sa tír, le go mbeadh deis ag na hoibrithe eagraithe dul isteach sa Pharlaimint Éireannach a bhfuiltear á bheartú, mar Pháirtí an Lucht Saothair agus é eagraithe ina pháirtí polaitiúil." Labhair sé go bríomhar gonta ar an moladh agus chuidigh Séamas Ó Lorcain agus Liam Ó Briain agus ionadaithe eile an Cheardchumainn leis. Bhuaigh an rún agus cuireadh tús le Páirtí Lucht Saothair na hÉireann.

Rinneadh ball de choiste Parlaiminte na Comhdhála den Chonghaileach faoin am seo. Ba é ba chúram don choiste an ghné pholaitiúil den ghluaiseacht a neartú agus a fhorbairt. Ní mó ná sásta a bhí an Conghaileach le hobair an choiste mar is léir ó litir a scríobh sé chuig Liam Ó Briain ar an 29ú Meitheamh, 1912 :

" B'fhéidir go dtiocfadh leat féachaint an bhfuil aon ní á dhéanamh faoin moladh go mbunófaí Páirtí an Lucht Saothair. Tá seans anois ag an gcoiste gluaiseacht mhór lucht saothair a bhunú ar dhúshraith shlán pholaitiúil . . . Tá mé cinnte go músclóidh gníomhaíocht éifeachtach an lucht oibre . . . Ach gan gníomhaíocht dá leithéid tá an bás i ndán dár ngluaiseacht agus sin le linn scig-gháire na bhfrithghníomhach. Tá mé buartha go mór faoin cheist seo agus impím ort féachaint leis an cheist a bhrú ar aghaidh."

Níorbh í an ghné pholaitiúil den ghluaiseacht an t-aon

ábhar buartha amháin a bhí aige san am seo. Bhí sé mí-shásta leis an dul ar aghaidh a bhí ar an gCeardchumann agus leis an stiúir a bhí air i mBaile Átha Cliath. Ar ndóigh, ní raibh aon róshuim riamh ag an Lorcánach i dteoiricíocht na sóisialaithe. Ní raibh sé ina bhall de Pháirtí Sóisialach na hÉireann cé gur fhreastail sé ó am go ham ar chruinnithe an Pháirtí. Ach níorbh é sin b'ábhar buartha don Chonghaileach ach go bhfacthas dó nach raibh an tiomáint taobh thiar den cheardchumann a raibh sé ag súil léi. Rud eile nár thaitin leis an modh oibre a bhí ag an Lorcánach. Scríobh sé ó Bhéal Feirste chuig Liam Ó Briain ar an 13ú Meán Fómhair, 1912 :

" Tá an chosúlacht air nach é atá uaidh gluaiseacht dhaonlathach an lucht oibre : dealraíonn sé gurb é amháin atá uaidh gluaiseacht Lorcánach. Is gá an cheist a láimh-seáil go han-chúramach . . . B'fhéidir gur comhairle uiríseal é seo, ach is eagal liom gurb é an t-aon slí amháin é lena chur ag dul ar aghaidh arís. Is éigean gurb aige féin a bheas an chumhacht nó ní oibreoidh sé, agus mar atá an ghluaiseacht faoi láthair táimid ina lámha. Agus tá a fhios aige é agus tá a chumhacht á húsáid go neamhscrupallach aige. Níl le déanamh againn ach ár gceann a chromadh agus an stoirm a ligean tharainn . . . Tá mé dúdhóite den umhlaíocht roimh an bhfear amháin seo ach tá mé sásta é a mholadh ar mhaithe leis an ghluaiseacht."

I samhradh na bliana sin 1912 thug sé le chéile i mBaile Átha Cliath lucht tacaíochta an tsóisialachais i mBéal Feirste agus i mBaile Átha Cliath, féachaint leis an ghluaiseacht a neartú. Tugadh cuireadh dá lán dreamanna agus daoine a síleadh a bheith báúil. An toradh is mó a bhí ar an gcomhthionól seo gur bunaíodh eagraíocht nua a raibh na prionsabail chéanna aige a bhí ag Páirtí Sóisialach na hÉireann ach teideal nua a baisteadh air, Páirtí Neamhspleách Lucht Saothair na hÉireann. Bunaíodh craobh i mBéal Feirste agus oifig aige i Sráid Dhún na nGall ach is sa seanáras, sa seomra sin i Sráid Rosemary, a thionóil siad na cruinnithe poiblíochta. Faoi bhun an tseomra seo bhí siopa táilliúireachta Danny Mhic Dhaibhéid, fear de lucht leanúna an Chonghailigh. Bhíodh gnó na gluaiseachta á phlé chomh minic sin sa siopa gur baisteadh "The Bounders' College" air. Tháinig an Dóú Lá Déag de mhí Iúil na bliana sin agus a chuid lena chois . . .

Dar leis na Fianna, a raibh craobhacha acu i mBéal Feirste san am, gur chóir dóibh an ócáid a cheiliúradh go fiúntach. Tháinig dream díobh chuig an gConghaileach ar lorg comhairle agus cuidithe. Shocraigh siad ar bhileoigíní a chló lena ngreamú ar chuaillí lampa na cathrach an oíche roimh an lá mór. Ba é an Conghaileach a scríobh an t-ábhar don bhileoigín, agus is é a scríobh sé : "Gur ag comóradh bua b'ábhar sástachta don Phápa san am a bhí na hOráistigh agus bua Rí Liam á chomóradh acu ; gur ar aon taobh leis an bPápa a bhí Rí Liam agus Cath na Bóinne á throid aige, gur chuir sé scéal an bhua chuig an bPápa agus gur ordaigh an Pápa go gceolfaí *Te Deum* in onóir an bhua agus gur lasadh soilse na Vatacáine ar an ócáid."

Bhí na hOráistigh, áfach, leis an fhéile a chomóradh ar a ndóigh féin. Bhí dhá ní ag déanamh buartha don Ord : An lucht oibre idir Phrotastúnaigh agus Chaitlicigh a bheith ag teacht le chéile agus ag seasamh le chéile le tamall roimhe sin sna ceardchumainn, agus an Rialtas Dúchais a bheith ag druidim leo de réir gach cosúlachta. Ba ghearr go raibh na hóráidithe i mbun oibre agus na drumaí móra á dtuargain. Roimh i bhfad bhí na clocha á gcaitheamh agus na seamaí á scaoileadh sna longcheártaí. Tiomáineadh na Caitlicigh as na longcheártaí agus as na monarchana innealtóireachta. Bhí orthu imeacht an méid a bhí ina gcorp. Idir cleith agus ursain a d'imigh cuid d'oibrithe an "oileáin". Chuaigh cuid eile ar an snámh. Rugadh ar chuid eile agus níor scaoileadh leo gur buaileadh agus gur batráileadh iad.

Níorbh aon chuidiú do thimire an C.O.I. & I.É i mBéal Feirste an seal bligeardaíochta seo. Ar ndóigh, ní raibh aon chion ar leith ag lucht an Oird ar an gConghaileach. Mar sin féin shocraigh an chraobh den Cheardchumann ar iarraidh air seasamh mar ionadaí an lucht saothair sna toghcháin áitiúla i mí Eanáir, 1911. Rinne siad rogha de

Bharda an Duga ar an ábhar gurbh ann a bhí cónaí ar an chuid ba mhó de bhaill an Cheardchumainn. D'aontaigh Comhairle na gCeirdeanna agus an Lucht Saothair i mBéal Feirste leis an ainmniúchán agus mhol do na toghdóirí taobhú leis.

Sa ráiteas a d'fhoilsigh an Conghaileach le haghaidh na dtoghdóirí mhínigh sé a chlár mar a leanas :

"De bhrí go gcreidim go bhfuil córas láithreach na sochaí bunaithe ar chreachadh an lucht oibre agus nach féidir leis an mhaoin chaipitleach a bheith ann gan an creachadh sin, is é mo mhian go gcealófar an caipitleachas agus córas daonlathach úinéireachta coitinne agus poiblí a chur i bhfeidhm ina áit . . .

"Ar feadh mo shaoil sheas mé ar son neamhspleáchas náisiúnta na hÉireann, dá bhrí sin tá mé ar thaobh an Rialtais Dhúchais agus creidim gur cheart go mbeadh muintir na hÉireann ag rialú, ag stiúradh agus ag sealbhú na hÉireann . . .

"Más mian libh go seasfaidh fear de bhur n-aicme féin ar bhur son i mBarda an Duga, fear a throidfidh ar son bhur gceart, fear atá ina dheargnamhaid ag ceansú aicme ag aicme eile, náisiún ag náisiún eile, gnéas ag gnéas eile, fear a sheasfaidh i dtólamh ar thaobh aicme an bheagán pá agus na haicme atá faoi leatrom, sa chás sin vótálaígí

"Domsa, go bráthartha,
                              " Séamas Ó Conghaile."

Tóraí a bhí mar chéile comhraic aige ach cé gur oibrigh an Conghaileach agus a lucht leanúna agus lucht an tsóisialachais go han-dúthrachtach ní raibh maith ann. Breis éigin agus an naoi gcéad guth a fuair sé. Fuair an Tóraí a dhá oiread. Na náisiúnaithe agus beagán de na hoibrithe Protastúnacha a sheas leis an gConghaileach.

5
DOMHNACH NA FOLA

B'fhéidir nár léir do Shéamas Ó Conghaile féin agus é ag fágáil slán ag Baile Átha Cliath i 1903 go mbeadh toradh ar an obair a rinne sé sna blianta roimhe sin sa

phríomhchathair. Is fíor, ar aon nós, gur mhair an síol
a chuir sé. D'fhág sé daoine ina dhiaidh a choinnigh a
theagasc ina gcroí. Agus bhí daoine eile den lucht saothair
sa chathair san am ar fhág an mhúscailt náisiúnta lorg
ar a smaointe. Ba iad an dá dhream seo a chuir rompu
Cónasc Ceardchumann na hÉireann a bhunú mar aonad
de Chomhdháil Ceardchumann na hÉireann agus é mar
chuspóir acu aitheantas a thabhairt do ghluaiseacht na
n-oibrithe in Éirinn mar ghluaiseacht Éireannach seachas
í a bheith á haithint ina cuid dhílis den eagraíocht Shas-
anach. Níor éirigh leis an iarracht agus nuair nár éirigh
thosaigh na daoine seo ag smaoineamh ar cheardchumann
neamhspleách Éireannach a bhunú agus ceanncheathrú
aige i mBaile Átha Cliath.

Dá bhrí sin, nuair a throid an Lorcánach i 1908 le
príomhoifigigh Cheardchumann Dugairí Shasana a raibh
sé ina thimire dó, ní raibh moill ar na daoine a bhí ag
beartú ceardchumainn neamhspleáigh dul i gcomhairle leis.
Bhunaigh siad an ceardchumann i dtosach 1909 agus fóg-
raíodh : " Gairmfear Ceardchumann Oibrithe Iompair na
hÉireann ar an gceardchumann nua. Glacfaidh sé an
seasamh cairdiúil comhoibritheach céanna leis na ceard-
chumainn Shasanacha a ghlacann sé le ceardchumainn na
Gearmáine nó na Fraince . . . An tUasal Séamas Ó Lorcáin,
a bhí le déanaí ina thimire ag Ceardchumann Dugairí
Shasana, a bheidh ina thimire."

Tomás Ó Fuaráin a toghadh ina Uachtarán Ginearálta,
post a raibh sé le fónamh ann go ceann tríocha bliain.
Rinneadh Rúnaí Ginearálta den Lorcánach. Ar ball cuir-
eadh an focal " Ilsaothair " leis an teideal. Bá é ba theideal
dó as sin amach Ceardchumann Oibrithe Iompair agus
Ilsaothair na hÉireann (C.O.I & I.É.).

Bhí gá leis an gCeardchumann. Roimh a theacht is ar
éigean a bhí eagar ar bith ar na hoibrithe taobh amuigh
de na ceardoibrithe agus de ghnáth ba bheag suim a chuir
siadsan sna hoibrithe ilsaothair. Bhí rátaí pá an-íseal ag
na ceardaithe, ach má bhí is measa go mór a bhí pá na
n-oibrithe ilsaothair gan cheird. D'fhág sin go raibh a

gcaighdeán beatha as cuimse íseal, agus an ráta báis as cuimse ard.

De ghnáth b'annamh thar fiche scilling sa tseachtain ag an oibrí gan cheird. Ba é an gnáthráta pá cúig go hocht scilling déag sa tseachtain. Níor ghnách obair a bheith le fáil ag na mná taobh amuigh de Bhéal Feirste. Mar sin de, bhí ar an chlann teacht i dtír ar an gcúig nó ocht scilling déag sa tseachtain. D'fhág sin iad beo ar an arán agus an tae an chuid is mó den am ; d'fhág sé (1913) 25,822 clann ina gcónaí i 5,188 phlódteach agus 20,103 díobh (78%) ina gcónaí i seomra amháin (Report of Inquiry into Housing of the Working Classes of the City of Dublin 1939/43) ; d'fhág sé an ráta báis is mó ar chathracha na hEorpa ag Baile Átha Cliath, agus an ráta báis leanaí is mó i mBaile Átha Cliath ag leanaí an lucht ilsaothair.

Cé a bhí ag déanamh cúraim de na daoine seo agus dá n-anró ! An Rialtas ? Nó an Bardas ? Ní raíbh cúram na n-oibrithe ag déanamh buartha do cheachtar acu. Bhí toghchán don Bhardas ann i dtosach 1914 agus i mBarda Ché na gCeannaithe bhí fear den lucht oibre ag seasamh in éadan John Scully, Ard-Sirriam na Cathrach. Scríobh an Conghaileach faoin choimhlint agus is féidir linn léiriú a bhaint as a ndúirt sé faoi mar a bhí an Bardas ag déanamh cúraim de na hoibrithe nó dá ndála beatha :

" Scully is running in the interests of the United Irish League and high rents, slum tenements, rotten staircases, stinking yards, high death rates, low wages, Corporation jobbery and margarine wrapped up in butter paper.

" Among several other things Mr. Scully is a provision merchant. As such he is bound to furnish provisions upon the demand of his customers, and as High Sheriff he is bound to provide hangmen upon the demand of the British Government ; or be a hangman himself if the supply of hangmen failed.

" If Robert Emmet was to be hanged tomorrow, and the professional hangman went on strike, Mr. Scully is bound by his oath of office to do the job and hang the patriot."
(Irish Worker, 14.1.1914).

Faoi 1910 bhí trí mhíle ball i gCeardchumann na nOibrithe Iompair agus Ilsaothair. An bhliain ina dhiaidh sin bhí craobhacha bunaithe taobh amuigh de na duganna agus neart ag teacht san eagraíocht. Chuir an Cumann eagar catha air féin agus gan aon ró-mhoill bhí sé i ndeabhaidh lainne leis na fostóirí. Níor chian dó amhlaidh, áfach, gur tuigeadh do na fostóirí céanna go raibh céile comhraic tagtha ina láthair ar ghá aird a thabhairt air.

I mí Mheithimh, 1911, tugadh cruinniú le chéile de " dhéantóirí, ceannaithe agus fostóirí eile oibrithe . . . leis na stailceanna atá ar siúl faoi láthair a scrúdú, agus le fiosrú cad é mar a tharlaíonn go bhfuil tiománaithe trucaile agus sclábhaithe i ndiaidh a bhfostaíocht a fhágáil, gan fógra i gcuid de na cásanna, agus go bhfuil bac á chur, le bagairt agus le buillí, ar fhir ar mian leo a bhfostaíocht a choinneáil."

Tháinig de bharr an chruinnithe gur bunaíodh Cónascadh Fostóirí Bhaile Átha Cliath Teo., agus é dírithe ar an C.O.I. & I.É. " Is iad cuspóirí an chomhlachta comhchosaint agus comhchúiteamh fostóirí uilig an lucht saothair i mBaile Átha Cliath agus saoirse theagmhála idir fostóirí agus fostaithe a chothú." Ar bhunaitheoirí an chónaisc bhí William Martin Murphy, a raibh gnó mór sa chathair aige, ar a raibh Comhlacht Aontaithe na dTramanna agus Comhlacht an *Irish Independent.*

Sa bhliain chéanna sin bhunaigh an Ceardchumann an seachtanán, *The Irish Worker,* agus an Lorcánach ina eagarthóir air. D'fhoilsigh sé a ghairm chatha sa pháipéar :

" *During the recent skirmish between Labour and Capitalism you got a foretaste of how your bowelless masters regard you. Their kept press spewed foul lies, innuendoes, and gave space to the knaves of our own class for the purpose of garotting our glorious movement. At present you spend your lives in sordid labour and have your abode in filthy slums ; your children hunger, and your masters say your slavery may endure for ever. If you would come out of bondage yourself must forge the weapons and fight the grim fight.*"

Bhí díol an-mhór ar an bpáipéar agus deirtear go ndíolfaí níos mó cóipeanna fós dá mbíodh na hinnill in ann iad a chlóbhualadh. Ní miste a rá gurb iad an lucht saothair is mó a bhí ag léamh an pháipéir. Go dearfa, is beag bá a bhí ag aon dream eile leis an eagarthóir. Art Ó Gríofa féin ní raibh sé ar aon dóigh ceanúil air :

" Dúramar trí bliana ó shin cad é ár meas ar Ó Lorcáin, an uair a tháinig sé go Baile Átha Cliath óna shaothar fiáin theas agus thuaidh agus tá an tUas. Ó Lorcáin lánghnóthach ag cruthú fhírinne na tuairime sin ó shin." (*Sinn Féin*, 30.9.'11.)

Agus fós : " Is é drochthoradh an Lorcánachais aithreacha gan obair, máithreacha ag caoineadh, leanaí ocracha agus teaghlaigh bhriste . . . Tá mallachtaí ban á stealladh ar cheann an fhir seo." (*Sinn Féin*, 7.10.'11.)

Faoin am seo, ar ndóigh, ba é an Lorcánachas a bhí mar theideal ar an ghluaiseacht ag cairde agus naimhde an Chumainn ar aon. Le linn na bliana 1912 leanadh leis an Lorcánachas agus mhair an dá dhream ag faire a chéile — Ceardchumann Oibrithe Iompair agus Ilsaothair na hEireann ar an taobh amháin, Cónasc Fostóirí Bhaile Átha Cliath Teo., ar an taobh eile. Bhí lucht an Chónaisc buartha óir bhí ag éirí leis an Lorcánachas na fostaithe a mhúscailt agus a mhisniú le rud a dhéanamh nach raibh na fostóirí cleachtach leis, seasamh ar a mboinn féin, a gceart a éileamh agus troid ar a shon.

Rud eile a bhí ina ábhar buartha ag na fostóirí agus rud nach raibh freagra go fóill acu air, an stailc chomhbhách. B'eol dóibh daoine a dhul ar stailc, agus b'eol dóibh conas é a throid — na stailceoirí a fhágáil ar an tsráid agus daoine eile a thabhairt isteach ina n-áit. Ach is é mar a bhí anois dá mbíodh a gcuid fostaithe le dul ar stailc, bhíodh dugairí agus carraeirí agus an uile chineál oibrí eile ag diúltú baint d'earraí an fhostóra sin. Gan fiú nár ordaigh an Conghaileach do lucht an Cheardchumainn i mBéal Feirste gan baint le hearraí comhlachta i mBaile Átha Cliath a raibh baill an chumainn ann ar stailc.

Ba ghléas é an stailc chomhbhách a ceapadh mar

fhreagra ar éileamh na huaire ; ceapadh é i mBaile Átha
Cliath le riar ar riachtanas oibrithe Bhaile Átha Cliath.
Deir an Conghaileach :
"Ní mar thoradh ar an réasúnaíocht fhuar a tháinig
sé ar an saol i mBaile Átha Cliath. Tháinig sé sa chathair
sin de bharr an riachtanais uafásaigh. Agus an Ceard-
chumann Oibrithe Iompair agus Ilsaothair ag breathnú an
uile aicme de na hoibrithe leathoilte ag saothrú go maslach
leatromach ar an ngannphá suarach, threoraigh sé iad le
seasamh le chéile agus le cuidiú lena chéile agus as an
chomhairle sin thángthas ar an ngléas foirfe cogaidh seo."
(The Reconquest of Ireland.)
Agus míníonn sé sa leabhar céanna cad é mar a d'oib-
righ an gléas sin :
"Cad é an rud é an Stailc Chomhbhách ? Ciallaíonn sé
i ngníomh go gcomhoibreodh na hoibrithe eile go léir le
dream ar bith oibrithe atá ag troid lena bhfostóir le tabh-
airt ar an bhfostóir ar leith sin trí dhiúltú a earraí a
láimhseáil titim ar a chiall. Ciallaíonn sé, gan fiacail a
chur ann, gur cheart bail namhaid na sibhialtachta a chur
ar fhostóir ar bith nach ngéilleann aitheantas sibhialta dá
fhostaithe agus gur cheart gnátháiseanna agus deiseanna
na sibhialtachta a shéanadh air. Ní smaoineamh nua é seo.
Tá sé chomh sean leis an gcine daonna . . . Sampla eile
de ab ea baghcat Chonradh na Talún."
I rith an earraigh agus ar feadh an tsamhraidh i 1913
mhair an teagmháil, stailc i ndiaidh stailce agus an stailc
chomhbhách áit ar bith a raibh na fostóirí ag cur cos i
dtalamh. I mí Lúnasa shocraigh Cónasc na bhFostóirí ar
dhúshlán an Cheardchumainn a thabhairt.
Ar Liam Máirtín Ó Murchú, fear ceannais an Chónaisc,
a thit sé an chéad bhuille a bhualadh. Ina dhiaidh sin bhí
sé ina dheargchogadh agus bhí an chathair ina scoite las-
rach. Ar an 15ú Lúnasa d'ordaigh sé d'oibrithe dáilithe
nuachtán i gcomhlacht an Independent scaradh gan mhoill
leis an gCeardchumann Iompair agus Ilsaothair. Dhiúl-
taigh baill an Chumainn sin a dhéanamh. Dúirt sé go
bhféadfadh baill an Chumainn pá seachtaine a ghlacadh

mar mhalairt ar fhógra seachtaine. Bhí siad gan phost ón 19ú den mhí. An lá ina dhiaidh dhiúltaigh oibrithe Mhuintir Eason, dáilitheoirí nuachtán agus leabhar, páipéir de chuid an *Independent* a láimhseáil.

Bhí sé ina nós san am na nuachtáin a iompar go dtí na fobhailte ar na tramanna. Dhiúltaigh oibrithe na dtramanna cuid an *Independent* a láimhseáil. Mar fhreagra air seo chuir Ó Murchú ciorclán i lámha na n-oibrithe agus d'éiligh sé orthu dearbhú a shíneáil go bhfanfaidís i mbun a bpost agus dílis don Chomhlacht i gcás go ngairmfeadh an Lorcánach nó C.O.I. & I.É. stailc. I gciorclán eile gheall sé do na hoibrithe :

" I gcás go dtarlaíonn trioblóid, ní rithfidh na carranna tar éis thitim na hoíche agus tá gealltanas faighte ag an gComhlacht go dtabharfaidh fórsaí na Corónach lán-chosaint dá chuid fear."

Ar an 26ú Lúnasa, ar an chéad lá de Thaispeántas na gCapall i mBaile Átha Cliath, thug an Ceardchumann dúshlán Uí Mhurchú. San iarnóin stad dream d'oibrithe an Chomhlachta na tramanna a bhí faoina gcúram san áit a raibh siad, dúirt leis na páisinéirí iontu gurbh fhearr dóibh siúl mar nach mbeadh na tramanna ag bogadh níb fhaide, chuir an Lámh Dhearg, suaitheantas an Cheardchumainn, i lipéad a gcótaí agus d'imigh leo.

Bhí an chéad chárta eile réidh ag Ó Murchú. Tháinig " fórsaí na Corónach " — an D.M.P., arna neartú ag póilíní a tugadh ón tuaith isteach — mar chosaint do na hoibrithe nár fhreagair ar ghairm an Cheardchumainn. Ghabh na póilíní roinnt de na stailceoirí agus tugadh go beairic Shráid na Stór iad. An lá ina dhiaidh sin tugadh os comhair na cúirte iad agus cuireadh ina leith go raibh siad ag déanamh bacadh ar an trácht bóthair. Ligeadh amach ar bhannaí iad.

Oíche an 26ú, an chéad lá den stailc, tionóladh oll-chruinniú ag Plás Dúinsméara agus Liam Ó Briain sa chathaoir. Ar an Déardaoin, an 28ú, gabhadh é féin, a Lorcánach, agus triúr eile de phríomhchainteoirí an chruinnithe. Cuireadh ina leith go raibh siad ciontach i

" seditious libel . . . seditious conspiracy . . . raising discontent among His Majesty's subjects . . . for the purpose of exciting hatred and contempt of the Government and for the purpose of inciting to murder . . . " Ligeadh amach ar bhannaí iad.

An lá dár gcionn, Aoine, an 29ú, d'fhógair an D.M.P. toirmeasc ar chruinniú a bhí socraithe ag an gCeardchumann : an áit — Sráid Uí Chonaill ; an lá — Domhnach, Lúnasa 31ú.

An chéad lá den stailc cuireadh sreangscéal go Béal Feirste chuig Séamas Ó Conghaile a iarraidh air teacht go Baile Átha Cliath gan mhoill. Bhí sé ag súil leis an scéal. Le tamall bhí sé ag teacht ar an tuairim nach raibh an toradh i ndán dá shaothar i mBéal Feirste a raibh sé ag súil leis nuair a tháinig sé aneas. Bhí a fhios aige cad é an chorraíl a bhí sa Chumann i mBaile Átha Cliath agus cad é an fuadar a bhí faoi na fostóirí agus gur ghearr go mbeadh sé ina chíréib agus ina chogadh dearg sa phríomhchathair. San am a bhfuair sé an ghairm a theacht aduaidh bhí sé díreach i ndiaidh a thuairimí ar chúrsaí i mBaile Átha Cliath a chur ar pháipéar :

" Sula mbíonn an t-eagrán seo den *Irish Worker* i lámha na léitheoirí b'fhéidir go mbeadh an t-easaontas i mBaile Átha Cliath i ndiaidh éirí ina chogadh. Sheas na nuachtáin chaipitleacha go léir an Aoine seo thart ar aon taobh agus mhol d'fhostóirí Bhaile Átha Cliath nó thug poiblíocht do dhaoine eile a mhol dóibh teacht le chéile agus baill Cheardchumann Oibrithe Iompair agus Ilsaothair na hÉireann a dhúnadh amach. Is maith mar sin é. B'fhéidir go bhfuil gá le gníomh éigin mar é le go dtuigfeadh an chuid sin den aicme oibre atá idir dhá chomhairle fós cad é atá taobh thiar de thíorántacht agus de chos ar bolg úinéirí chóras tramanna Bhaile Átha Cliath.

" Cad é an locht atá ar Cheardchumann Oibrithe Iompair agus Ilsaothair na hÉireann ? Míneoimid go soiléir é. Is é an locht é go bhfuair sé saothraithe na hÉireann ar a nglúine agus gur oibrigh sé lena gcur ina seasamh mar fhir, go bhfuair sé iad agus duáilcí uilig na daoirse ina

gcroí agus gur shaothraigh sé le suáilcí na saoirse a chur
ina n-áit ; go bhfuair sé iad agus gan aon ghléas cosanta
acu ach cleasa an bhréagadóra, an lútálaí, agus an mhaid-
rín lathaí agus gur cheangail sé le chéile iad agus gur
theagasc dóibh fuath a thabhairt do na cleasa seo agus
muinín a chur go huaibhreach i gcumhacht chosanta an
teacht le chéile.

"It, in short found a class in whom seven centuries of
social outlawry had added fresh degradation upon the
burden it bore as the members of a nation suffering from
the cumulative effects of seven centuries of national bond-
age, and out of this class, the degraded slaves of slaves
more degraded still — for what degradation is more
abysmal than that of those who prostitute their manhood
on the altar of profit-mongering ? — out of this class of
slaves, the labourers of Dublin, the Irish Transport and
General Workers' Union has created an army of intelligent
self-reliant men, abhorring the old arts of the toady, the
lickspittle, and the crawler and trusting alone to the dis-
ciplined use of their power to labour or to withdraw their
labour to assert and maintain their right as men. To put
it in other words, but words as pregnant with truth and
meaning : The Irish Transport and General Workers'
Union found that before its advent the working class of
Dublin had been taught by all the educational agencies of
the country, by all the social influences of their masters,
that this world was created for the special benefit of the
various sections of the master class, that kings and lords
and capitalists were of value; that even flunkeys, toadies,
lickspittles and poodle dogs had an honoured place in the
scheme of the universe, but that there was neither honour,
credit, nor consideration to the man or woman who toils to
maintain them all. Against all this the Irish Transport
and General Workers' Union has taught that they who toil
are the only ones that do matter, that all others are but
beggars upon the bounty of those who work with hand or
brain, and that this superiority of social value can at one
time be realised, be transplanted into actual fact, by the

combination of the labouring class . . . It is then upon this working class so led and so enriched with moral purposes and high aims that the employers propose to make general war. Shall we shrink from it ; cower before their onset ? A thousand times no ! Shall we crawl back into our slums, abase our hearts, bow our knees, and crawl once more to lick the hand that would smite us ? Shall we, who have been carving out for our children a brighter future, a cleaner city, a freer life, consent to betray them instead into the group of the blood-suckers from whom we have dreamt of escaping ? No, no, and again no ! Let them declare their lock-out ; it will only hasten the day when the working class will lock-out the capitalist class for good and all. If for taking the side of the tram men we are threatened with suffering, why we have suffered before . . .

" Yes, indeed, if it is going to be a wedding, let it be a wedding ; and if it is going to be a wake, let it be a wake : We are ready for either." (Irish Worker, 30.8.1913.)

Stad nó mórchónaí ní dhearna sé, dá bhrí sin, nuair a tháinig an focal chuige. Oíche Dé hAoine, an 29ú, tionóladh cruinniú eile i bPlás Dúinsméara i mBaile Áthe Cliath. Labhair an Conghaileach ag an gcruinniú seo. Labhair an Lorcánach freisin. Cibé ní a bhí idir an dá Shéamas, níor léir é don ollslua suaite círéibeach daoine a d'imigh as a stuaim nach mór nuair a chuir Séamas Ó Lorcáin lasair le cóip den fhógra toirmisc agus nuair a d'fhógair sé féin go labhródh sé i Sráid Uí Chonaill Dé Domhnaigh, an 31ú, de réir mar a bhí socraithe ag an gCumann, agus d'ainneoin an toirmisc. Labhair Séamas Ó Conghaile ar an téad chéanna leis an Lorcánach. Thug sé d'aire an tslua gur toirmisceadh cruinniú i Sackville Street ach gur dócha go bhféadfadh na daoine siúl trí Shráid Uí Chonaill féachaint an raibh cruinniú ann nó nach raibh. Dúirt sé nach raibh ceart ag Rí Shasana crosadh ar mhuintir na hÉireann a bpríomhshráid a shiúl.

Tráthnóna Dé Sathairn, an 30ú, ghabh na póilíní an Conghaileach agus tugadh os comhair na cúirte gan mhoill é. Cuireadh ina leith go raibh sé ag gríosú na ndaoine

chun éirí amach agus chun círéibe. Dhearbhaigh abhcóide
an Stáit go ndúirt sé ag an gcruinniú go raibh scéal faighte
ag an gCeardchumann Iompair ó *His Majesty the King*
go raibh sé toirmiscthe orthu cruinniú a thionól i Sráid
Sackville, agus gur fhógair sé go raibh ar aigne acu an
cruinniú a bheith ann agus gur iarr sé ar an bpobal
a bheith i láthair.

D'fhreagair an Conghaileach go ndúirt sé go rabhthas
ag bacadh a gceart ar na hoibrithe agus mura gceadófaí
dóibh úsáid na modhanna síochánta lena ndeacrachtaí a
shocrú go mbeadh orthu modhanna réabhlóideacha a
tharraingt chucu féin . . . Nuair a bhí orthu rogha a
dhéanamh idir an ní a bhí dleathach agus an ní a bhí ceart,
dhéanfaidís rogha den cheart.

"Tá sé á chur i mo leith," ar sé, "nár ghéill mé
aitheantas don fhógra toirmisc. Rinne mé é sin toisc nach
ngéillim aitheantas do Rialtas Shasana sa tír seo. I dtaca
le Sráid Uí Chonaill de sé an t-aon slí amháin ar féidir dul
ar aghaidh a dhéanamh a gceart a ligean leis na daoine
a ngearáin a dhéanamh . . . Ní hé atá uaim a bheith ag
déanamh racáin ar an tsráid. Is é a theastaíonn uaim go
mbeadh cead ag an lucht oibre cruinnithe a thionól ar na
sráideanna díreach mar atá cead ag Carson a dhéanamh i
mBéal Feirste nó ag Mac Réamainn a dhéanamh i mBaile
Átha Cliath."

Dhiúltaigh sé dul i mbannaí an tsíocháin a choinneáil
go ceann dhá mhí dhéag agus gearradh príosúnacht trí
mhí air. Tugadh go Príosún Mountjoy é, áit ar fháiltigh
roimhe na baill eile sin den Cheardchumann a bhí i bpríosún
roimhe as ionsaithe a dhéanamh ar na póilíní agus ar na
"cosa dubha" — na stailcbhristeoirí. Chuaigh sé ar stailc
ocrais gan mhoill. Chuir sé scéala amach le haghaidh a
chuid graiméar agus leabhar Gaeilge. I gceann ocht lá,
áfach, ligeadh saor gan choinníoll é ar an ábhar go raibh
na dochtúirí príosúin aineolach san am ar chúrsaí stailc
ocrais agus ar an ábhar go raibh na húdaráis faiteach
faoin lorg a bheadh ag an stailc, dá leanfaí di, ar thuairimí
na ndaoine i Sasana agus sna tíortha eile thar lear. Rud

eile, fad a bhí Séamas Ó Conghaile ar stailc ocrais istigh, bhí an dara Séamas i ndiaidh tús a chur le rúille búille amuigh a d'fhág a sá de chúram ar na húdaráis agus a mhúscail an-mhíshásamh thar lear lena n-iompar agus an-chomhbhá le cás na n-oibrithe.

Ní mó ná go raibh an Conghaileach i bpríosún nuair a thosaigh an gleo agus an clampar i gceart amuigh. Buaileadh buillí roimhe sin ach sháraigh obair an tráthnóna Sathairn sin ar tháinig roimhe ar a thibhe a lean lucht an Cheardchumainn lena n-ionsaithe ó Rinn Mhuirfean go hInse Caoir ar na bristeoirí stailce agus ar a gcosantóirí, na póilíní, agus ar a bhrúidiúla a d'fhreagair na póilííní iad.

D'ionsaigh na stailceoirí na tramanna a bhí fós ag rith agus na hoibrithe a bhí ina mbun, agus rinne na póilíní idir choisithe agus mharcaigh frithionsaí orthusan, go háirithe i gceantar Halla na Saoirse, Sráid na Mainistreach Íochtarach agus Sráid Mhór Brunswick (Sráid an Phiarsaigh anois). Loiteadh na céadta stailceoirí de lucht an Chumainn. Tugadh na scórtha díobh chun na n-ospidéal agus ghabh na póilíní a lán lán díobh. Loiteadh na scórtha de na póilíní chomh maith agus tógadh tríocha díobh chun ospidéil. Mharaigh na póilíní beirt : Séamas Ó Nualláin, a bhí ag déanamh ar Halla na Saoirse lena tháille a íoc — chonaic Robert Monteith na póilíní á leadradh gur thit sé agus gur bhris siad a chloigeann — agus Seán Ó Broin, a fuair bás de bharr buillí smachtíní na bpóilíní. Maraíodh freisin Ailís Ní Bhrádaigh. Duine de na bristeoirí stailce a mharaigh an cailín óg seo le hurchar gunna.

Tháinig maidin Dé Domhnaigh, an 31ú Lúnasa. Tamall roimh an am a bhí socraithe don chruinniú i Sráid Uí Chonaill mháirseáil slua de lucht an Chumainn go Páirc Chroydon agus thionóil cruinniú gan aon duine cur isteach orthu. Ó mheán lae thosaigh na sluaite daoine ag cruinniú i Sráid Uí Chonaill, cuid díobh mar ba ghnách, agus mar is gnách inniu féin, le muintir na cathrach Sráid Uí Chonaill a shiúl i ndiaidh Aifrinn maidin Domhnaigh, cuid eile féachaint an mbeadh aon ní as an choitiantacht le feiceáil. Bhí slua eile daoine cruinnithe i lár na cathrach

san am, mar bhí, na céadta den D.M.P. agus den R.I.C. a
bhí folaithe sna sráideanna taobh le Sráid Uí Chonaill agus
na smachtíní nochtaithe réidh lena lámha acu.

Go tobann, tuairim agus a 1.30 p.m., nochtaigh Séamas
Ó Lorcáin é féin ag ceann d'fhuinneoga an Imperial Hotel
i lár Shráid Uí Chonaill agus thosaigh ag déanamh óráide
leis an slua. Bhí sé i ndiaidh teacht fad leis an óstlann i
mbréagriocht. Níor thúisce feicthe ag an fhuinneog é ná
isteach le díorma de na póilíní ar a thóir gur ghabh siad é.
Agus an nóiméad céanna amach as na taobhshráideanna
leis na céadta póilín agus na smachtíní ina lámha acu gur
thug siad deargruathar fíochmhar gan rabhadh faoi lucht
siúil na sráide gur léas agus gur threascair siad ar tháinig
ina mbealach, idir fhir, mhná agus pháistí, gan trua gan
trócaire, sa tslí nach maireann ach an t-ainm amháin ag
lucht na cathrach riamh ó shin ar an lá : Domhnach na
Fola. Dúirt nuachtóir amháin ina thuairisc "Cuma pháirc
an áir a bhí ar ionad na trioblóide agus coirp na ndaoine
a gortaíodh ina luí ann, a lán díobh agus a n-aghaidh dearg
le fuil agus iad ag lúbarnaíl le méid a bpéine ". Dúirt
cigire den D.M.P.: "*he only saw one man with his baton
out.*" Tá an fhírinne cruthaithe sa phictiúr clúiteach sin
a rinne J. Cashman den ruathar. Cúig chéad duine, meas-
tar, a fuair cúram ospidéil de bharr fhíoch na bpóilíní an
lá sin.

Domhnach sin na fola bhí an Conghaileach, mar a
scríobh sé ar ball, "ag foghlaim conas siúl i bhfoirm
ciorcail i gcuideachta tuairim agus daichead eile fear ". De
thoradh moille chuala sé faoi mar a tharla sa chathair an
lá sin. Agus é ag scríobh chuig a bhean chéile ón bpríosún
dúirt sé : "Níl sé chomh holc agus a d'fhéadfadh sé a
bheith. Ar a laghad fad agus tá mé anseo ní baol go
scoiltfear mo chloigeann mar atá ag tarlú do chuid mhór
de na daoine bochta amuigh." Níor thrácht sé ar an stailc
ocrais sa litir ach dúirt rud suimiúil : "*Many more than I
(perhaps thousands) will have to go to prison, and perhaps,
the scaffold, before our freedom is won.*"

Tháinig an bhean chéile go Baile Átha Cliath le bheith

in áit na garaíochta. Nuair a ligeadh saor é agus é lag go maith ann féin chuaigh siad ar ais go Béal Feirste. Bhí scéal ag Oifig an Cheardchumainn roimhe agus bhí slua mór dá lucht leanúna ag an stáisiún le fáiltiú roimh " General Connolly ".

VI

DUNADH AMACH 1913

1

A R AN chéad lá de Mheán Fómhair d'fhoilsigh an *Irish Independent* na focail seo sa phríomhalt : "*Out from the reeking slums, the jailbirds and the most abandoned creatures of both sexes have poured to vent their hatred upon their natural enemies, the police.*" An lá céanna shocraigh na ceannaithe guail ar a bhfostaithe a dhúnadh amach ar an ábhar " go raibh an Ceardchumann ag crosadh ar a bhaill gual a sheachadadh chuig ceannaithe áirithe." Dhún Comhlacht na dTramanna a n-oibreacha i nInse Caoir ar an ábhar go raibh bac curtha ag an gCeardchumann ar earraí a sheoladh go dtí an áit.

Ar an dara lá foilsíodh go ndúirt William Martin Murphy ag cruinniú den Dublin Chamber of Commerce go mbeadh trí bhéile sa lá ag na fostóirí, ach nach mbeadh ag na hoibrithe agus ag a gclann ach an t-ocras ! An lá sin tionóladh ollchruinniú " de na ceannaithe, na monaróirí agus na trádálaithe is mó agus is iomráití dár chruinnigh le chéile riamh sa chathair ". Cuireadh William Martin Murphy sa chathaoir d'aon ghuth. Dhearbhaigh an cruinniú go raibh " an staid a bhí curtha ar chúrsaí ag Ceardchumann Oibrithe Iompair agus Ilsaothair na hÉireann (ceardchumann in ainm amháin) ina bagairt ar an uile eagraíocht trádála agus nach bhféadfaí foighneamh léi níos mó," agus shocraigh go gceanglóidís go léir iad féin le chéile le seasamh ar aon taobh agus chuige sin go síneoidís an conradh seo a leanas : "*We hereby pledge ourselves in future not to employ any persons who continue to be members of the Irish Transport and General Workers' Union, and any person refusing to carry out our lawful and reasonable instructions or the instructions of those placed over them will be instantly dismissed, no matter to what union they belong.*" Shínigh 403 de na ceannaithe, monaróirí agus trádálaithe ba mhó agus b'iomráití sa chathair an dearbhú dílseachta sin.

Mar thoradh ar an gcruinniú agus ar an socrú sin, chuir na ceannaithe sin an fhoirm seo a leanas i lámha a bhfostaithe :

I hereby undertake to carry out all instructions given to me by or on behalf of my employers, and further I agree to immediately resign my membership of the Irish Transport and General Workers' Union (if a member) and I further undertake that I will not join or in any way support this union.

Signed————————————————

Address—————————————————

Witness———————————

Date————————————.

B'fhada riamh oibrithe Shasana féin ag troid in áit géilleadh dá leithéid de ghealltanas. B'fhada caite i leataobh ag fostóirí na tíre sin é. An Chúirt Rialtais a d'fhiosraigh cúis na dtrioblóidí saothair seo i mBaile Átha Cliath, thuairiscigh sé : "*Whatever may have been the intention of the employers, this document imposes upon the signatories conditions which are contrary to individual liberty, and which no workman or body of workmen could reasonably be expected to accept.*" Thuairiscigh an Chúirt freisin go raibh a lán de na hoibrithe ar iarradh orthu an fhoirm a shíniú, gan baint ar bith le Halla na Saoirse, agus go raibh sé soiléir go leanfadh an-mhíshásamh ar an iarracht a rinneadh le tabhairt orthu é a shíniú.

Thug an Ceardchumann agus oibrithe Bhaile Átha Cliath i gcoitinne an freagra ba dhual do dhaoine a raibh fuil na saoirse iontu ar an doiciméad gránna : fir agus mná, buachaillí agus cailíní, bíodh siad ina mbaill den Chumann a bhí faoi léigear nó ina mbaill de chumann a bhí naimhdeach leis, agus bhí a leithéid ann, dhiúltaigh siad, amach ón bhfíorbheagán, an doiciméad a shíniú, agus thug a n-aghaidh i ndiaidh a chéile ar an tsráid agus ar an ocras. Faoi dheireadh bhí breis agus fiche míle d'oibrithe na cathrach ar bhaill iad de sheacht gceardchumann is tríocha dúnta amach ag na fostóirí.

Nár mhór an croí a fuair siad, mar fhostóirí, ionann agus an tríú cuid de dhaonra na cathrach a fhágáil gan ghléas beatha, gan aon ghreim a chuirfidís ina mbéal nó i mbéal na mban nó na bpáistí ? Ach d'fhreagair oibrithe na cathrach an dúshlán agus a fhios acu nár mhór an méid a bhí sna cistí ag na cumainn agus a fhios acu go raibh cuil fhuar ar ghaoth na hoíche cheana agus an geimhreadh ag druidim leo.

Mhúscail na cuntais ar Dhomhnach na Fola an-suim thar lear i staid na n-oibrithe i mBaile Átha Cliath. Bhí cruinniú na bliana ar siúl ag Comhdháil Ceardchumann Shasana san am i Manchuin. Ar chloisteáil an scéil dóibh chuir na teachtaí gearán láidir chuig an Rialtas agus d'éiligh go ndéanfaí fiosrúchán Rialtais ar ar tharla. Chuir siad ionadaithe go Baile Átha Cliath leis an scéal a fhiosrú dóibh féin. Nuair a thosaigh an Dúnadh Amach shocraigh gluaiseacht na gceardchumann i Sasana ar theacht i gcabhair ar oibrithe Bhaile Átha Cliath. Tuigeadh dóibh go raibh oibrithe Bhaile Átha Cliath le troid a dhéanamh ar son an chirt a bhí bainte amach acu féin na blianta roimhe sin agus tuigeadh dóibh dá gcaillfidís an ceart sin teacht le chéile i cibé ceardchumann ba rogha leo féin nach mbeadh sna cumainn a cheadódh na fostóirí ach cur i gcéill. De réir a chéile d'imigh scéal an Dúnadh Amach ar fud an domhain. Faoi dheireadh is ar éigean a bhí tír ar bith ina raibh eagar ar na hoibrithe san Eoraip, i Meiriceá, san Astráil nó san Afraic nach raibh cuidiú le fáil inti.

125

Ó thús an Dúnadh Amach lean an D.M.P. agus an R.I.C.,
le cuidiú Arm Shasana ar amanna, dá n-ionsaithe brúidiúla
ar na hoibrithe. Oíche Dhomhnach na Fola féin d'ionsaigh
na póilíní tithe cónaithe na n-oibrithe sna plódcheantair
gur bhris siad doirse, troscán agus pictiúir, agus gur thug
léasadh d'fhir, mná agus páistí. D'ionsaigh siad na picéid
a bhí ag na hoibrithe taobh amuigh dá n-áiteanna oibre.
Fiú nuair a bhí fógraí stailce á n-iompar acu d'ionsaigh na
póilíní iad, sa tslí go bhféadfaí á rá nach raibh ceart ná
dlí ar bith acu.

2

BAILE ÁTHA CLIATH GLÓRMHAR

Bhí Séamas Ó Conghaile ag teacht chuige féin i mBéal
Feirste i ndiaidh an stailc ocrais i rith lár mhí Mheán
Fómhair. Faoi dheireadh na míosa scríobh sé alt dar
theideal,

Baile Átha Cliath Glórmhar.

"Thug oibrithe cróga Bhaile Átha Cliath aghaidh ar
ruathar na smachtíní, ar na cillíní príosúin, ar an mbás
míthráthúil agus ar an ocras géar agus lena linn níor ghéill
don amhras ach go dtiocfadh a n-eagraíocht go buach
as an troid . . .

"Tá siad uilig ag cruthú a ndílseachta dá n-aicme féin
go hiontach. Tá na déantóirí cóistí, na siúinéirí, na hinneal-
tóirí, na bríceadóirí agus an uile cheird eile ag seasamh le
buachaillí Cheardchumann Oibrithe Iompair agus Ilsaothair
na hÉireann . . .

"Tá na mná agus na cailíní chomh cróga céanna. Dá
mba mhian leo an cheist a sheachaint, d'fhéadfaidís fanacht
ar obair . . . I ngach siopa, monarcha agus poll ifreanda
allasach i mBaile Átha Cliath de réir mar a cuireadh an
doiciméad ina láthair shiúil siad amach, a n-aighthe
snoite, a gcuid éadaigh smolchaite, a mbróga briste ach ní
raibh a ndóchas cloíte, ná a misneach briste. Bhí a rún
glórmhar le léamh ina súile . . . Sea, a chomrádaithe, is fiú

a bheith beo i mBaile Átha Cliath an lá atá inniu ann."
(*Forward*, 4.10.1913.)

San am a raibh seo á scríobh aige bhí ráiteas á chur le
chéile aige don Askwith Inquiry a bhunaigh an Rialtas le
fios fátha na stailce a thuairisc.

" . . . Táimid i ndiaidh ceangal le chéile lenár n-aicme a
chur ar aghaidh, leis an aicme sin a eagrú lena gcearta a
bhaint amach. Má tá an pobal, na fórsaí dlí agus cirt agus
an aicme Chaipitleach réidh le comhoibriú linn chun na
críche sin, tá go maith. Ar an láimh eile, má tá na fórsaí
sóisialta agus polaitiúla, arb ionann iad agus na trí
dhream sin, le haontú d'fhonn sinn a threascairt agus a
chur faoi chois . . . brúfaimid ar aghaidh fós agus é de
chreideamh againn go mbeidh an bua agus breith na staire
linn . . .

" . . . Deirimidne go bhfuilimid bródúil as sprid an
chomhbhráithreachais atá á léiriú i mBaile Átha Cliath ;
táimid bródúil as an dóigh ar tháinig eagraíochtaí an lucht
saothair sna hoileáin seo i gcabhair orainn le gur threise
ár bhfreagra ar na bhfostóirí atá ag iarraidh a dheachtú
do na hoibrithe cad é an ceardchumann a mbeadh nó nach
mbeadh cead acu ceangal leis."

Ní raibh toradh ar an bhfiosrúchán. Mhol na fios-
raitheoirí go mbunófaí Cúirt Réitigh ach ní ghlacfadh na
fostóirí leis an moladh. Ba róleor leo go fóill na trí bhéile
mhaithe sa lá !

Is fiú dúinn a thabhairt chun cuimhne gurbh í an Chúirt
Réitigh an leigheas a mhol Art Ó Gríofa freisin ar an
achrann seo. Cé nar aontaigh sé féin le Séamas Ó Lorcáin
ná lena mhodh oibre, mhol sé an Conghaileach :

" An aithne a chuireamar ar an gConghaileach san am
atá thart, léiríonn sé dúinn gur fear dá fhocal é. Dá bhrí
sin nuair a deir sé go nglacfadh sé le cúirt réitigh den
chineál a mholamar sé bliana ó shin, creidimid go bhfuil slí
onórach chun na síochána ar oscailt." (*Sinn Féin*, 27.9.1913.)

Má ba é tuairim Uí Ghríofa nach raibh ach slí onórach
chun na síochána ag teastáil ó na fostóirí níorbh é sin an
tuairim a bhí ag daoine eile. Bhí comhchruinnithe go leor

ann roimh fhiosrúchán Askwith féachaint le síocháin a dhéanamh ach sheas na fostóirí lena n-éileamh go scarfadh na hoibrithe leis an gCeardchumann Oibrithe Iompair agus Ilsaothair. Ba é an tuairim ar tháinig na hionadaithe ó Chomhdháil Ceardchumann Shasana air go raibh fostóirí Bhaile Átha Cliath ar intinn " an ceardchumannachas a chloí ".

Ar an 7ú Deireadh Fómhair d'fhoilsigh an *Irish Times* litir "Do Mháistrí Bhaile Átha Cliath" ó pheann Æ.— George Russell, eacnamaí, treoraí comharaíochta, file agus ealaíonaí. Is fiú í an litir seo go mairfeadh sí fad a bheidh caint faoi shaoirse in Éirinn. Ba thaca tréan í le cás na n-oibrithe :

" . . . Is cosúil nach léann sibhse (na máistrí) an stair ar shlí go bhfoghlaimeodh sibh a ceacht. Ba léir ó na tuairimí a nocht cuid agaibh le déanaí ar chúrsaí ealaíon gurb aicme gan chultúr sibh. Is cinnte gur fir gan ábaltacht sibh i dtaca leis na cúrsaí ar mian libh cumhacht impiriúil a tharraingt chugaibh féin ina dtaobh, óir le blianta fada, i bhfad roimh éirí amach láithreach an lucht saothair, bhí bhur ngnóthaí ag cailleadh mheas an lucht airgid agus sin le linn sibh a bheith ag fostú an lucht saothair ba shaoire sna hoileáin seo . . . Cheadaigh sibh na bochtáin a bheith druidte isteach le chéile sa tslí gurb í an phlá an tsamhailt a bheireann ceantair áirithe inár gceann. Tá fiche míle seomra ann agus clann amháin, agus amanna níos mó, ina gcónaí i ngach seomra díobh, mar a múchtar an fhíneáltacht agus an mhodhúlacht sula mbíonn caoi acu fréamhú sa duine. D'fhéadfadh sibh bhur ndualgas i dtaca leis na rudaí seo a fhágáil gan déanamh agus b'fhurasta go gceapfaí gurbh é an t-aineolas nó an díchuimhne ba chúis leis ach ba léir don domhan mór ó bhur gcomhghníomh comhfhiosach mar aicme san achrann láithreach saothair seo go raibh sibh chomh gránna sin dáiríre gur ghá an scáthán a choinneáil romhaibh le go bhfeicfeadh sibh féin mar a fheiceann gach duine sibh.

" . . . Bhí sibh ag gníomhú taobh istigh den cheart a ghéilleann an tsochaí daoibh nuair a dhún sibh bhur bhfostaithe amach agus nuair a d'éiligh sibh, san am a raibh polasaí an lucht saothair ag fágáil dodhéanta ag cuid agaibh bhur ngnó a dhéanamh, go nglacfaí le prionsabal éigin le bhur gcúrsaí leis an lucht saothair a shocrú feasta. Theastaigh ón lucht saothair, díreach mar a theastaigh uaibhse, go nglacfaí le prionsabal éigin den sórt sin. Ach ón uair a shocraigh sibh ar a leithéid de chéim agus a fhios agaibh cá mhéad míle d'fhir, de mhná agus de pháistí, beagnach trian de dhaonra na cathrach seo, a bheadh ar an chaolchuid dá bharr níor cheart daoibh ligean d'aon lá amháin dul thart gan sibh gach uile iarracht a dhéanamh teacht ar réiteach.

" Cad a rinne sibh ? Chas ionadaithe na gceardchumann Sasanach oraibh agus rinne sibh éileamh míréasúnta áiféiseach orthu agus nuair nach nglacfaidís leis d'éirigh sibh as an chomhchaint ; dhiúltaigh sibh casadh arís orthu ; dúirt sibh nach raibh moltaí ar bith inghlactha ach iadsan amháin a rinne sibh féin, agus shocraigh sibh d'aonghnó agus go danartha ar thabhairt faoi thrian de dhaonra na cathrach seo a bhriseadh le gorta, agus fearúlacht na bhfear a mheath le linn dóibh a bheith ag breathnú fhulaingt a gcuid ban agus ocras a gcuid páistí. Léimid faoi úsáid an raca agus an bhís ordóg sa Ré Dhorcha . . . Fágadh ag an bhfichiú haois agus ag príomhchathair na hÉireann le holagarcacht de cheithre chéad máistir a fheiceáil ag socrú os ard ar chéad míle duine a chur leis an ocras agus ar dhiúltú glacadh le réiteach ar bith ach é sin a mhol a n-uabhar féin.

"Chuir sibh in iúl don lucht saothair go bhféadfadh sibh bhur dtrí bhéile mhaithe a bheith agaibh in aghaidh an lae fad a bhí siad féin ocrach. Chuaigh sibh arís i gcruinniú le hionadaithe an Stáit, óir mall agus mar atá sibh, bhí a fhios agaibh nach mbeadh an pobal róshásta libh dá ndiúltódh sibh. Roghnaigh sibh mar fhear ionaid an teanga is géire a labhair riamh san oileán seo, agus ansin nuair a mhol fir ar eolaí míle uair iad ná sibh ar chúrsaí tionscail, agus a shocraigh achrainn i dtionscail chomh mór sin nach mbeadh iomlán bhur ngnóthaí suaracha le chéile inchomórtais leo, d'éirigh sibh arís as na cruinnithe agus chuaigh uair amháin eile i muinín pholasaí diabhalta an ocrais. Screadaígí os ard ar neamh ar lorg anamacha nua ! Na hanamacha atá sibh i ndiaidh a léiriú ar scáileáin na poiblíochta tá dealramh méadaithe na gcréatúr gránna lúbarnach sin de phór na bhfeithidí orthu.

"Thiocfadh dó go n-éireoidh le bhur bpolasaí agus go gcinnteoidh an bua sin bhur ndamnú. Na fir a mbeidh sibh i ndiaidh a bhfearúlacht a bhriseadh beidh gráin acu oraibh agus beidh siad i gcónaí ag beartú oilc agus ag tnúth leis an lá a mbuailfidh siad buille nua. Oilfear na páistí lena mallachtaí a chur oraibh. Cothófar an fuath i gcorp ocrach an naíonáin sa bhroinn. Ní hiadsan na Samsúin dhalla atá ag leagan colúin an oird shóisialta ach sibhse . . . Bígí ar bhur bhfaichill sula mbíonn sé ródhéanach."

Ní raibh toradh air. Ná ar na hiarrachtaí a rinne a lán daoine eile agus a lán dreamanna eile le teacht ar mhodh comhoibrithe. Sheas na fostóirí lena rún.

Ón uair a bhí sé ina shláinte arís bhí Séamas Ó Conghaile idir Béal Feirste agus Baile Átha Cliath agus é ina cheann comhairle ag Coiste an Dúnadh Amach. Bhí a n-ábhar buartha ag an gcoiste céanna. Bhí orthu eagar a choinneáil ar na hoibrithe agus féachaint leis an mbaghcat ar na fostóirí " dubha " a choinneáil ar siúl, bhí orthu eagar a chur ar an bhfeachtas comhbhá a bhí ar siúl ag na ceardchumannaithe i Sasana, bhí orthu ciste an Dúnadh Amach a choinneáil sách agus san am céanna tarraingt air i gcónaí le riar ar na hoibrithe.

3

ARM NA SAORÁNACH

Ceann de na cúraimí ba mhó dá raibh ar cheannairí na n-oibrithe iad a chosaint ar ionsaithe na bpóilíní a bhí ag faire na faille i gcónaí le tabhairt fúthu.

D'éirigh go minic eatarthu sa tslí go raibh cuid de lucht an Cheardchumainn ag teacht ar an tuairim gur cheart go mbeadh eagar catha nó ar a laghad, eagar cosanta éigin orthu féin.

Bhí athoifigeach d'Arm Shasana i mBaile Átha Cliath san am a raibh an cheist chéanna ag déanamh scime dó. Bhí an Captaen Seán de Faoite ina bhall de Choiste na Síochána Tionsclaí a bhí ag iarraidh, dála a lán dreamanna eile, síocháin a shocrú idir na fostóirí agus na hoibrithe. Ag ceann de chruinnithe an Choiste Síochána mhol an Captaen de Faoite go mbunófaí arm na n-oibrithe. Pléadh an moladh an oíche sin i seomraí an Urr. R. M. Gwynn i gColáiste na Tríonóide, glacadh leis an moladh agus bailíodh airgead óna raibh i láthair do chiste an airm nua.

Ar ndóigh, níorbh ionann cruinniú i gColáiste na Tríonóide agus na hoibrithe a cheangal in arm ar bith. Agus níl sé róchinnte go raibh an cineál céanna airm in aigne ag lucht an chruinnithe agus an t-arm a tháinig ar an saol ar ball. Ar scor ar bith, ní dhearna an Captaen de Faoite moill gur labhair leis an gConghaileach agus leis an Lorcánach. Tá cuntas an Chaptaein de Faoite tugtha ina leabhar *Misfit*. Deir sé gur ag cruinniú de Chumann Gaelach Choláiste na Tríonóide a rinne sé an chéad tagairt do ghluaiseacht Óglach d'Éireannaigh ar tugadh poiblíocht sna nuachtáin di. Deir an Captaen de Faoite an oíche chéanna a tionóladh cruinniú Choláiste na Tríonóide gur fhógair an Conghaileach go poiblí i bPlás Dúinsméara go raibh an Captaen tar éis glacadh air féin Arm Saoránach de bhaill an Cheardchumann Iompair a eagrú ! Deir an Conghaileach faoina pháirt féin i mbunú an Airm : " Bhunaigh scríbhneoir na nótaí seo Arm Saoránach i mBaile Átha Cliath i gcomhar le Ceardchumann Oibrithe Iompair agus Ilsaothair na hÉireann." (*Forward*, 30.5.1914.)

Bhí an Lorcánach i Sasana san am agus nuair a tháinig sé abhaile tionóladh cruinniú i bPlás Dúinsméara mar ar fhógair sé : " Má tá cead ag Carson laochra an tuaiscirt a thraenáil le troid in éadan éileamh mhuintir na hÉireann, is ceart agus is cóir don lucht saothair iad féin a eagrú ar an dóigh mhíleata chéanna lena gcearta a chosaint agus lena chinntiú má ionsaítear iad go mbeidh siad in ann cuntas sásúil a thabhairt orthu féin."

"Dúirt an Captaen de Faoite leo go gcuirfí tús leis an obair gan mhoill. Dúirt sé leo a bheith i láthair an lá dár gcionn i bPáirc Chroydon i mBaile Bocht. 'Is é seo lá an dóchais do na hoibrithe,' arsa an Captaen de Faoite. 'Troidfidh Arm na Saoránach ar son an Lucht Saothair agus ar son na hÉireann'." (*The Story of the Irish Citizen Army* — Seán Ó Cáthasaigh.)

Gearradh príosúnacht ar an Lorcánach i ndeireadh Dheireadh Fómhair as trasnaíl ar ordú na bpóilíní Domhnach na Fola.

D'fhan an Conghaileach i mBaile Átha Cliath i gceannas ar na hoibrithe agus ar ghnóthaí an Cheardchumainn gur saoradh an Lorcánach i lár mhí na Samhna. Ina dhiaidh sin féin is air is mó a thit na cúraimí sin óir bhí an Lorcánach gnóthach i gcónaí i Sasana agus é ag labhairt ag na cruinnithe ansin a bhí ar siúl faoi choimirce na gceardchumann ar mhaithe le ciste na n-oibrithe a bhí dúnta amach i mBaile Átha Cliath. Labhair an Conghaileach ag na cruinnithe i Sasana ó am go chéile freisin.

Níor bheag an chabhair a bhí le fáil ó na ceardchumainn i Sasana agus i dtíortha eile thar lear. Ar feadh tamaill bhí thar £1,000 sa lá á fháil, agus cuireadh breis agus £150,000 chuig an gciste san iomlán. Chuir Cumann na Mianadóirí i Sasana £1,000 sa tseachtain ar feadh roinnt mhaith míonna. Bhí na longa bia ag teacht ó Shasana freisin agus iad lastaithe le lón a bhí de dhíth go géar ar oibrithe na cathrach.

De réir mar bhí an geimhreadh ag druidim leo is ea is géire a bhí an cuidiú de dhíth. Bhí Halla na Saoirse lá den saol ina óstlann. Rinneadh teach bia de le haghaidh na n-oibrithe dúnta amach. San urlár faoi bhun na talún bhí na seanchistineacha ann go fóill. Seo í an áit a ndeachaigh Madame Markievicz i mbun oibre. Chuir sí na cailíní ag déanamh na cócaireachta agus ag soláthar bia do na hoibrithe a bhí ar an ghannchuid. Lá agus oíche mhair an obair. Chomh maith leis na cistineacha do na hoibrithe bhí cistin ar leith a raibh bia ar leith á dhéanamh réidh ann do na máithreacha agus do na naíonáin. Thuas staighre bhí ceann de na seomraí móra gléasta mar shiopa éadaigh — áit a dtugtaí na héadaí a bailíodh do na hoibrithe a raibh siad de dhíth orthu. Taobh leis sin bhí siopa na mban fuála ar fágadh fúthu na héadaí a athrú de réir mar ba ghá. Sna hoifigí eile sa Halla bhí coistí éagsúla cruinnithe agus iad ag beartú agus ag seiftiú. Sna pasáistí agus sa halla agus ag doras na sráide bhí daoine ag teacht agus ag imeacht agus daoine ag fanacht féachaint an mbeadh gnó éigin le déanamh nó leis an bhfocal dóchais féin a theacht.

Bhí an focal sin de dhíth go géar freisin. Le himeacht na míonna bhí tuile an dóchais mhóir a bhí lán i dtosach na stailce ag tosú a thrá. Na ceannairí féin bhí siad ag éirí imníoch. Ba thógáil croí dóibh tacaíocht na n-intleachtach, W. B. Yeats, James Stephens, Séamus O'Sullivan, Pádraic Colum, Susan Mitchell, mar aon le George Russell. Ba neartú meanman acu bá na náisiúnaithe óga, Seosamh Pluincéid, Tomás Mac Donncha, eagarthóirí an *Irish Review,* mar ar foilsíodh alt ó láimh an Chonghailigh faoin stailc chomhbhá a athfhoilsíodh ar ball mar chuid de *The Reconquest of Ireland.* Ba ola ar a gcroí focail Phádraig Mhic Phiarais in *Irish Freedom* :

" *It is not amusing to be hungry. Twenty thousand Dublin families live in one-room tenements. It is common to find two and three families in the same room. There are tenement rooms in Dublin in which over a dozen persons live, eat and sleep. The tenement houses of Dublin are so rotten that they periodically collapse upon their inhabitants, and if the inhabitants collect in the streets to discuss matters the police baton them to death.*

" *I do not know whether the methods of Mr. James Larkin are wise methods or unwise methods (unwise, I think, in some respects), but this I know, that there is a most hideous wrong to be righted and that the man who attempts honestly to right it is a good man and a brave man.*"

Le roinnt blianta anuas bhi an Conghaileach agus an Piarsach ag casadh ar a chéile ag cruinnithe éagsúla ach

ar éigean a d'fhéadfaí a rá go raibh aithne acu ar a chéile
go dtí Dúnadh Amach 1913. "Go dtí gur dhírigh stailc
1913 a aigne ar scríbhinní an Chonghailigh a d'fhág lorg
láidir ar a thuairimí, bhí an Piarsach faiteach faoi
ghluaiseacht an lucht saothair in Éirinn agus faoin chomh-
bhá leis na ceardchumainn i Sasana agus é ag ceapadh gur
bhaol don náisiúnachas é." (*Remembering Sion* — Deasún
Ó Riain.) Léirigh an Piarsach an tuiscint a bhí aige do
thábhacht staid na n-oibrithe i sraith alt leis ar *Irish
Freedom*.

Níor lig an Conghaileach na hailt seo thairis. Sna
míonna deireanacha seo de 1913, áfach, bhí a lán eile ar a
iúl. Bhí a fhios aige go raibh an tuile in éadan na stail-
ceoirí. Níor leor leis bia ná airgead na gceardchumann i
Sasana. D'ainneoin dhícheall an Lorcánaigh thall, bhí teip-
the air tabhairt ar na ceardchumainn socrú ar stailc chomh-
bá mar thaca leis na hoibrithe i mBaile Átha Cliath. Mar
seo a leanas a bhreathnaigh an Conghaileach ar a gcás :

" Is cogadh é seo ar son an cheardchumannachais agus
ar son cheart na n-oibrithe ceangal le cibé cumann is rogha
leo. Tá fostóirí an domhain ag faire orainn. Dá mbeadh na
ceardchumainn i Sasana le teacht amach ar stailc chomhbá
linn agus stad a chur le cúrsaí tionscail thall, chuirfeadh
na fostóirí thall iachall ar na fostóirí abhus agus is gearr
a mhairfeadh an dúnadh amach. De réir mar tá an scéal
táimid inár ngualainn fhann gan bhráthair agus fágtar
fúinn cruatan na troda a iompar. Cuireann siad bia agus
teachtaireachtaí comhbhá chugainn agus gríosaíonn chun
catha sinn ach ní throidfidh siad ar aon taobh linn."

I mí na Samhna fágadh eagarthóireacht an *Irish Worker*
ina chúram breise air, má ba chúram riamh air a pheann
a choinneáil i mbun oibre. I dtús na míosa sin féin, bhí air
freagra a scríobh ar an ionsaí a rinneadh ar phlean a bhí
molta ag Mrs. Montefiore le cuid de na páistí a chur anonn
go Sasana an fad eile a mhairfeadh an Dúnadh Amach.

" Is eol dúinn gur beag eile seachas a bpáistí atá fágtha
ag oibrithe Bhaile Átha Cliath lena gcroí a thógáil, gur

mar loinnir réalta an tslánaithe as measc shalachar agus ghraifleacht a gcomharsanachta cónaithe grá a naíonán, agus gurb ionann agus a gcroí a réabadh iad a scaradh óna leanaí. Agus is eol dúinn, fós, go bhfuil sé rídheacair a chur ina luí ar an Sasanach is cairdiúla amuigh gur tír choimhthíoch ag an Éireannach í Sasana agus gur ar éigean is féidir a bheith ag súil go gcuirfidh fiú comrádaíocht iontach agus cabhair fhiúntach an lae inniu deireadh gan mhoill leis an drochlorg ar ár gcaidreamh a d'fhág glúine fada an ansmachta. Agus is eol dúinn, freisin, go bhfuil an chuimhne ar na hiarrachtaí a rinne Sasana saighead a chur í gcroí na hÉireann trí na páistí a fhuadach go tráthrialta agus trína n-aigne a thruailliú ar an chuimhne is dorcha in Éirinn.

" Agus an méid sin ráite, is éigean dúinn ár gcasaoid a dhéanamh in ainm iomlán ghluaiseacht an lucht saothair sa tír seo, in aghaidh na mbréag clúmhillteach a dúradh faoi na mná uaisle a bhí i mbun na scéime seo. *One scoundrel in clerical garb is said to have stated on Wednesday that the children were being ' brought to England by trickery, fraud and corruption for proselytising purposes'. Mrs. Montefiore has given his Grace Archbishop Walsh her assurance that wherever the children went, the local Roman Catholic clergy would be given their names and addresses, and requested to take charge of them . . . We leave the gentleman in question to be dealt with by his Grace who will assuredly see that in his diocese the garb of a priest is not made a shield for the acts and language of a scoundrel.*

" *The utterances of his Grace the Archbishop on the question at issue deserve, and no doubt will receive, the earnest consideration of every thoughtful man and woman in Ireland . . . " (Forward,* 1.11.1913.)

Scríobh sé gan mórán moille ar an ábhar céanna :

" Is coir é leanaí Bhaile Átha Cliath a chur anonn áit a bhfaighidís bia, éadaí agus lóistín níos fearr ná mar a bhí acu roimhe. Tá na páipéir go huile ina éadan.

"Ní coir é na bristeoirí stailc a thabhairt anall ó Shasana leis an arán a bhaint as béal fhir agus mhná agus pháistí Bhaile Átha Cliath agus lena dtabhairt i mbraighdeanas.

"Tá lúcháir ar na nuachtáin faoi. A chomhoibritheoirí! Níl focal anois as an slua sin d'fhiminigh agus d'allasóirí a bhí ag déanamh paráide ag na duganna agus ag na ráilstáisiúin roinnt laethanta ó shin agus iad ag tarraingt náire ar an gcreideamh ar mhaithe le cuspóir suarach na ndaoine sin atá leis na cianta ag éirí ramhar as satailt ar na bochtáin, níl focal anois astu, ach iad comh ciúin leis an uaigh, agus an scroblach de bhristeoirí stailce á dtabhairt isteach ó Shasana." (*Irish Worker*, 8.11.1913.)

Ach níorbh iad lucht an bhréagchrábhaidh amháin a bhí ag ionsaí na n-oibrithe anois as glacadh le cuidiú ó Shasana. B'iontach leis an gConghaileach chomh náisiúnta agus a bhí cuid de na daoine ag éirí an túisce a tháinig lucht oibre Shasana i gcabhair ar na hoibrithe i mBaile Átha Cliath. B'ait leis "an iarracht a rinneadh leis na traidisiúin náisiúnta a úsáid in éadan na n-oibrithe. Is cuma cé acu aontachtaithe nó lucht an Rialtais Dhúchais den uile chineál iad, tá siad ar aon tuairim gur tréigean thráidisiún ársa na hÉireann agus ár gclú ársa é glacadh leis 'an déirc ó Shasana' . . . Ón chuid sin de thalamh an domhain dá ngairmtear Sasana fuaireamar cuidiú agus ag an chuid sin dá muintir a thug an cuidiú táimid go mór faoi chomaoin buíochais. Ach ón rialtas polaitiúil sin dá ngairmtear Sasana, ní bhfuaireamar ach an ghéarleanúint agus níl dlite di ar ár son féin nó ár son ár n-aithreacha ach ár bhfuath — fiach a mbeimid de shíor ag iarraidh go dúthrachtach a íoc léi." (*Irish Worker*, 29.11.1913).

Ba thábhachtach riamh leis an gConghaileach an t-amhrán mar ghléas spreagtha a lucht leanúna. Scríobh sé *The Watchword of Labour* san am seo agus foilsíodh é san *Irish Worker*. J. J. Hughes a sholáthraigh an ceol dó. Bhí sé ina amhrán máirséala ag Arm na Saoránach agus

136

ag an lucht oibre i gcoitinne go ceann i bhfad agus níl dearmad déanta air an lá tá inniu ann :

Oh ! hear ye the watchword of Labour,
The slogan of they who'd be free.
That no more to any enslaver,
Must labour bend suppliant knee.

That we on whose shoulders are borne,
The pomp and the pride of the great,
Whose toil they repay with their scorn,
Must challenge and master our fate.

Then send it aloft on the breeze, boys !
That watchword the greatest we've known,
That labour must rise from its knees, boys !
And claim the broad earth as its own.

Bhí mí na Nollag buailte leis na buachaillí céanna agus gan a fhios acu go fóill an dtiocfadh an Nollaig féin orthu agus ar a gclann agus a ngléas beatha á shéanadh orthu go fóill. Ar éigean a bhí an drithleog féin den dóchas fágtha beo. Bhí teipthe orthu lucht na gceardchumann i Sasana a mhealladh le teacht amach ar stailc ghinearálta mar thacaíocht leo féin !

Ar an 9ú lá de mhí na Nollag d'imigh an Conghaileach anonn le cuidiú leis an Lorcánach ceist na stailce ginearálta nó ceist imdhúnadh Chalafort Bhaile Átha Cliath a phlé ag cruinniú speisialta de Chomhdháil Ceardchumann Shasana. Bhí an nimh san fheoil ag oifigigh na gceard-chumann thall don Lorcánach — is fíor nár spáráil sé an teanga ghéarghoineach sin ar na hoifigigh chéanna — agus d'ionsaigh siad eisean anois go fíochmhar ag an Chomh-dháil. D'éirigh eatarthu agus go ceann tamaill bhí rí-rá agus racán ann. Rinne an Conghaileach a dhícheall tabhairt orthu aghaidh a thabhairt ar cheist oibrithe Bhaile Átha Cliath.

" Gairmeadh an Chomhdháil seo," dúirt sé, " ar mhaithe

le Baile Átha Cliath. Is dóigh liom gur chóir dúinn cloí leis an cheist sin. Cuimhnígí ar oibrithe Bhaile Átha Cliath atá dúnta amach leis na míonna. Tá siad ocrach éadóchasach."

" B'fhearr daoibh smaoineamh air sin roimh ré," arsa duine dena hoifigigh.

"Más é do thuairim go dtarraingeoimid aon fhocal amháin siar dá ndúramar do bhur lochtú nó ag lochtú bhur n-easpa gníomhaíochta," d'fhreagair an Conghaileach, " tá dul amú oraibh. Tógfaimid an cheist sin san am cuí agus san áit chuí. Is mian liom anois go ndíreodh sibh ar theacht i dtarrtháil ar Bhaile Átha Cliath."

B'ionann an cás. Ní raibh lucht na gceardchumann i Sasana sásta troid ar son oibrithe Bhaile Átha Cliath. Socraíodh ar chasadh uair amháin eile ar Choiste Gnóthaí na bhFostóirí i mBaile Átha Cliath. D'aontaigh ionadaithe na n-oibrithe agus na gceardchumann ar iarraidh arís eile ar na fostóirí na " ciorcláin, póstaeir agus foirmeacha aontais a cuireadh i láthair na bfostaithe agus a leag síos coinníollacha fostaíochta a tharraingt siar." Bheadh na ceardchumainn sásta a ghlacadh orthu féin " éirí as aon stailc chomhbhá a ghairm go dtí go mbunófaí ar an 17ú Márta, 1914, Bord Pá agus Coinníollacha Fostaíochta." Bhí pointí eile ar chlár seo na síochána a bhí dírithe ar athfhostú na n-oibrithe agus ar na hoibrithe a chosaint ar chalaois na bhfostóirí. Dúirt an tArdeaspag Breatnach faoi na moltaí go raibh siad " fair and reasonable — eminently reasonable." Ní ghlacfadh na fostóirí, áfach, leis na moltaí faoin athfhostú, chaithfí sin a fhágáil go hiomlán ina lámha féin. Ar an 20ú Nollag chuir na fostóirí a ndiúltú in iúl.

San eisiúint don lá sin den *Irish Worker*, a scríobhadh roimh an dáta sin nuair a bhíothas fós ag súil go dóchasach leis an toradh, scríobh an Conghaileach alt faoin teideal *A Fiery Cross or Christmas Bells.*

" Agus seo á scríobh againn is é an t-aon cheist amháin atá ag déanamh buartha do Bhaile Átha Cliath, an bhfeicfidh an Nollaig an Chrois Thintrí á hathlasadh nó an gcluin-

fear cloig na síochána agus na lúcháire á mbualadh . . .
Cead ag na filí, ag na péintéirí, ag cairde na ndaoine agus
ag Ardeaspaig a áiteamh agus a impí go mbuailfidh cloig na
Nollag. Is ag lucht na málaí airgid atá sé an focal deirean-
ach a rá . . .

"Tá greim ag cumhacht an sparáin ar Bhaile Átha
Cliath ; agus ar Aoine seo na cinniúna tá an cheist idir dhá
cheann na meá. Cúpla uair a chloig agus beidh an bhreith
tugtha cé acu a fhógrófar bualadh lúcháireach Chloig na
Síochana nó gairm chun catha ar gach gráthóir dá n-aicme
féin go dtógfaidís agus go gcuirfidís arís ó láimh go láimh
an Chrois Thintrí uamhnach meanmnach " (*Irish Worker,*
20.12.1913).

Deora d'fhuil an Chonghailigh an dúch lenar scríobh sé
na focail sin. Chruaigh a chroí an Nollaig sin agus rinne
rún díoltais !

4

AR AN TRÁ FHOLAMH

Bhí a fhios ag an gConghaileach gur bheag an t-ábhar
dóchais a bhí ag na hoibrithe go mbuailfí Cloig na Síochána
um Nollaig ag tuar sonais agus suaimhnis dóibh. Bhí
tuairim mhaith aige go raibh thiar orthu ón uair a dhiúl-
taigh na ceardchumainn i Sasana troid a dhéanamh ar a
son. Níor dúirt sé é sin amach san am ach léirigh sé a
chroí ar ball :

"Buaileadh ar oibrithe Bhaile Átha Cliath, tháinig lá
a Waterloo ag an Chomhdháil i Londain ar an 9ú Nollag.
Ag an chomhdháil sin dhearbhaigh ionadaithe an lucht
oibre nach gcomhairleoidís go n-úsáidfí aon fhórsa eac-
namaíochta nó aon ghníomh tionsclaíoch ar son oibrithe
Bhaile Átha Cliath agus an túisce a foilsíodh an t-eolas sin
b'ionann agus caillte ár dtroid. Ag an chéad chomhdháil
eile i mBaile Átha Cliath níorbh fhiú do na fostóirí féach-
aint féin ar na moltaí a chuir na ceardchumainn Shasanacha
agus Éireannacha ar aon chucu. Bhí a fhios acu nár bhaol
dóibh, mar go raibh a gcéilí comhraic i gcampa an lucht

saothair i ndiaidh a ghealladh nach ngortófaí iad." (*Forward*, 14.3.1914.)

Bhí an Conghaileach ar deargbhuile le húdaráis na gceardchumann Sasanach. Mar dhuine a raibh iomlán a chroí ar feadh iomlán a shaoil ó tháinig ann dó istigh i gcúis agus i ngluaiseacht an lucht oibre, mar dhuine a bhí de shíor ag saothrú agus ag sclábhaíocht leis na hoibrithe a thógáil dá nglúine agus lena gcur ar thóir a n-oidhreachta, níorbh intuigthe dó go bhféadfadh ceannairí agus oifigigh na gceardchumann i Sasana a bheith chomh dallaigeantach dobhránta agus lena sin linn chomh suarach amaideach agus go ligfidís an ócáid seo tharstu. Dar leis dá mbeidís leis an mbuille a bhualadh anois gurbh é báire na fola é, agus feasta go mbeadh an lámh in uachtar ag na hoibrithe ní amháin in Éirinn ach i Sasana freisin. Is deacair a rá cad é mar a d'éireodh leis dá mbeadh lucht na gceardchumann i Sasana le dul in iontaoibh na stailce ginearálta nó fiú in iontaoibh imdhruidim Chalafort Bhaile Átha Cliath. Ach is ar éigean a bhí éinne ann seachas Séamas Ó Conghaile é féin a thuig sna blianta sin go raibh tráth na faille agus tráth na cinniúna buailte leo. Ba mhóide a dhíomua a thuiscint.

Rinne an Conghaileach an méid a bhí ina chorp. Bhí gnó an Cheardchumainn mar chúram ar leith air. Bhí cúram na stailce air. Bhí cúram an *Irish Worker* air. Bhí cúram airgeadais an Chumainn agus an pháipéir air. Bhí air a bheith ag caint i gcónaí ag cruinnithe. Bhí air a bheith ag tabhairt lámh chuidithe d'Arm na Saoránach. Bhí sé ina ionadaí ag Comhairle na gCeirdeanna. Bhí sé i gcónaí ag scríobh don uile chineál irise agus nuachtáin in Éirinn, i Sasana agus in Albain. Agus bhí cúram air nach ndearna sé neamart ann — cúram a chlainne.

Lig sé amach a racht in alt dar theideal, *Baile Átha Cliath ar an Trá Fholamh*.

"Tá Baile Átha Cliath scoite. D'iarramar ar ár gcairde sna ceardchumainn iompair aicme chaipitleach Bhaile Átha Cliath a scoitheadh agus d'iarramar ar na ceardchumainn eile tacú leo. Ach ní raibh siad sásta agus dúirt siad gurbh fhearr leo cuidiú le síntiúis airgid. Rinneamar argóint leo gurb é rud stailc iarracht le bac a chur leis na caipitlithe gnó a dhéanamh, go n-éiríonn leis an stailc nó go dteipeann uirthi de réir mar a éiríonn leis an gcaipitlí nó mar a theipeann air teacht gan na stailceoirí. Má tá ar chumas an chaipitlí dul ar aghaidh lena ghnó gan na stailceoirí, sa chás sin tá teipthe ar an stailc, fiú má bhíonn na stailceoirí ag fáil níos mó mar phá stailce ná fuair siad roimhe mar thuarastail . . .

"Dúradh linn gurbh fhearr i bhfad méadú ar na síntiúis le go mbeimis in ann an pá stailce a mhéadú. Bhíomar tar éis diúltú do na téarmaí ba dhéanaí a mhol na fostóirí agus sinn ag déanamh gur treise linn na síntiúis mhéadaithe. An túisce a theip ar an iarracht dheireanach seo teacht ar shocrú theip ar na síntiúis mar mhalairt ar dhul i méid mar a gealladh dúinn.

" Theip ar na hoifigigh an fhaill a thuiscint a fuair siad aontas fhórsaí na haicme saothair sin a bhuanú a tugadh ar an saol de bharr réabhlóid, mhairtíreacht agus ainnise oibrithe Bhaile Átha Cliath . . .

" Agus dá bhrí sin is éigean dúinne oibrithe Éireannacha dul síos go hifreann, ár ndroim a lúbadh roimh lasc an tíoránaigh, ligean d'iarann a fhuatha ár gcroí a loscadh, agus mar mhalairt ar áran sacraimintiúil an bhráithreachais agus na comhíobairte, deannach an díomua agus an tréigin a bhlaiseadh.

"Tá Baile Átha Cliath fágtha ar an trá fholamh." (*Forward,* 9.2.1914.)

Le tamall anuas bhí oibrithe Bhaile Átha Cliath ag filleadh ar a bpoist gan choinníoll de réir mar a cheadaigh na fostóirí dóibh. Rinne go leor de na fostóirí agus dá saoistí a ndícheall ábhar magaidh a dhéanamh de na donáin ocracha, scifleogacha nach raibh dul as acu, fir agus mná, ach deoch an domlais a ól agus a bheith ag guí Dé go mbeadh a lá féin acu san am a bhí chucu. Dúirt an Conghaileach :

"Bhuel, leagadh an uair seo sinn. Déanaimis réidh don chéad uair eile."

Má bhí iarracht den éadóchas sa mhéid a scríobh an Conghaileach i dtús mhí Fheabhra faoi scoitheadh oibrithe Bhaile Átha Cliath, bhí sé ar a sheanléim roimh dheireadh na míosa. Is amhlaidh a d'fhoilsigh na hEaspaig tréadlitir ar cheist an lucht saothair agus an dúnadh amach agus spreag sé sin é le seasamh lucht an Cheardchumainn a mhíniú agus le scrúdú suimiúil a dhéanamh ar chumas gnó na bhfostóirí agus chuir sé eireabaillín leis ar cheist an tsóisialachais atá tábhachtach :

"Le bealach réitithe a sholáthar ar aon aighneas a d'fhéadfadh teacht as teasaíocht na bhfostóirí nó as ár dteasaíocht féin mholamar ag Comhairle na gCeirdeanna agus inár bpáipéar féin go mbunófaí Boird Réitithe le hachrann saothair a chosc nó, dá dteipfeadh air sin, a réiteach. I bhfocail eile bhí ár modh oibre go díreach mar atá molta sa Tréadlitir mar mhodh ba cheart a leanúint i gcás dá leithéid . . .

"*We had and have to deal with a set of employers the most heartless and most ignorantly selfish in Christendom — employers too lazy to adapt themselves to modern methods of business and seeking by fiendish undercutting of wages to meet the legitimate competition of employers elsewhere who do use modern methods and adopt modern business ideas . . . Up to the present the constantly available supply of cheap labour has prevented the development of up-to-date methods of business in Dublin, and when the Irish Transport and General Workers' Trade Union began to push up the rate of wages and to destroy the supply of cheap labour, instead of the Dublin employers moving with the times and changing their wasteful methods accordingly their only thought was to destroy the Union and to remain in the unprogressive, slovenly, unenterprising state which now and in the past has excited the laughter of every observant visitor.*

"*The whole record of the Dublin master class has been marked by a contemptuous and cynical disregard for every principle of social conduct set forth by his Holiness Pope Pius X, or his Holiness Pope Leo XIII.*

" Is fearr go dtuigfí gan a thuilleadh moille nach gcuireann cáineadh an tsóisialachais nó an tsiondacáiteachais as dúinn ar aon chor mar a cháintear iad sna Tréadlitreacha. Mar chórais iomlána mhachnaimh ní ann don dá phrionsabal seo, cibé a deireann nó a cheapann na fearmadóirí. Is ann dóibh, áfach, mar mhodhanna oibre agus is tairbheach go deo a dtionchar. An uair a ghlactar le ceachtar acu mar chóras lánsaothraithe machnaimh atá inniúil ar iompar an duine i ngach uile chás a threorú agus dá bhrí sin moráltacht an duine a rialú, ansin is féidir a rá, agus fáth éigin leis, go dtagann siad faoi réim cháinte na ndiagairí. Ach an dóigh a bhfuil gluaiseacht an lucht saothair á nglacadh faoi láthair, is é sin mar léiriúcháin ar mhodhanna gníomhaíochta sa saol tionsclaíoch agus polaitiúil — an dóigh amháin ar dócha go mbeidh meas ag an bpobal orthu nó go mbeidh siad úsáideach in Éirinn riamh — is féidir leis an sóisialaí nó leis an siondacáiteach is dílse ar bith a bheith chomh Caitliceach leis an bPápa más mian leis sin." (*Irish Worker*, 28.2.1914.)

Ar ndóigh bhí an míniú seo leis ar an sóisialachas agus an siondacáiteachas róshimplí ar fad agus bhí an dearcadh sin leis — nár ghnó don eaglais ceist ar bith ach moráltacht an duine (human morals, mar a thug sé air) — rófhada ón gceart agus an chonclúid a bhí intuigthe go bhféadfadh an sóisialachas nó an siondacáiteachas a bheith ann gan trasnú ar cheart ar bith róshaonta, go háirithe in éagmais sainmhínithe ar aon cheann de na téarmaí a úsáideann sé, le go nglacfaimis leis an méid seo gan tuilleadh scrúdaithe.

De thuras na huaire, áfach, tá an t-alt tábhachtach, ar an ábhar go léiríonn sé nach raibh laghdú ar bith tagtha ar mheanma nó ar fhonn troda nó ar dhíograis an Chonghailigh ar son na cúise. Má buaileadh na hoibrithe níor briseadh orthu nó ar a ranganna sa Cheardchumann. Sula raibh an bhliain istigh thug an Conghaileach breith ar thoradh na troda.

" Nuair a scríobhfaidh duine a bhfuil croí ionraic ann nó tuiscint chomhbháúil aige ar sclábhaíocht na mbocht an scéal sin, beidh scéal againn ar féidir le hÉirinn a bheith bródúil as i gceart . . .

"Agus inseoidh an scéal sin an dóigh ar bhain oibrithe Bhaile Átha Cliath an bua nach mór d'ainneoin saibhreas agus chumhacht na máistrí, d'ainneoin príosún agus buillí, d'ainneoin ocrais agus báis, agus an dóigh ar theip orthu an bua sin a bhaint ar an ábhar gur loic cuid dá gcomhghuaillithe san am ba thibhe an teagmháil, agus ar an ábhar fós nach raibh daoine eile taobh amuigh dá ranganna féin inchomórtais le huaisleacht na hócáide agus le háille na duaise a bhí le baint.

"Cogadh cothrom an toradh a bhí ar an troid. D'ainneoin phlean Napóileanach a bhfeachtais agus d'ainneoin úsáid gléasanna ba neamhthrócairí agus ba neamhchoinsiasaí ná mar a d'úsáid Napóilean riamh, ní raibh na fostóirí in ann leanúint lena ngnó in éagmais na bhfear agus na mban a mhair dílis dá gCeardchumainn. Níor éirigh leis na hoibrithe tabhairt ar na fostóirí aitheantas foirmiúil a ghéilleadh don Cheardchumann agus tosaíocht a ghéilleodh do na hoibrithe eagraithe. De dheasca chothromaíocht an chogaidh seo tá a lorg fágtha ar an dá thaobh go fóill. Agus go deo ní inseoidh aon duine cad é chomh trom leis an lorg sin.

"Ach níl aon chuid dá bhfonn troda caillte ag an lucht oibre, nó dá muinín astu féin, nó dá ndóchas go mbainfidh siad an bua go fóill. Tá bratach Cheardchumann Oibrithe Iompair agus Ilsaothair na hÉireann ar foluain go buacach go fóill i dtús cadhnaíochta os cionn lucht saothair na hÉireann agus tá an lucht saothair sin ag máirseáil go huaibhreach dúshlánach go fóill i dtosach na sluaite atá ag cruinniú le chéile agus ag saothrú as lámha a chéile ar son an náisiúin athghinte a bhunófar ar phobal a bheidh saor ó smacht an lucht tionscail." (*Irish Worker*, 18.11.1914.)

Sé mhí ina dhiaidh sin bhí an scéal seo le hinsint aige in óráid a thug sé do lucht an Cheardchumainn i gCorcaigh :

"Le déanaí rinneamar éileamh ar phá breise do gach uile chineál oibrí inár gCumann i mBaile Átha Cliath.

Ghéill na fostóirí faoi dheireadh don éileamh agus ag comhchruinniú d'ionadaithe an Cheardchumainn agus na bhfostóirí bhí na fostóirí sásta na ceisteanna seo a shocrú trí mheán an Chumainn, na rátaí a socraíodh ag an gcomh- chruinniú sin is iad a bheidh ag ár gcuid fear ar na céanna agus in aon áit eile a bhfostófar iad." (*Workers' Republic*, 29.5.1915.)

Cé a déarfadh gur buadh ar na hoibrithe sa chogadh fíochmhar sin dá ngairmtear Dúnadh Amach 1913 ?

5

ÓGLAIGH ARMTHA

Bhí toradh ar leith ar Dhúnadh Amach 1913 nach raibh éinne ag súil leis, mar bhí bunú Arm na Saoránach. Agus aird an Rialtais agus an uile dhuine beagnach den dá dhream a bhí páirteach ann ar thuile agus ar thrá throid na n-oibrithe, " bhí rud éigin ag tarlú áit eile," mar a dúirt an Conghaileach, " nach raibh súil ag an Rialtas leis agus nach rómhaith a d'fhéadfadh an Rialtas céanna glacadh leis go réidh. Ghlac an rud éigin sin cruth agus foirm an lá a d'fhógraíomar go raibh beartaithe ag Ceardchumann Oibrithe Iompair agus Ilsaothair na hÉireann Arm Saor- ánach dá chuid féin a eagrú agus a dhruileáil.

" Nuair a chonaic lucht na cathrach iad ar paráid trí na sráideanna shíl siad rud mór dá ndea-eagar agus dá bhféinsmacht agus cuireadh deireadh le seachrán ar bith dá raibh ar aon duine faoi lándáiríreacht na bhfear seo agus a gceannairí. Ina dhiaidh sin cuireadh tús leis na hÓglaigh tríd an tír agus thosaigh na fir óga líofa a bhí riamh ag cothú na n-ardaislingí faoi Éirinn ina gcroí ag cur eolais ar an druileáil." (*Irish Worker*, 13.12.1913.)

Má bhí tosach ag Arm na Saoránach ar na hÓglaigh ní amhlaidh a bhí nach raibh ceannairí Bhráithreachas Pob- lachtach na hÉireann ag machnamh le tamall roimhe sin ar eagraíocht óglach a bhunú. Shocraigh an Bráithreachas i mí Iúil, 1913, gur mhithid sin a dhéanamh nuair a bheadh an fear ceart le fáil nach mbeadh lucht Chaisleán Bhaile Átha Cliath ró-amhrasach faoi. I mí na Samhna scríobh an Piarsach alt i *Irish Freedom* inar thrácht sé ar a thábhachtaí a bhí sé go mbeadh Éireannaigh ag foghlaim láimhseáil arm. "Is dóigh liom," ar sé, "gur lú i bhfad an t-ábhar amaidí an tOráisteach a bhfuil raidhfil ina láimh ná an náisiúnaí gan raidhfil."

Agus an t-alt sin á scríobh ag an bPiarsach foilsíodh alt ar an téad chéanna a scríobh Eoin Mac Néill, dar theideal *The North Began*, ar an *Claidheamh Solais*. Cuireadh an Rathailleach chuig Mac Néill le ceist bhunú na nÓglach a phlé, ach gan é ainm an Bhráithreachais a lua. As sin a tháinig na hÓglaigh Náisiúnta a bunaíodh ag ollchruinniú sa Rotunda ar an 25ú Samhain, 1913. Chláraigh ceithre mhíle fear an oíche sin agus gan mhoill thosaigh na fir óga tríd an tír ag plódú isteach san eagraíocht. An 4ú Nollaig d'fhógair Caisleán Bhaile Átha Cliath cosc ar allmhairiú arm agus armlóin — measadh go raibh idir caoga agus ochtó míle raidhfil i lámha Aontachtaithe Uladh san am. Teacht dheireadh na bliana measadh go raibh deich míle fear sna hÓglaigh.

An t-am ba mhó a raibh an eagraíocht nua ag dul ar aghaidh b'shin é an t-am ab ísle a bhí brí sna stailceoirí agus ina gCeardchumann. D'fhág sin a lorg ar Arm na Saoránach. Thuairiscigh an Captaen de Faoite i ndeireadh mhí na Nollag, 1913, go raibh a lán daoine míshásta le bunú an Airm agus gur nós ag na céadta de na póilíní an tArm a thionlacan agus é ag máirseáil ionann agus "gur thionól de choirpigh" a bhí iontu.

"*Last but not least,*" ar sé, "*drilled and disciplined men will not allow themselves, and still less their women, to be batoned by the police like clubbed seals, they might even procure a law to which the police were amenable and which the magistracy would condescend to administer.*"

Agus labhair sé le fir an Airm :

"Bígí dílis don druileáil mar fhir a bhfuil a n-intinn socair ar dhul ar aghaidh go foighneach agus go seasmhach i dtreo a gcuspóra. Taispeánfaidh imeacht na haimsire cé acu is céad toradh ar bhur saothar sibh féin a shaoradh nó bhur dtír a shaoradh. Ach faoi dheireadh thiar ní féidir Éire a bheith saor gan sibhse a bheith saor nó sibhse a bheith saor gan Éire a bheith saor freisin. Neartaígí bhur lámh dá bhrí sin don saothar dúbailte seo."

Lean an tArm leis an druileáil agus na cosa scuaibe agus na camáin á n-iompar go cróga acu agus iad ag teacht agus ag imeacht ó Pháirc Chroydon go dtí an chathair agus ar ais arís. Ar ócáid amháin agus mórshiúl á threorú ag de Faoite, le cúnamh an Bhardais a lorg d'oibrithe a bhí gan phost, d'ionsaigh na póilíní é gur bhris a chloigeann le buillí na maidí. Tamall roimhe sin ní tharlódh a leithéid ach bhí an chuid ab fhearr den Arm ar iarraidh. Bhí cuid ar ais ag obair. Bhí eagla ar chuid eile go n-imreofaí díoltas orthu dá bhfeicfí leis an Arm iad. Bhí cuid eile ag liostáil leis na hÓglaigh nua. Níorbh iontas daoine á cheapadh go raibh deireadh leis an Arm !

Ón nuair ab éigean do na hoibrithe i mBaile Átha Cliath géilleadh, bhí ar an gConghaileach filleadh ar a chúram i mbun na craoibhe i mBéal Feirste ; bhí an Lorcánach ar ais i mbun gnóthaí i mBaile Átha Cliath — é i gceannas ar an gCeardchumann, agus ar Arm na Saoránach agus i mbun an *Irish Worker*. Bhí corraíl i gceart sna dreamanna polaitiúla éagsúla i mBéal Feirste san am. Bhí lucht na Lóistí Oráisteacha lán chomh gnóthach agus a bhí riamh, iad i mbun feachtais in éadan an Rialtais Dhúchais agus ag bagairt troda le go mbeadh Ulaidh neamhspleách ar an chuid eile d'Éirinn dá dtiocfadh an rialtas a bhí á éileamh ag Páirtí na hÉireann ar Shasana. Bhí Óglaigh Uladh, arm míleata na nOráisteach, ag earcú agus ag druileáil leo. Bhí lucht leanúna Sheosaimh Uí Dhoibhlín ag cur eagair ar na Caitlicigh in ainm an Pháirtí agus ag faire ar na hOráistigh. Bhí ionadaithe an Bhráithreachais Phoblachtaigh ag leanúint lena gcuid oibre féin ach gan mórán á rá acu fúithi. Bhí Óglaigh na hÉireann bunaithe sa chathair agus slua mór de na fir óga imithe isteach iontu. Bhí dream ar leith poblachtaithe ann, an tÓg-pháirtí Poblachtach, a raibh a lán den óige a bhí ag géilleadh don teagasc poblachtach

agus don teagasc sóisialach ar aon páirteach ann. Bhí
Páirtí Neamhspleách Lucht Saothair na hÉireann, páirtí
an Chonghailigh, an-ghníomhach ann. Bhí dreamanna eile
ann agus a ngné ar leith den teagasc náisiúnta nó den
teagasc frithnáisiúnta nó den teagasc sóisialta mar chúram
orthu.

Ní raibh moill ar an gConghaileach ar fhilleadh ar
Bhéal Feirste dó dul i mbun obair a pháirtí féin. Bhí sé
buartha go nglacfaí leis an moladh go gceadófaí do chon-
taetha áirithe de Chúige Uladh fánacht taobh amuigh de
réim Rialtas na hÉireann i gcás go dtiocfadh sin ann.
Scríobh sé a lán alt faoin cheist seo. Dúirt sé " nár cheart
go ndéanfaí an moladh riamh agus gur chóir cur ina éadan
le neart airm dá mba ghá." (*Forward*, 21.3.1914.)

"*The recent proposals of Messrs. Asquith, Devlin,
Redmond & Co., for the settlement of the Home Rule
question deserve the earnest attention of the working class
democracy of this country. They reveal in a most striking
and unmistakable manner the depths of betrayal to which
the so-called Nationalist politicians are willing to sink.
For generations the conscience of the civilised world has
been shocked by the historical record of the partition of
Poland . . .*

"*But Ireland, what of Ireland ? It is the trusted
leaders of Ireland that in secret conclave with the enemies
of Ireland have agreed to see Ireland as a nation disrupted
politically and her children divided under separate political
governments with warring interests . . .*

"*Such a scheme as that agreed to by Redmond and
Devlin, the betrayal of the national democracy of industrial
Ulster . . . would set back the wheels of progress, would
destroy the oncoming unity of the Irish Labour movement
and paralyse all advanced movements whilst it endured.*

"*To it Labour should give the bitterest opposition,
against it Labour in Ulster should fight even to the death,
if necessary, as our fathers fought before us.*" (*Irish
Worker*, 14.3.1914.)

Is suimiúil linn an chaint seo ar " throid fiú go himirt

anama ''. San am ar scríobh sé an t-alt bhí an Conghaileach ag smaoineamh ar an atheagar a bhíothas a bheartú d'Arm na Saoránach. Ní raibh ann san am ach an t-aon chomplacht amháin a d'fhan dílis don Chaptaen de Faoite. Bhí dóchas an Chaptaein féin ag trá an uair a mhol Seán Ó Cáthasaigh dó gur chóir go n-aithneofaí an tArm mar aonad ar leith den lucht saothair, a mbeadh a bhunreacht féin aige agus a chomhairle féin aige le haire a thabhairt don phoiblíocht, d'airgeadas agus do chúrsaí éagsúla eagraíochta. D'aontaigh an Captaen leis an moladh agus tionóladh cruinniú leis na moltaí a phlé. Tháinig an Conghaileach aduaidh le haghaidh an chruinnithe agus ba eisean a mhol go dtionólfaí cruinniú poiblí i Halla na Saoirse ar an 22ú Márta, 1914, agus fós go n-iarrfaí ar Shéamas Ó Lorcáin a bheith i gceannas ar an gcruinniú tharla gurbh eisean ceann an Cheardchumainn.

Shocraigh an cruinniú ar an dréachtbhunreacht a mholfaí ag an gcruinniú poiblí. Tionóladh an cruinniú agus glacadh leis an mbunreacht. Dhearbhaigh an bunreacht :

1. Gurb é céad phrionsabal agus prionsabal deireanach Arm Saoránach na hÉireann a dhearbhú go bhfuil úinéireacht na hÉireann, morálta agus ábhartha, dílsithe ó cheart i muintir na hÉireann.

2. Go seasfaidh Arm Saoránach na hÉireann ar son aontas iomlán náisiúntacht na hÉireann agus go dtabharfaidh sé tacaíocht dó chearta agus do shaoirsí daonlathacha na náisiún uilig.

3. Go mbeidh sé mar chuspóir amháin aige an uile dhifríocht bheireatais, maoine agus creidimh a bhá faoi ainm coiteann Mhuintir na hÉireann.

4. Go mbeidh Arm na Saoránach oscailte don uile dhuine a ghlacann le prionsabal an chirt chothroim agus na deise cothroime do Mhuintir na hÉireann.

5. Sula gcláraítear aon iarrthóir is gá dó, más duine intofa é, a bheith ina bhall dá cheardchumann agus an ceardchumann a bheith aitheanta ag Comhdháil Ceardchumann na hÉireann.

Toghadh an Captaen de Faoite ina Uachtarán ar an Arm, agus Séamas Ó Lorcáin ar dhuine de na Leasuachtaráin. Toghadh Seán Ó Cáthasaigh ina rúnaí agus an Chuntaois Markievicz ar dhuine den bheirt chisteoir. Níl ainm Shéamais Uí Chonghaile ar liosta an choiste, cé nach dócha go mbeadh aon duine i bhfad amú dá nglacfadh sé go bhfuil lámh an Chonghailigh le haithint ar chuid de na chéad cheithre phrionsabal sa bhunreacht — ba é an Lorcánach a mhol uimhir a cúig. Ar an 6ú Aibreán thug Comhairle Ceirdeanna Bhaile Átha Cliath aitheantas don Arm.

Ceannaíodh caoga culaith den éadach dúghlas agus na feistis mhíleata ba ghá. Hataí agus an t-imeall crochta in airde ag taobh amháin an ceannbheart a caitheadh leis an éide. Dhearaigh ball den Arm darbh ainm Mac Eochaidh bratach an Chéachta Réaltógaigh don Arm. Tosaíodh ar an earcú agus ar an eagrú. Cuireadh ciorcláin chuig na craobhacha de na ceardchumainn tríd an tír agus tugadh faoi fheachtas dian earcaíochta sa chathair agus i gcontae Bhaile Átha Cliath. Obair dhian a bhí ann agus gan mórán toraidh air. I mBaile Átha Cliath agus sa chontae amháin a bunaíodh an tArm. Tá trácht ar Roinn Bhéal Feirste den Arm. D'fhoilsigh an Roinn seo ráiteas nuair a thosaigh an cogadh i 1914, ach nuair a chuir Cathal Ó Seanáin ceist ar an gConghaileach cé hiad a bhí sa Roinn sin, dúirt seisean :   "Miss Carney (Rúnaí Cheardchumann na nOibrithe Éadaigh), tú féin agus mé féin."

Bhí an Conghaileach agus a chairde sa Pháirtí Neamhspleách i mBéal Feirste i mbun feachtais in éadan na deighilte a moladh don tír. I mí Aibreáin na bliana sin 1914 chuir an páirtí cruinniú ar bun i Halla Mhuire Naofa mar fhreagra ar chruinniú a thionóil Seosamh Ó Doibhlín sa halla céanna mar ar ghlac a lucht leanúna leis an moladh deighilte. Ba é an Conghaileach an t-aon Chaitliceach amháin a bhí ar na cainteoirí ar an ardán. Bhí an halla plódaithe agus ba iad lucht Bhóthar na bhFál, lucht leanúna Sheosaimh Uí Dhoibhlín, is mó a bhí i láthair. B'eol dóibh nach raibh aon bhá ag an gConghaileach leis an Doibhlíneach. Agus ní hé sin amháin é ach labhair sé go han-láidir ag an gcruinniú in éadan an Pháirtí Pharlaimintigh a d'aontaigh i ndeighilt na tíre agus i scaradh leis an chuid sin d'Éirinn ar fhás na hÉireannaigh Aontaithe agus an ghluaiseacht phoblachtach inti. Mar sin féin d'éirigh go han-sásúil leis an gcruinniú agus glacadh d'aonghuth leis na rúin a cháin deighilt na tíre. D'eisigh an Páirtí Neamh-spleách ráiteas freisin ar an dul céanna agus ghlaoigh ar an lucht saothair seasamh go daingean in éadan dhrochrún na bParlaiminteach.

Scríobh an Conghaileach alt faoin teideal " Buanseas-mhacht an Lucht Oibre " d'uimhir na Cásca de *Forward*. Bhí fonn magaidh air agus é ag cur síos ar ghunnaí adh-maid Óglaigh Uladh :

" Táimid go léir an-ghnóthach ag baint aoibhnis as an saol agus ós amhlaidh is í seo an Chaisc dheireanach sula gcuirfidh bladhairí dearga an áir dealramh ar na cnoic agus sula silfidh na sruthanna dearga fola le sleasa na ngleannta (Ahem !) is éigean dár siamsa a bheith lán-suimiúil agus lán-eachtrúil. Óir is ní uafásach agus ní an-dáiríre é a rá gur baol go mbeidh gunnaí adhmaid Uladh ag scaoileadh i gcionn míosa nó dhó. Agus go mbeidh an lucht tarrthála othar lán-ghnóthach ag iarraidh cloiginn scoilte a cheangal agus sruthanna fola ó shróna briste a stopadh. (*Forward*, 18.4.1914.)

Bheadh ábhar gáire ag lucht na ngunnaí adhmaid ar ball beag !

6

GUNNAÍ LATHARNA

Maidin an 24ú Aibreán bhí scéala ag lucht na sráideanna i mBéal Feirste a bhain croitheadh as an gConghaileach. Bhí Óglaigh Uladh i ndiaidh lastaí de ghunnaí agus d'arm-lón a thabhairt isteach ar bháid go dtí Latharna, Beann-chor agus Domhnach Diagh. Bhí 35,000 raidhfil Mauser agus 2,500,000 piléar sna lastaí agus tugadh i dtír iad gan na póilíní ná aon duine eile d'fhórsaí an Rialtais cur isteach ar an obair. Ón Ghearmáin a tháinig siad.

Bhí an Conghaileach ag déanamh a mhachnaimh ar an toradh a bheadh ar obair na maidine. Bhí gunnaí anois ina lámha ag Óglaigh Uladh agus níorbh aon ghunnaí adhmaid iad. Bhí Óglaigh na hÉireann i ndiaidh fás go han-láidir sa tuaisceart agus ní raibh gunna ar bith ach ar éigean acu. Chaithfeadh siad iad a fháil agus bheadh eiseamláir Óglaigh Uladh á spreagadh chuige agus, ar shlí, an bealach réitithe ag na hOráistigh dóibh. An mbeidís in ann é a dhéanamh ? An mbeadh an t-airgead acu ? An mbeadh sé de dhánacht iontu é a dhéanamh ? Agus dá bhfaighidís na hairm an mbeidís sásta iad a úsáid ?

Níorbh aon fhear lámh láidir é féin nó, ar scor ar bith, níorbh fhear é a bhí tugtha don chaint bhladhmannach faoin ghunnadóireacht. Leis an fhírinne a rá bhí droch-mheas le fada aige ar a leithéid :

"*The latter-day high falutin ' hillside' man exalts into a principle that which the revolutionists of other countries have looked upon as a weapon, and in his gatherings prohibits all discussion of those principles which formed the main strength of his prototypes elsewhere and made the successful use of that weapon possible.*"

" Ní dhéanaimid féin prionsabal de (an lámh láidir) ach ní shéanaimid é mar ní nach ceart smaoineamh air . . . Má tá gach bealach síochánta dá bhfuil ag an bPáirtí triailte acu le taispeáint do na daoine agus dá naimhde go bhfuil tacaíocht an mhóraimh ag na tuairimí nua réabhlóideacha, sa chás sin agus sa chás sin amháin, tá ceart ag an bPáirtí tabhairt faoi chumhacht rialtais a ghlacadh chuige féin agus an lámh láidir a úsáid leis an aicme nó an Rialtas a chur i leataobh." (*Workers' Republic*, 22.7.1899.)

Tráth bhunú Arm na Saoránach nocht sé a thuairimí arís :

" Is eol dúinn ár ndualgas mar is eol dúinn ár gceart agus seasfaimid dílis dá chéile mín agus garbh agus sinn ullamh, más gá, chun airm a ghlacadh agus ár n-áit sa saol a bhaint amach leis an láimh láidir agus greim a choinneáil air le neart arm." (*Irish Worker*, 25.10.1913.)

Ach nocht sé tuairim ar ball nach raibh díreach ar aon dul leis sin :

" Dar liomsa gur gá aon chorraíl a bhfuil cuspóir polaitiúil nó eacnamaíochta léi a bheith bunaithe ar an tuiscint go bhfuiltear réidh agus ábalta leis an bhfórsa a úsáid . . . Is é an t-aon fhórsa atá lena lámha ag an oibrí, fórsa eacnamaíochta ; nuair a thiocfaidh gabháil na cumhachta pol-aitiúla tiocfaidh sé de bharr gur gabhadh roimhe sin an chumhacht eacnamaíochta, cé gur féidir agus gur ceart an ghabháil sin a bheith ag fáil tacaíochta ó ghníomhaíocht pholaitiúil na ndaoine sin a thuigeann lán-mhíniú agus cuspóir throid an aicme oibre." (*Forward*, 14.3.1914.)

D'fhéadfaí a rá gur léir ó na hailt seo agus ó na tuairimí a nocht sé sna hailt a scríobh sé i dtús 1914 faoi dheighilt na hÉireann go raibh a thuairimí ar cheist seo úsáid na n-arm roinnt míshoiléir. Is gá dúinn a mheabhrú, áfach, gurbh fhear táigiúil ina thuairimí é Séamas Ó Conghaile agus nach raibh sé de réir a nádúir a bheith ag déanamh bladh-mainn faoi úsáid arm san am nach raibh ann ach gunnaí adhmaid. Rud eile, is cuma cad é an dóchas a bheadh aige as gunnaí, ba bhuaine a dhóchas as an toradh a thioc-fadh gan teip faoi dheireadh, dar lena chreideamh sóisial-ach, ar an aicme shaothair an fórsa eacnamaíochta a bhí ina lámha a úsáid. Ba é a thuairim mar sin féin, mar a dúirt sé i *Forward* (14.3.1914), go bhféadfadh troid an aicme shaothair a lán tacaíochta a fháil ó dhaoine a bhí báúil leo dul ar aghaidh lena gclár polaitiúil féin. Ionann agus nach ndiúltódh sé comhoibriú leo !

Anois ó bhí gunnaí tugtha isteach ag Latharna ag Óglaigh Uladh bhí athrú tagtha ar an scéal. An rud a bhí déanta acusan bheadh sé indéanta ag dream eile. Bheadh, dá mbeadh an mianach iontu ! Dá mbeadh an mianach in Óglaigh na hÉireann mar shampla ? B'shin í an cheist !

Ceist eile a tháinig ina cheann agus gunnaí Latharna á meabhrú aige an t-aighneas a bhí ar siúl idir Arm na Saor-ánach agus Óglaigh na hÉireann i mBaile Átha Cliath. Bhí an t-aighneas sin ann ón oíche a bunaíodh na hÓglaigh. Labhair daoine áirithe ar an ócáid sin a bhí, dar le cuid den lucht oibre a bhí i láthair, ar thaobh na bhfostóirí sa stailc. Mhair an easpa comhoibrithe go ceann i bhfad idir an dá dhream. Ar ócáid amháin dhiúltaigh Eoin Mac Néill comh-oibriú ar an ábhar go raibh an Captaen de Faoite páirteach i mbruíon leis na póilíní. Ar ócáid eile chuir coiste Arm

153

na Saoránach dúshlán chuig ceannairí na nÓglach díos-
póireacht phoiblí a dhéanamh faoi cé acu den dá dhream
ab fhíorionadaithe don lucht saothair. Níor thaitin an
t-aighneas seo leis an gConghaileach agus ní raibh sé
páirteach ann, ach rinne iarrachtaí an mhíthuiscint a
shocrú ó am go chéile.

Bheadh sé féin sásta comhoibriú leis na hÓglaigh dá
mbeadh sé cinnte go raibh siad dáiríre faoi shaoirse na
hÉireann agus bá éigin acu leis an aicme shaothair. Agus
b'shin dhá rud a raibh amhras air fúthu. Bhí daoine i
gceannas ar Arm na Saoránach, roinnt díobh, ar aon nós,
a bhí a fhios aige nach ngéillfeadh don chomhoibriú sin,
daoine ar leor leo a gcreideamh sóisialta agus a ndóchas as
cogadh na n-aicmí agus nach raibh aon chuid, ach ar
éigean, den chreideamh láidir náisiúnta acu a bhí aige féin.
B'ait le cuid acu é mar shóisialaí mar a léirigh siad ar
ball.

B'ait fós le cuid de na náisiúnaithe an dearcadh a bhí
ag an gConghaileach orthu féin :

" Creidimid nach bhfuil fíornáisiúnaí in Éirinn taobh
amuigh de Ghluaiseacht Lucht Saothair na hÉireann.
Gach dream eile is rún dóibh gné éigin den choncas Briot-
anach a chealú — is í gluaiseacht an Lucht Oibre an
ghluaiseacht amháin a chuireann roimpi an concas ina
iomláine a chealú agus a bhfuil athghabháil na hÉireann
mar chuspóir aici." (*Irish Worker*, 30.5.1914).

Ach má b'ait leis na naisiúnaithe an tuairim ní raibh
ann ach athinsint ar an dearcadh a bhí nochta go minic
aige roimhe sin. Bhí sé leis an dearcadh céanna a dhéanamh
soiléir arís agus arís eile sa dá bhliain a bhí roimhe :

" *The conquest of Ireland has meant the social and
political servitude of the Irish masses, and therefore the
re-conquest of Ireland must mean the social as well as the
political independence from servitude of every man, woman
and child in Ireland.*" (*The Reconquest of Ireland.*) Agus
tamall gearr roimh an Éirí Amach scríobh sé :

" Is í cúis an lucht saothair cúis na hÉireann, is í cúis
na hÉireann cúis an lucht saothair."

Mar sin de cé go raibh an Conghaileach tógtha nuair a tháinig scéala Latharna chuige, ní hamhlaidh a chuir sé aon athrú ar a dhearcadh. Rud is furasta a dhearmad agus aigne an Chonghailigh sa trath seo á meas, go raibh suim ag an gConghaileach i ngluaiseacht an lucht saothair agus an tsóisialachais thar lear i gcónaí agus dóchas aige aisti. Bhí sé cairdiúil go háirithe leis na sóisialaithe thar Mhuir Mheann agus é ag scríobh le blianta do *Forward,* páipéar sóisialach na hAlban. Mar shampla, shílfeadh duine ón méid a scríobh sé sa pháipéar sin i mí Bealtaine gurbh é an smaoineamh ab fhaide siar ina cheann raidhfil agus armlón.

Tá an t-alt suimiúil ann féin sa mhéid go léiríonn sé mar a sheas sé leis an teagasc a thug sé leis ó na Stáit Aontaithe :

"Is ceart go bhfoghlaimeoimis ó fhorbairt chumhacht an stáit sa lá inniu nach gcosnóidh an ceart guthaíochta uaidh féin an t-oibrí mura mbíonn eagraíocht láidir eacnamaíochta taobh thiar de . . .

"Ar an láimh eile léiríonn an fhorbairt chéanna dúinn, go dtí go mbeidh a gcumhacht eacnamaíochta forbartha ag na hoibrithe leis na fórsaí eacnamaíochta a smachtú, go n-úsáidfidh an aicme a bhfuil an smacht acu a gcumhacht pholaitiúil go neamhthrócaireach agus de réir na heolaíochta le gníomhaíocht ghluaiseacht na n-oibrithe a chosc, a bhacadh agus más féidir a scrios . . .

"Taobh istigh d'eagar sóisialta an chaipitleachais ní léir dom aon slí ar féidir córas eacnamaíochta nua a thógáil a oirfidh do dhíchur an tseanchórais le modh an tsóisialachais mura dtógtar an t-ord nua de réir na dtionscal atá forbartha ag an gcaipitleachas féin. Mar sin de is ceardchumannaí tionsclaíoch mé i mo chroí agus i gcroí mo chroí." (*Forward,* 9.5.1914.)

Dá bhrí sin is léir dúinn trí ghné i ndearcadh sóisialta agus polaitiúil an Chonghailigh sa tráth seo nuair a bhí stair na hÉireann idir dhá cheann na meá : cúis na hÉireann, cúis an lucht oibre in Éirinn, agus cúis an lucht oibre i gcoitinne nó a shóisialachas idirnáisiúnta, ach gan aon chúis a bheith ina cúis ar leith ach iad mar a bheidís ina ngnéithe éagsúla den aon cheist amháin. Mar cheard-chumannaí a raibh a chroí i gcúis an lucht oibre níor léir dó gur nocht lucht stiúrtha na nÓglach aon bhá ar leith leis an chúis sin. Mar náisiúnaí a raibh a chroí i gcúis na hÉireann níor léir dó gur thaispeáin lucht stiúrtha na nÓglach go fóill go raibh siad dáiríre faoin chúis sin.

7

GUNNAÍ BHINN ÉADAIR

An té nach mbeadh eolach ar obair an Bhráithreachais Phoblachtaigh sa bhliain sin 1914, agus ba bheag a bhí, b'fhurasta dó a cheapadh gur ag útamáil leis an tsaigh-diúireacht a bhí Óglaigh na hÉireann. B'fhéidir freisin gur sin a bhí ar siúl acu cuid mhór ach go raibh rún ag an mBráithreachas nach mar sin a bheadh. Ní raibh Eoin Mac Néill sa Bhráithreachas ach ó bhunú na nÓglach bhí tromlach ag an mBráithreachas ar an gCoiste Stiúrtha. Má bhí, níor mhian leis an mBráithreachas a lámh a thais-peáint ach ba é a rún féachaint chuige go n-imreofaí na cártaí de réir mar a d'oir dá bplean féin.

Mar sin féin nuair a shocraigh Mac Réamainn, agus é ag ceapadh gur ghearr go mbeadh sé ina cheann ar Rialtas Dúchais, gur mhithid go mbeadh smacht éigin aige ar na hÓglaigh, ghlac an Coiste leis an moladh. Chuir mionlach ar a raibh Pádraig Mac Piarais, Éamonn Ceannt, Seán Mac Diarmada agus Conchubhar Mac Colbairt in éadan mholadh Mhic Réamainn ach mhol nuair a buadh orthu go seasfadh gach duine taobh thiar den eagraíocht.

Ba é moladh Mhic Réamainn go mbeadh cúig ionadaí is fiche a d'ainmneodh sé féin ar an gCoiste chomh maith leis an gcúig is fiche a bhí ann cheana. Ar an 16ú Meitheamh, 1914, géilleadh dá mholadh.

Deich lá ina dhiaidh sin bhí tabhairt amach mór ann ag Baile Buadáin. Bhí na hÓglaigh ag máirseáil sa pharáid mar aon le Cumann na mBan, Fianna Éireann agus Arm na Saoránach. Dhá chéad fear den Arm a mháirseáil an lá sin agus an Lorcánach i gceannas orthu. Ba é Tomás Ó Cléirigh a thug an óráid ag Uaigh Tone agus mhol sé lena linn Arm na Saoránach. Bhí na Fianna ina ngarda ónóra timpeall na huaighe. Taobh amuigh díobh bhí rang eile ina raibh fear de na hÓglaigh agus fear den Arm agus gach re fear gualainn ar ghualainn. D'fhreagair na hÓglaigh agus an tArm ar aon d'orduithe an aon cheannaire. Ba dhealraitheach an lá sin go raibh síocháin agus tuiscint idir an dá dhream.

Ní raibh Séamas Ó Conghaile i láthair lá comórtha Bhaile Buadáin. Thagadh sé go minic go Baile Átha Cliath ó d'fhill sé ar a chlann agus ar a chúram féin i mBéal Feirste. Agus bhíodh sé páirteach sna mórchruinnithe ann. Bhí toradh greannmhar go maith ar cheann de na turais seo ó dheas. Tugadh poiblíocht i gcuid de na páipéir i mBéal Feirste do na tuairimí polaitiúla a nocht sé i mBaile Átha Cliath. Nuair a d'fhill sé ar a oifig i mBéal Feirste fuair sé litir roimhe agus í sínithe ag na dugairí a fhostaítí ar bhád Learphoill a chuir in iúl dó go raibh siad ag éirí as Ceardchumann Oibrithe Iompair agus Ilsaothair na hÉireann ar an ábhar nach bhféadfaidís fanacht ann *" owing to Mr. Connolly's political and ungodly propensities "*.

Bíodh sin mar atá, níor tháinig sé go Baile Átha Cliath lá Bhaile Buadáin. Ní raibh céim ar bith aige in Arm na Saoránach agus d'fhág sé a ngnó fúthu féin agus iad faoi shúile na nÓglach agus an phobail ag Baile Buadáin. Fear eile nach raibh i láthair an Captaen de Faoite. Níor aontaigh sé leis na daoine sin a bhí ag iarraidh an dá dhream a choinneáil in adharca a chéile agus i mí Bealtaine d'éirigh sé as an Arm agus liostáil leis na hÓglaigh. Bhí sé ina oifigeach sna hÓglaigh go ceann tamaill. Toghadh an Lorcánach ina chathaoirleach agus ina cheannasaí ar an Arm. Bhí an Chuntaois Markievicz fós ar choiste an Airm agus í go mór i bhfáth le comhoibriú leis na hÓglaigh. Rinneadh iarracht tabhairt uirthi éirí as an gcoiste ach lean sí léi ar a dícheall i gcónaí ag iarraidh cairdeas idir an dhá dhream a chothú.

157

Mí go díreach i ndiaidh an chomórtha i mBaile Buadáin rinneadh gníomh a thug an tArm agus na hÓglaigh níos gaire dá chéile ná mar a bhí siad fiú an lá sin. Thug na hÓglaigh naoi gcéad raidhfil agus fiche a naoi míle piléar i dtír ag Binn Éadair. I Hamburg a ceannaíodh iad agus ba é Erskine Childers a thug ina bhád seoil, *Asgard*, go hÉirinn iad. Tháinig an bád cuan Bhinn Éadair isteach maidin Dé Domhnaigh, an 26ú Iúil, 1914, agus Erskine Childers i mbun na stiúrach. Ina chuideachta bhí a bhean chéile agus Mary Spring-Rice, iníon an Tiarna Monteagle. Bhíothas ag súil leo.

Níorbh aon ní as an choitiantacht an mháirseáil a rinne Óglaigh na hÉireann i mBaile Átha Cliath an mhaidin Domhnaigh sin. Agus iad ag tabhairt aghaidhe ar Bhinn Éadair níorbh eol, fiú dóibh féin, taobh amuigh de bheagán dá n-oifigigh, cad é an obair a bhí rompu. Nuair a tháinig siad fad leis an ché ag Binn Éadair, chonaic siad an bád bán seoil ag teannadh le balla na cé, agus ba ghearr gur tuigeadh dóibh go raibh obair ar leith rompu an mhaidin sin. Tosaíodh ar an lasta a chur i dtír gan mhoill. Níor thúisce bosca ar an ché ná osclaíodh é agus tugadh amach na raidhflí. Gach fear agus raidhfil aige chuaigh siad sna ranganna athuair agus thug aghaidh arís ar an chathair. Ní raibh armlón leo. Cuireadh sin i ngluaisteáin go hionaid fholaigh a bhí socraithe roimh ré. Fiche nóiméad ó thosaigh an obair bhí sí tugtha i gcrích.

Sula raibh an tseachtain istigh, scríobh Séamas Ó Conghaile cuntas ar an eachtra agus ar thoradh nach rabhthas ag súil leis, a lean air níos moille sa lá. Ní scéal scéil ar fad a bhí aige air. Bhí Nóra agus Ina, iníonacha Uí Chonghaile, i mBaile Átha Cliath an deireadh seachtaine sin i gcampa na bhFianna. Oíche Dé Domhnaigh fuair siad an scéal ó bhéal cuid de na daoine a bhí páirteach ann. Chaith siad an lá dár gcionn ag tabhairt lámh chuidithe do na hÓglaigh a bhí fós ag cur na raidhflí i bhfolach. Gealladh dhá raidhfil dóibh do Bhéal Feirste.

" Ar an Domhnach, an 26ú Iúil," scríobh an Conghaileach, "d'éirigh le hÓglaigh na hÉireann éacht smuglála gunnaí dá gcuid féin a thabhairt i gcrích ag Binn Éadair, Baile Átha Cliath. Mháirseáil cúpla míle Óglach amach ó Bhaile Átha Cliath agus ghlac seilbh ar an mbaile. Cuireadh gardaí ar na bóithre uilig isteach go Baile Átha Cliath, gearradh sreanga teileagrafa agus teileafóin agus cuireadh gach socrú míleata i dtreo le go mbeidís saor ó chur isteach ó na húdaráis . . .

"Cuireadh i dtír a lán raidhflí, agus armlón, agus ansin mháirseáil na hÓglaigh agus eagar míleata orthu i dtreo na cathrach . . .

"Mháirseáil na póilíní taobh leis na cathláin, agus gan iad in ann níos mó a dhéanamh, agus níor thug faoi chur isteach orthu nó bhac a chur leo. Ach d'éirigh le rothaí éigin imeacht leis agus an scéala a thabhairt go Caisleán Bhaile Átha Cliath. Chuir na húdarais ansin reisimint saighdiúirí, The King's Own Scottish Borderers, chun bóthair agus orduithe acu, de réir cosúlachta, na raidhflí a ghabháil agus stad a chur leis an mháirseáil.

"Chas na saighdiúirí ar na hÓglaigh i ngar do Bhaile Bocht. Chuir siad eagar catha orthu féin trasna an bhóthair roimh na hÓglaigh agus d'ordaigh dóibh na raidhflí a thabhairt suas agus éirí as an mháirseáil. Cé go raibh na póilíní thart orthu agus na saighdiúirí rompu dhiúltaigh na hÓglaigh na hairm a ghéilleadh . . . Tharla, amaideach go leor, nár thug siad armlón leo, ní raibh gléas cosanta ag na hÓglaigh ach bunanna a raidhflí in éadan bheaignití na saighdiúirí. Dá bhrí sin ba choimhlint leataobhach í. Ghabh na saighdiúirí tuairim agus fiche raidhfil. Tugadh an chuid eile slán ón áit . . .

"I ndiaidh an bhua chaithréimigh seo mháirseáil na saighdiúirí ar ais chun na cathrach, agus slua feargach á dtionlacan ar feadh an bhealaigh . . .

"Agus na saighdiúirí ag dul trí lár na cathrach méadaíodh ar an slua agus ar a bhfearg. Caitheadh clocha agus cuireadh isteach ar mháirseáil na saighdiúirí. Go tobann d'ordaigh oifigeach dá chuid fear tiontú ar an slua agus scaoileadh leo. Níor léadh Acht na Círéibe, ní raibh Giúistís i láthair, níor tugadh rabhadh, ach sula raibh fios a gcontúirte ag na daoine scaoileadh an rois urchar leo sa bhealach cúng plódaithe sin (Cé na mBaitsiléir)."

Lean sé leis ansin gur chuir an láimhseáil a fuair Óglaigh na hÉireann i mBaile Átha Cliath i gcomórtas le hÓglaigh Uladh sa tuaisceart agus níor lig an ócáid thart gan oibrithe Bhaile Átha Cliath a mholadh.

"*Brave, heroic Dublin! Ever battling for the right, ever suffering, ever consecrating by the blood of your children the weary milestones of the path of progress* . . .

"*Magnificent Dublin! As you emerged with spirit unbroken and heart undaunted from your industrial tribulation, so you will arise mightier and more united from the midst of the military holocaust with which this Government of all the treacheries meets your plans for political freedom.*

"*Labour will not be swept off its feet in this crush. But Labour sees that all its antagonisms to this Government were more than justified . . . and that the only real hope of the people is in the strength of the people.*" (*Forward*, 1.8.1914.)

Níl aon fhocal san alt seo a bhféadfaí a rá faoi gur focal molta na nÓglach é, nó a thabharfadh le fios go raibh an tabhairt isteach gunnaí seo ina ábhar le tuairim an Chonghailigh ar na hÓglaigh agus a ndáiríreacht a bhogadh. An moladh atá ann is moladh ar oibrithe Bhaile Átha Cliath é. An abairt sin "*Labour will not be swept off its feet in this crush*" níl sé soiléir cad é go díreach an bhrí ba mhian leis an gConghaileach a bheith leis murbh é go raibh eagla air go mbogfadh an díograis náisiúnta a mhúsclódh eachtraí den chineál seo an lucht oibre ón dílseacht don chuspóir sóisialach ar shaothar saoil ag an gConghaileach iad a ghríosú ina threo.

Seachtain i ndiaidh thabhairt isteach na n-arm ag Binn Éadair tugadh sé chéad raidhfil eile agus fiche míle piléar isteach ag Cill Chúile i gCo. Chill Mhantáin. Ach faoin am sin bhí scéala eile i mbéal an tslua agus a n-aird ar ghunnaí i bhfad i gcéin.

VII

AN COGADH MOR

1

DÚIL GAN FÁIL

I Mí MEITHIMH maraíodh an tArd-Diúc Franz Ferdinand, oidhre chóróin na hOstaire, ag Sarajevo i mBosnia. Mhaígh an Ostair gurbh í an tSerbia a bhí taobh thiar den ghníomh agus d'fhógair cogadh uirthi. Sheas an Fhrainc in éadan na hOstaire. Thaobhaigh an Ghearmáin leis an Ostair. Ar an 4ú Lúnasa d'fhógair Sasana go seasódh sí taobh leis an Fhrainc.

Ar an dara lá den mhí ba léir cheana go mbeadh Sasana páirteach sa chogadh. Maidin an lae sin i ndiaidh don Chonghaileach nuachtán na maidine a léamh, d'iompaigh sé ar Chathal Ó Seanáin a bhí leis san am in oifig an Cheardchumainn i mBéal Feirste, agus dúirt :

" Ciallaíonn sin cogadh. Dhá uair roimhe seo i mo shaol tháinig an chaoi le troid a chur ar Shasana agus níor glacadh leis. Ach dar Dia ! " ar sé (ag bualadh an bhoird lena dhorn agus ag labhairt go huaimhneach sollúnta) " ní ligfidh mé an chaoi seo tharam." D'iarr sé ar Chathal labhairt gan mhoill le Donncha Mac Con Uladh, Cathaoirleach an Bhráithreachais Phoblachtaigh i gCúige Uladh, agus an scéal a insint dó, " agus abair leis go raibh tú ag caint liomsa. Abair leis freisin go mbeidh mé ag dul go Baile Átha Cliath agus gur mian liom labhairt lena chairde. Ná bac leis an fhoirmiúlacht ; ar ócáidí den chineál seo tá mé sásta fiche móid a ghlacadh . . . ar aon nós tá eolas agam ar an gCléireach, ar Mhac Diarmada agus ar an bPiarsach agus i dtaca leis an gcuid eile díobh beidh eolas maith go leor ag Liam Ó Briain orthu."

Ar an 3ú lá de Lúnasa d'fhógair Sir Edward Grey i bParlaimint Shasana go raibh sé ar intinn an rialtais cogadh a fhógairt. Labhair Mac Réamainn mar cheannaire an Pháirtí Pharlaimintigh i dTeach na gComóinteach. Bhí sé san áit a bhféadfadh sé labhairt níos dána le Rialtas Shasana ná mar bhí éinne de cheannairí na hÉireann le fada an lá. Bhí Arm na nÓglach in Éirinn réidh chun gnímh ar son na hÉireann agus bhí Sasana i ndiaidh éileamh na tíre ar Rialtas Dúchais a chur ar an mhéar fhada. Dá mbeadh an Réamannach le ócáid fhógairt an chogaidh a ghlacadh le éileamh na hÉireann a bhrú ar Rialtas Shasana, d'fhéadfadh sé go bhfeicfí don rialtas sin gur mhithid aird níos géire a thabhairt ar an éileamh céanna. In áit sin a dhéanamh, áfach, dhearbhaigh an Réamannach an lá sin go bhféadfadh Sasana a cuid saighdiúirí go huile a bhaint as Éirinn ; go mbeadh na hÓglaigh sásta comhoibriú le Óglaigh Uladh i gcosaint na hÉireann. Bhí Rialtas Shasana as cuimse buíoch de, mhaígh siad gurbh í Éire an " t-aon bhall geal " a bhí le feiceáil acu. Bhí daoine in Éirinn ar a mhalairt de thuairim !

Ní túisce gealltanas Sheáin Mhic Réamainn cloiste ag Séamas Ó Conghaile ná chuaigh sé i gceann pinn :

" Cad é an seasamh is cóir d'aicme oibre dhaonlathach na hÉireann a dhéanamh ar uair seo na cinniúna ?

" Tá Mr. Seán E. Mac Réamainn tar éis plásaíocht na naimhde is nimhní ag an tír seo agus na gclúmhillteoirí is nimhní ag an gcine Gael a thuilleamh trína fhógairt in ainm na hÉireann go bhféadfaidh an Rialtas Briotanach a shaighdiúirí a thabhairt as an tír seo agus nár bhaol di . . .

" Níl ceachtar acu polasaí ná treoraí ag na Náisiúnaithe forchéimneacha . . .

" Beidh cruatan agus anró as cuimse le fulaingt ag na daoine de bharr an chogaidh seo, agus mar go mbeidh an cruatan agus an t-anró seo ann siocair go bhfuilimid ceangailte de láimh láidir le náisiún nár chuir an cheist inár gcead, táimid, dá bhrí sin, saor le haon mhargadh is mian linn, nó le haon mhargadh a thiocfaidh le himeacht aimsire, a dhéanamh.

"Dá mbeadh arm Gearmánach le teacht i dtír in Éirinn amárach bheadh sé de cheart againn dul ar aon taobh leis dá mb'amhlaidh a thiocfadh linn dá bharr an tír seo a shaoradh faoi dheireadh thiar ón Impireacht robálaithe atá ár sracadh in ár n-ainneoin isteach sa chogadh.

"Dá mbeadh aicme oibre na hEorpa, mar mhalairt ar mharú a chéile, le dul i mbun thógáil na mbadhún san Eoraip, i mbun bhriseadh na ndroichead agus sciosadh na seirbhíse iompair sa tslí go stopfaí an cogadh bheadh sé de cheart againn a ndea-shampla a leanúint . . .

"Ach fad is atáimid ag fanacht ar ceachtar den dá ní seo a tharlú is é ár ndualgas soiléir gach céim is féidir a ghlacadh lenár mbochtáin a shaoradh ó na huafáis atá i ndán ag an gcogadh seo."

Labhair sé freisin faoin nganntanas bia ba dhócha a bheadh i gcathracha agus i mbailte na hÉireann mar thoradh ar an éileamh a bheadh air le arm agus cabhlach agus "jingoes" Shasana a chothú agus dúirt sé :

"Is mithid dúinn an cheist a scrúdú, nach é ár ndualgas diúltú ligean do na hearraí talmhaíochta dul as Éirinn go dtí go mbíonn riar déanta ar an aicme oibre Éireannach.

"Ná loicimis roimhe. D'fhéadfadh sé go dtiocfadh de seo níos mó ná stailc iompair, go dtiocfadh troid arm sna sráideanna le bia na ndaoine a choinneáil sa tír seo . . .

"Dá dtosóimis ar an dóigh seo, d'fhéadfadh sé gurb í Éire a chuirfeadh tús le dóiteán san Eoraip nach n-éagfadh go mbeidh an choróin dheireanach agus an banna agus an dintiúr caipitlíoch deireanach ina luaithreach ar bhreo sochraide an tiarna deireanach cogaidh." (Irish Worker, 8.8.1914.)

B'fhurasta a dhearmad agus an t-alt sin léite ag duine go raibh an scríbhneoir i ndiaidh scéala a chur chuig na náisiúnaithe forchéimneacha fiú má bhí siad " gan pholasaí gan treoraí ". Cén polasaí a déarfadh éinne, i ndiaidh dó an t-alt a léamh, a bhí á chraobhscaoileadh ag an bhfear a scríobh. Gléas na stailce arna neartú, dá mba ghá, leis an láimh láidir ! Sóisialaí amháin a mholfadh a leithéid. Fear a bhí feadh a shaoil ag machnamh agus ag pleanáil agus an ghníomhaíocht thionsclaíoch ina aigne aige. Gléas b'fhéidir, a bheadh thar barr dá bhféadfaí a bheith cinnte go n-oibreofaí é.

Scríobh an Conghaileach alt eile an tseachtain ina dhiaidh sin inar léirigh sé féin an laige is mó a bhí ar an dóchas sóisialach a raibh sé ag súil le toradh air sa chogaíocht. Tá de dhifear idir an dá alt seo, gur scríobhadh ceann an *Irish Worker* do na hÉireannaigh agus an dara ceann dá leitheoirí thar lear, dá lucht léite idirnáisiúnta. Ní hamhlaidh atá malairt polasaí sa dá alt ach go bhfuil an polasaí céanna á chur in oiriúint don dá chás.

" . . . Le glúin anuas, ar a laghad, tá an ghluaiseacht shóisialach ag dul ar aghaidh go mór sna tíortha atá páirteach anois (sa chogadh) agus rud is sásúla, ag forbairt agus ag fás go réidh, leanúnach . . .

" Chomh maith le seo, tá an fuath don mhíleatachas i ndiaidh dul i bhfeidhm ar an uile aicme, é ag cruinniú cairde gach áit agus ag cothú déistine leis an chogaíocht fiú iontusan a ghlacann de ghnáth leis an ord caipitlíoch i gcúrsaí an tsaoil.

" Tá gluaiseacht an lucht oibre go hiomlán ceangailte leis an gcogadh in éadan cogaidh — agus maireann ceangailte ar uair seo a rónirt agus a sárthionchair.

" Agus anois, mar bheadh spiach ón spéir ann, tá an cogadh tagtha, agus an cogadh sin idir na náisiúin is tábhachtaí, ar an ábhar gurb iad is sóisialaí, ar domhan. Agus níl leigheas againn air.

" Cad faoinár ndea-rúin go léir ; ár ngealltanas bráithreachais ; ár mbagairtí stailce gineáralta, an mheaisínteacht idirnáisiúnachais a thógamar go cúramach ; ár ndóchais go huile as an todhchaí ? Nach raibh ann ach fothrom agus fearg gan chiall ?

" Níl mé ag cáineadh ar nós cuma liom mo chairde ar

an mhór-roinn. Is beag is eol dúinn cad tá ag tarlú ar an mhór-roinn agus tá rudaí ag teacht róthapaidh sna sála ar a chéile le go mbeidh éinne againn in ann cáineadh ar bith a dhéanamh. Ach mar is duine mé a chreideann gur ceart tabhairt faoi ghníomh ar bith a chuirfeadh stop leis an choir uafásach seo, níl dul as agam ach mo dhóchas a nochtadh gur gearr go gcluinimid go bhfuiltear ag creaplú an chórais iompair inmheánaigh ar an mhór-roinn fiú dá mba ghá, dá bharr, na badhúin sóisialacha a thógáil agus na saighdiúirí agus na mairnéalaigh shóisialacha dul i mbun na círéibe . . .

"Stopfadh éirí amach an aicme oibre ar an mhór-roinn an cogadh . . . "

Ba dúil gan fháil aige é ! Ach ba léir dó lena chois an fhadhb — an tírghrá. Ní hamhlaidh ba lú a thírghrá féin le linn dó dóchas a chur san idirnáisiúntacht. Ní hamhlaidh a bhí sé ag lochtadh an tírghrá. Fáth a bhuartha an tírghrá bheith á úsáid ag na " jingoes ", agus ag lucht an airgid agus na cumhachta ar mhaithe leo féin. Chuir sé críoch leis an alt mar a leanas :

"Ní chuirim cogadh ar an tírghrá ; níor chuir riamh. Ach in éadan tírghrá an chaipitleachais — an tírghrá arb é slat tomhais a dhualgais agus a chirt leas na haicme caipitlí — cuirim tírghrá an aicme oibre, an tírghrá sin a mheasann gach gníomh poiblí de réir an lorg a fhágann sé ar staid na n-oibrithe. An ní atá le leas an lucht oibre measaim gur ní tírghrách é ; ach an páirtí nó an ghluaiseacht is fearr a shaothraíonn le go ngabhfadh an lucht oibre smacht ar chinniúint na tíre ina saothraíonn siad is é is glinne a léiríonn an fíor-thírghrá.

"Is dóigh liom go bhfuil ag gach náisiún a sciar cinnte féin a chur le comhshaibhreas na sibhialtachta agus is dóigh liom gurb é an aicme chaipitlíoch i ngach náisiún namhaid loighiciúil nádúrtha an chultúra náisiúnta.

"Mar sin de dá mhéad é mo ghrá ar na traidisiúin, an litríocht, an teanga agus an tuiscint náisiúnta sea is mó atá mé naimhdeach don aicme chaipitlíoch sin a mheilfeadh na náisiúin mar bheadh i moirtéar ar mhaithe lena thóraíocht gan anam ar lorg na cumhachta agus an óir." (*Forward*, 15.8.1914.)

Ach tháinig sé níos giorra don chnámh san alt a scríobh sé d'uimhir na seachtaine sin den *Irish Worker* :

" Tá an lá anois ann ; tá riachtanais na huaire ag screadaíl go hardghlórach agus ag éileamh go mbunófaí coiste ar a mbeidh na dreamanna is díograisí taobh amuigh agus taobh istigh de na hÓglaigh, le machnamh ar an dóigh le hÉire a ghabháil agus a choinneáil ar mhaithe le muintir na hÉireann.

"Táimidne sa Cheardchumann Oibrithe Iompair agus muidne in Arm na Saoránach réidh dá leithéid de chomhoibriú. Tá ar ár gcumas cabhair na bhfear druileáilte traenáilte a sholáthar ; tá ar ár gcumas cabhair chroíúil na bhfear agus na mban a sholáthar a thaispeáin ina mílte go bhfuil a fhios acu an dóigh le aghaidh a thabhairt ar an bpríosún agus ar an mbás, agus tá ar ár gcumas seirbhís na smaointeoirí agus na n-eagraithe a sholáthar a bhfuil fhios acu go n-éilíonn malairt toscaí malairt polasaí nach féidir gníomha réabhlóideacha a dhéanamh dlíthiúil agus gurb é an dánacht amháin a bhainfidh bua i gcás náisiúnta mar seo.

" Sinne a thug aghaidh ar an stoirm ar son na saoirse tionsclaíochta agus a shil na deora ar fhulaingt ár n-aicme féin, ní loicfimid orthu anois ar son ár dtíre. Baintear triail asainn." (*Irish Worker*, 15.8.1914.)

In alt eile a scríobh sé níos moille sa mhí chéanna léirigh sé arís an díomá mhór a bhí air nuair nár dhiúltaigh sóisialaithe na náisiún a bhí páirteach sa chogadh dul faoi arm agus éide :

"*I may be only a voice crying in the wilderness, a crank amongst a community of the wise, but whoever I be, I must, in deference to my own self-respect, and to the sanctity of my own soul, protest against the doctrine that any decree of [the Cabinets of the world] of national honour can excuse a socialist who serves in a war which he has denounced as a needless war, can absolve from the guilt of murder any socialist who at the dictate of a*

capitalist government draws the trigger of a rifle upon or
sends a shot from a gun into the breasts of people with
whom he has no quarrel, and who are his fellow labourers
in the useful work of civilisation . . .

"Táimid le blianta ag tabhairt le fios don saol mór go rabhamar ag troid in éadan míghníomha shibhialtacht an lae inniu, ach anois cluinimid sóisialaithe ag cur in iúl dúinn gurb é ár ndualgas a bheith inár gcomhoibrithe le rialtóirí shibhialtacht an lae inniu sa ghníomh is gránna ar bith, daoine ag dúnmharú a chéile . . .

"Is féidir le troid náisiún atá faoi dhaorsmacht ar son a shaoirse, ar son a cheart lena shaol féin a chaitheamh ar a dhóigh féin, a chosaint mar throid naofa chóir ; ba cheart d'aicme atá faoi chois agus ag troid lena shaoradh féin ó dhaorsmacht eacnamaíoch agus polaitiúil a airm féin a roghnú gach aon am agus iad a mheas agus a luacháil mar ghléasanna naofa na córa. Ach cogadh náisiúin in éadan náisiúin ar mhaithe le ropairí ríoga agus rógairí cosmapolaitiúla is ní mallaithe é." (*Forward,* 22.8.1914.)

Gan aon amhras ní hé an dóigh chéanna a bhí ag an bhfear seo le ceist na cogaíochta a mheas agus le breith a thabhairt ar fhaill na hÉireann ar uair seo na cinniúna agus a bhí ag na daoine a raibh sé ag iarraidh orthu go gcasfadh siad air : Tomás Ó Cléirigh a chaith a shaol ó tháinig sé amach as an bpríosún i ndiaidh cúig bliana déag a chaitheamh ann ag déanamh réidh le héirí amach in éadan chumhacht Shasana sa tír seo ; Pádraig Mac Piarais, file, múinteoir agus Gaeilgeoir nach raibh san eagraíocht réabhlóideach ach le tamall anuas ; Seán Mac Diarmada, Gaeilgeoir, Sinn Féineach agus eagraí an Bhráithreachais agus complachtaí de na hÓglaigh tríd an tír. Ní raibh aon amhras orthu faoina dháiríreacht ná faoina dhíograis, ná faoin ngrá ar leith a bhí aige do mhuintir na hÉireann, nó, ar scor ar bith, d'aicme áirithe díobh. Ach níorbh í an chéad uair acu í le hiontas a dhéanamh den idirnáisiúnachas agus den sóisialachas a raibh seisean chomh tógtha sin leo. Agus níorbh í an chéad uair acu í lena fhiafraí díobh féin an raibh sé i ndan go dtiocfadh siad féin a raibh a ndóchas in éirí amach mhíleata ar chomhthuiscint agus ar bhealach comhoibrithe leis sin ar mhaithe leis an gcuspóir a raibh siad ag díriú air le fada an lá. Rinne siad fiosrú agus rinne siad machnamh.

Tháinig an Conghaileach go Baile Átha Cliath go luath i ndiaidh an chomhrá sin le Cathal Ó Seanáin faoi thosach an chogaidh agus nocht a intinn do Liam Ó Briain. Dúirt sé leis an mBrianach go raibh sé tar éis a bheith ag caint le daoine áirithe faoin cheist agus go raibh siad ar aon aigne leis. Ach dúirt seisean nach raibh tábhacht leis na daoine sin agus nach ndéanfaí dada gan comhoibriú daoine de lucht leanúna Thomáis Uí Chléirigh agus Sheáin Mhic Dhiarmada. D'iarr an Conghaileach air coinne a dhéanamh leo.

Labhair Liam Ó Briain, dá bhrí sin, lena dheartháir Dónall a bhí ina oifigeach sna hÓglaigh agus shocraigh seisean go gcasfadh Liam ar Éamonn Ceannt a raibh aithne acu air agus a bhí ar cheannchoiste na nÓglach agus ina bhall den Bhráithreachas Poblachtach. Labhair seisean leis na daoine eile. Shocraigh siad gur mhithid casadh ar an gConghaileach seo go bhfeicfeadh siad dóibh féin cén t-ábhar a bhí ann agus cén fuadar a bhí faoi.

Shocraigh siad an cruinniú a ghairm ar an 9ú Meán Fómhair agus glacadh an ócáid le hiarraidh ar dhaoine eile nach raibh sa Bhráithreachas teacht le chéile le polasaí an Bhráithreachais a chur abhaile orthu. Ar an 30ú Lúnasa labhair an Conghaileach ag cruinniú i mBaile Átha Cliath a tionóladh i gcuimhne na ndaoine a maraíodh le linn Dúnadh Amach 1913, agus nocht sé a thuairimí ar dhóigh a bhí níos gaire do chroí lucht an Bhráithreachais :

" Mar oibrí Éireannach tá dualgas orm dár n-aicme féin ; ní ghéillim dílseacht ar bith don Impireacht. Tá na hoibrithe Éireannacha réidh le margadh a dhéanamh le daoine ar bith atá in ann margadh a dhéanamh leo. Tá Sasana ag troid leis an nGearmáin . . . Tá na Gearmánaigh i mBoulogne, áit ar bheartaigh Napoleon ionradh na Breataine. Níl ann ach turas dhá uair déag go hÉirinn. Má tá fonn ort raidhfil a láimhseáil, má tá fonn troda ort, bíodh do thír féin agat ; is fearr troid ar son do thíre féin ná ar son an ropaire d'Impireacht. Más i ndán go n-iompróidh tú raidhfil, iompair ar son na hÉireann é. Bíodh preasáil ann nó ná bíodh ní bhfaighidh siad mise ná éinne de mo chuid. Deirtear libh nach bhfuil maith ionaibh, nach bhfuil raidhflí agaibh. Ní hé an chéad chéim i réabhlóid raidhfil a fháil ; tosaigh ar tús agus faigh raidhfil ar ball. Is é ár mallacht go creidimid inár laige féin. Nílimid lag ach láidir. Socraígí ar bhuille a bhualadh sula n-imíonn an fhaill." (*Irish Worker*, 5.9.1914.)

Bhí sé chomh tógtha sin le scéal an chogaidh nach é amháin go raibh sé á chíoradh aige i dhá pháipéar in aghaidh na seachtaine, go raibh sé á phlé aige lena chomhoibrithe féin i mBéal Feirste agus i mBaile Átha Cliath, go raibh sé ar a dhícheall ag iarraidh na " náisiúntóirí forchéimneacha " a ghríosadh agus go raibh socrú déanta aige casadh ar na treoraithe náisiúnta ach siúd leis ag iarraidh daoine a eagrú tríd an tír leis an obair a chur ar aghaidh. Scríobh sé chuig Liam Ó Briain ó Shligeach ar an 5ú Meán Fómhair :

" Is féidir liom a rá leat go bhfuil socruithe déanta cheana i gcúig cheantar leis an obair atá i gceist againn a chur ar aghaidh go háitiúil, gach ceantar á dhéanamh agus gan fhios acu go bhfuiltear fiú ag smaoineamh ar an obair chéanna a dhéanamh áit ar bith eile. Mar sin is cosúil go dtitfidh an síol ar thalamh maith."

2

TEACHT LE CHÉILE

Tháinig an cruinniú a shocraigh Éamonn Ceannt le chéile i leabharlann Chonradh na Gaeilge i 25 Cearnóg Pharnell ar an 9ú Meán Fómhair. Ar na daoine a bhí i láthair ag an gcruinniú bhí Tomás Ó Cléirigh, Pádraig Mac Piarais, Seán Mac Diarmada, Seosamh Pluincéid, Éamonn Ceannt, Seán T. Ó Ceallaigh, Tomás Mac Donncha, Seán Mac Giolla Bhríde, Art Ó Gríofa, Séamas Ó Conghaile

agus Liam Ó Briain. Ba geall le cruinniú den Bhráith-
reachas Poblachtach é. Ní raibh an Conghaileach ná Liam
Ó Briain ina mbaill den eagras sin ach taobh amuigh den
bheirt ba bhaill beagnach gach duine eile a bhí i láthair.
Bhí sé socraithe ag Ard-Chomhairle an Bhráithreachais
éirí amach sula mbeadh an cogadh mór thart. B'fhada iad
ag réiteach chuige agus ní raibh an réiteach gan toradh.
Ainneoin an greim a bhí ag Mac Réamainn ar na hÓglaigh
bhí a gcuid fear dílis féin ag an mBráithreachas go láidir
san eagraíocht sin. Ba iad a shocraigh na gunnaí a thabh-
airt isteach agus ba faoina smacht a bhí na gunnaí céanna.
Bhí an Bráithreachas agus John Devoy agus *Clan na Gael*
sna Stáit ag obair as lámha a chéile ar mhaithe le buille
a bhualadh in am tráth a bhrisfeadh cumhacht Shasana in
Éirinn. Bhí an tráth tagtha, dar leo, nuair a chuaigh
Sasana i ngleic leis an Ghearmáin. Bhí an lá le socrú fós.
Idir an dá linn bhí siad ag ceapadh go rachaidís i
gcomhar le duine ar bith nó dream ar bith a bheadh a
bheag nó a mhór ar aon intinn leo.
Bhí Tomás Ó Cléirigh sa chathaoir ag an gcruinniú seo
a raibh an Conghaileach i láthair aige. Ba chruinniú tábh-
achtach é, agus cuireadh tús dá bharr le clár a raibh toradh
air sula raibh dhá bhliain istigh. Labhair an Conghaileach
gur mhol go ndéanfaí ullmhúchán cinnte le haghaidh éirí
amach agus chuige sin go bhféachfaí le dul i gcomhairle le
ionadaithe na Gearmáine le súil go mbeadh cabhair
mhíleata le fáil uaithi. Má mhol, fuair sé daoine a bhí
réidh le héisteacht, agus réidh lena moltaí féin a dhéanamh.
Shocraigh siad an lá sin go gcuirfeadh siad éirí amach ar
bun in Éirinn dá mbeadh arm Gearmánach le hÉire a
ionsaí, nó dá mbíodh Sasana le féachaint leis an phreasáil
a chur i bhfeidhm in Éirinn, nó dá mbeadh deireadh an
chogaidh ag teacht agus gan an éirí amach fós ann, sa
tslí nuair a bhéifí ag plé théarmaí síochána tar éis an
chogaidh, go n-éileoimis go n-aithneofaí Éire mar náisiún a
bhí páirteach ann. Gheall na daoine a bhí i láthair go
ndéanfadh siad féin agus a n-eagraíochtaí gach dícheall
leis na socruithe a rinneadh a chur chun cinn agus le

haigne na ndaoine a réiteach don ghníomh a bhí le déanamh. Socraíodh freisin ar eagras a bhunú a d'oibreodh go poiblí mar ghléas bolscaireachta agus mar ghléas earcaíochta don eagraíocht rúnda.

Bunaíodh an t-eagras sin ar ball agus tugadh Léag Neodracht na hÉireann air. Bhí an Conghaileach ina uachtarán ar an Léag agus Seán T. Ó Ceallaigh ina rúnaí. Ar na daoine a bhí ar an gcoiste bhí Art Ó Gríofa, Liam Ó Briain, Madame Markievicz, Tomás Ó Fuaráin. Níor mhair an Léag i bhfad, cé go ndearna sé obair mhaith fad a mhair. Tharraing sé aird na n-údarás air féin agus socraíodh gurbh fhearr é a scor. Rud a rinne an Léag, ar mholadh an Chonghailigh, agus a mhair ina nós go ceann i bhfad, na dathanna uaine, bán agus flannbhuí a chur á gcaitheamh ag daoine go poiblí mar chomhartha ar a ndílseacht don Phoblachtas in Éirinn.

An rud is mó a rinne an Léag seasamh a dhéanamh in éadan na liostála do Arm Shasana a bhí ar siúl go tréan san am. Dúirt an Conghaileach :

" Sa chéad chúpla seachtain a mhair an fiabhras impireánachta a chuir preas agus lútálaithe lucht an Rialtais Dhúchais ar obair fuarthas na mílte earcach do Arm Shasana, mháirseáil díormaí de Óglaigh na hÉireann in ord paráide agus a mbuíon ceoil ag seinm " God Save the King ", má ba mhór an t-iontas a chuir sin ar gach éinne agus má ba mhór an náire a chuir sé ar an chuid ba mhó díobh, go bhfágfadh siad slán ag an gcúl taca agus é ag imeacht ar thraein agus ar bhád, *and all sorts of erstwhile rack-renting landlords and anti-Irish aristocrats rushed in to officer these Irish Volunteers whom they had formerly despised.*

" Ach de réir a chéile tá an náisiún ag titim ar a chiall. Tá na dreamanna neamhspleácha gach áit á gcur féin in iúl agus tá sé ina throid fhíochmhar cheana le cosc a chur ar bhronnadh na nÓglach ar an War Office — mar ba mhian le Mr. Redmond." (*Forward*, 5.9.1914.)

Ach sula raibh an mhí istigh bhí Seán Mac Réamainn i ndiaidh céim a thabhairt a sháraigh a dtáinig roimhe. Ar an 20ú Meán Fómhair thug sé óráid ag Garrán an

171

Ghabhláin i gCill Mhantáin agus d'fhógair don Chine Gael lena linn go raibh dhá dhualgas orthu agus mhaígh gur mhór an náire go deo do Éirinn dá mbeadh Éireannaigh le diúltú dul sa chath " cibé áit a mbíonn an troid sa chogadh seo ar siúl ar son cirt, saoirse agus creidimh ".

D'fhógair baill an chéad choiste a bhí ar na hÓglaigh nach nglacfaí feasta le hionadaithe Mhic Réamainn ar an gcoiste agus d'fhoilsigh siad go mbeadh comhdháil ag na hÓglaigh lena ndílseacht dá mbunchuspóirí a dhearbhú agus lena fhógairt " nach raibh sé ag cur le hónóir nó ag treisiú sábháilteacht na hÉireann go mbeadh sí ag glacadh páirte in achrann coimhthíoch ach amháin de bhíthin ghníomh saor Rialtais Náisiúnta dá cuid féin."

Ar ndóigh, b'éigean don aighneas seo teacht, óir ní raibh lucht an Bhráithreachais Phoblachtaigh sásta riamh leis an ngreim a bhí ag an Réamannach ar na hÓglaigh agus ní raibh siad ach ag fanacht le go bhfaigheadh siad faill ar bhriseadh leis ar ábhar a bheadh thar amhras i súile na tíre.

D'fháiltigh Séamas Ó Conghaile go croíúil roimh an seasamh a rinneadh in éadan Mhic Réamainn.

" Chuir seasamh choiste sealadach na nÓglach deann trí chroí an uile fhir agus an uile mhná dílis sa tír, nuair a dhiúltaigh siad d'ionadaithe Sheáin Mhic Réamainn agus nuair dhírigh siad ar an smacht a ghlacadh ar ais chucu féin nár chóir dóibh scaradh leis riamh. Tuigeadh go raibh an talamh á dhéanamh réidh chun gníomha faoi dheireadh agus gur tugadh buille báis don iarracht fhealltach a rinneadh na hÓglaigh a threorú isteach in Arm na hImpireachta . . .

" A bhuíochas do sprid do-smachtaithe náisiúntóirí Bhaile Átha Cliath, do thuiscint ghéar pholaitiúil oibrithe Bhaile Átha Cliath agus do ghníomh an tseanchoiste shealadaigh, a ghlac ar ais smacht chucu féin ar uair na cinniúna, sábháileadh clú na tíre.

" Is féidir linn a bheith ag súil anois go dtroidfidh na

Réamannaigh a bhfuil ina gcorp le smacht a fháil arís ar na hÓglaigh. Troid go bás a bheidh ann.

"*For some of us the finish may be on the scaffold, for some the prison cell, for others more fortunate upon the battlefields of an Ireland in arms for a real republican liberty.*" (*Irish Worker*, 3.10.1914.)

Ach cheana féin sula raibh na focail sin scríofa bhí an Conghaileach ar a mhíle dícheall dul i ndeabhaidh lainne le fórsaí Shasana sa tír seo. Nó sin í an chuma a bhí ar an obair a chuir sé ar bun ar an 25ú Meán Fómhair an oíche a raibh Asquith, Príomh-Aire Shasana, le labhairt ag cruinniú liostála i dTeach an Ard-Mhaoir i mBaile Átha Cliath. Scríobh an Conghaileach chuig Liam Ó Briain faoin gcruinniú seo : " Eachtra mhíleata a bheas i gcruinniú Asquith agus beidh an chathair i seilbh na saighdiúirí go dtí go mbíonn sé thart. Ar shlí tá ár dtodhchaí go hiomlán ag brath ar an toradh. Tá mise réidh do ghairm ar bith."

Tá ábhar machnaimh sa dhearcadh a bhí ag an gConghaileach sna laethanta seo. Ó thús Lúnasa bhí sé mar a bheadh fear ar mire ann ar mhéid a raibh d'fhonn gníomha in éadan Shasana air. Deir sé anois go bhfuil sé réidh le freagairt ar ghairm ar bith agus lá nó dhó ina dhiaidh sin treoraíonn sé dornán de Arm na Saoránach amach i dtreo chruinniú liostála Asquith amhail agus dá mbeadh sé ag iarraidh tús a chur leis an dortadh fola. I gcomórtas leis an teasaíocht seo bhí cuma ar na daoine a bheadh páirteach leis ar ball in eagrú na héirí amach, go raibh siad fuar-aigeantach mura n-abraimis go raibh siad réchúiseach. B'fhurasta dúinn a rá gurbh é an Conghaileach a chuir an lasóg sa bharrach agus ach ab é eisean nach ndéanfaí faic, fiú nach mbeadh an éirí amach ann. Bheadh sé lán chomh héasca againn, dá mbeimis lena leithéid de bhreith a thabhairt, éagóir an-mhór a dhéanamh ar dhaoine a raibh a n-aigne dírithe le fada an lá ar an réabhlóid agus a raibh pleanáil dá réir á dhéanamh acu, pleanáil fhadradharcach, dea-ordaithe.

I dtaca le cruinniú liostála sin Asquith de, tugadh na daoine a bhí páirteach sa chruinniú i 25 Cearnóg Pharnell ar an 9ú Meán Fómhair, le chéile arís féachaint cén fháilte ba cheart a chur roimhe. Socraíodh go ngabhfadh fórsa armtha de na hÓglaigh agus de Arm na Saoránach Teach an Ard-Mhaoir, ionad cruinnithe Asquith, an lá roimh an gcruinniú agus go gcoimeádfadh siad seilbh air go ceann ceithre uair is fiche a chloig le nach mbeadh an cruinniú ann. Tháinig ionadaithe an dá arm le chéile le socrú a dhéanamh ach níorbh fhéidir a bheith cinnte de níos mó ná ochtó Óglach agus daichead fear den Arm. An oíche a raibh siad le Teach an Ard-Mhaoir a ghabháil tháinig díorma na nÓglach le chéile i 41 Cearnóg Pharnell agus an díorma den Arm i Halla na Saoirse. Bhí siad réidh le máir-seáil nuair a tháinig scéala go raibh fórsa láidir de Arm Shasana i bhfeighil Theach an Ard-Mhaoir. Ní raibh dul as ach an socrú a chur ar ceal.

Mar sin féin, oíche an chruinnithe labhair an Conghail-each, an Lorcánach, Madame Markievicz agus cainteoirí eile ag sraith de chruinnithe dá gcuid féin sa chathair. D'fhág siad Halla na Saoirse i dtrucail a raibh scataí de shaighdiúirí Arm na Saoránach istigh leo ann. Mháirseáil díormaí den Arm le dhá thaobh na trucaile. Bhí raidhflí leo ar a nguaillí ach gan aon philéar acu lena lódáil. Tháinig siad go Faiche Stiofáin mar a raibh na póilíní ina ranganna trasna an bhóthair rompu. Bhí raidhflí acusan freisin agus piléir acu dóibh. Thug an dá arm aghaidh ar a chéile. Sheas an Lorcánach sa trucail, a aghaidh ar na póilíní, agus thug a ndúshlán scaoileadh leis. Stróic sé a léine gur nocht a chliabhrach agus scread sé leo: " *Shoot, you yellow-livered dogs ! Shoot !* "

Thug an Conghaileach óráid agus bhagair ar na póilíní dá gcaithfeadh siad éinne go gcuirfí in iúl do na reisimintí Éireannacha é agus go mbeadh toradh air thar mar a shílfeadh siad. Bhí slua mór i láthair ag an gcruinniú agus deirtear gur cluineadh a scairteanna molta i dTeach an Ard-Mhaoir — áit ar liostáileadh seisear an oíche sin !

Mar ba léir ón gcomhoibriú idir na hÓglaigh agus Arm na Saoránach faoi ghabháil Theach an Ard-Mhaoir ar

174

ócáid chruinniú Asquith, bhí an t-aighneas a bhí idir an dá dhream síothlaithe go mór. D'éirigh an cairdeas nuair a scoilteadh na hÓglaigh i ndiaidh óráid Mhic Réamainn agus as sin amach bhí Óglaigh na hÉireann, lucht leanúna Eoin Mhic Néill, ann agus na hÓglaigh Náisiúnta, lucht leanúna Mhic Réamainn. As tuairim agus céad agus ochtó míle óglach a bhí san eagraíocht roimh an scoilt, lean an tromlach Mac Réamainn. Aon mhíle dhéag nó dhá mhíle dhéag a lean faoi cheannas Mhic Néill agus orthu san bhí na daoine ba mhó a chuir brí agus meanma sna Óglaigh ón gcéad lá. D'imigh an chuid ba mhó de na hÓglaigh Náisiúnta in Arm Shasana agus eatarthusan agus na hÉireannaigh eile a liostáil, meastar gur imigh suas le ceathrú mhilliúin Éireannach san iomlán ag troid ar son Shasana sa chogadh mór ; díobhsan maraíodh suas le daichead míle fear gan oifigigh a chuntas.

I ndiaidh na scoilte d'imigh an dá dhream ar a míle dícheall i mbun earcaíochta. Mhol an Conghaileach polasaí ar a dtug sé polasaí forchéimneach do na hÓglaigh :

" Agus iad aghaidh ar aghaidh lena naimhde neamh-scrupallacha is éigean do na hÓglaigh a aithint gur troid go bás an troid seo, gurb í an duais atá le baint anam náisiúin agus dá bhrí sin gur gá gach neart coirp agus meabhair chinn a úsáid leis an bhearna a chosaint . . .

" Mholfainn go hurramach go bhfuil rudaí áirithe ann ar chóir do na hÓglaigh dul ina mbun gan mhoill.

" D'fhéadfadh siad na hÓglaigh a chur faoi gheall go bhfanfaidh siad i seirbhís armtha in Éirinn ar son Éireann, agus go gcuirfidh siad in éadan náisiún ar bith eile iarracht a dhéanamh seirbhísí na bhfear sin a bhaint de Éirinn — seirbhísí a bhfórsaí armtha a chur faoi gheall ag Éirinn le gach uile chlásal den Acht Rialtais Dhúchais a aisghairm a shéanann ar Éirinn na cumhachtaí féinrialtais atá anois ag an Afraic Theas, ag an Astráil agus ag Ceanada.

" Is fearr a éireoidh lena bhfeachtas earcaíochta má bhíonn na hÓglaigh ag troid ar son cuspóra chinnte.

"A Óglacha, ar aghaidh ! Ar aghaidh ! ! Ar aghaidh ! ! ! " (*Irish Worker*, 10.10.1914.)

3

PLEAN COGAIDH

Le linn dó a bheith ag moladh polasaí dhána do na hÓglaigh bhí an Conghaileach féin nach mór in iomar na haimiléise agus in éagmais cuidithe go mór. An mhíthuiscint a d'éirigh idir é agus an Lorcánach roimhe sin, mhair sé beo i gcónaí cé nár léir don phobal é. Le tamall anuas bhí an Lorcánach ag caint ar dhul go dtí na Stáit le labhairt ag sraith de chruinnithe poiblí. Bhí sé i mBéal Feirste i dtús Dheireadh Fómhair agus thug sé le fios don Chonghaileach go raibh ar aigne aige P. T. Ó Dálaigh a chur i mbun an Cheardchumainn le linn dó féin a bheith sna Stáit.

Ar an 5ú Deireadh Fómhair chuir an Conghaileach sreangscéal chuig Liam Ó Briain : "Tá Jim ag ceapadh Uí Dhálaigh i gceannas ar an gCeardchumann . . ." Scríobh sé litir chuig an mBrianach an lá céanna ag áiteamh air aire a thabhairt don cheist gan mhoill.

"Dúirt an Lorcánach gur mian leis go dtiocfainn go Baile Átha Cliath le dul i mbun an pháipéir agus an árachais agus dúirt sé go mbeadh Ó Dálaigh i mbun an Cheardchumainn. Dúirt mé gur fuath liom taobh an árachais den obair ach níor nocht mé tuairim faoi Ó Dálaigh. Ach tá a fhios agat, chomh maith liom féin, go mbeadh a leithéid de shocrú do-fhulaingthe agus do-oibrithe. Rud amháin de ní fhéadfaimis a bheith ag súil le go mairfeadh an chomhthuiscint leis na Náisiúntóirí dá mbeadh Ó Dálaigh i mbun an Cheardchumainn. Ní bheadh muinín acu as, ní ghlacfaidís leis agus ní chomhoibreoidís leis . . ."

Ar an 7ú Deireadh Fómhair scríobh sé litir eile chuig Liam Ó Briain mar fhreagra ar litir a bhí faighte aige uaidh.

" . . . Faoi láthair tá fonn orm gan glacadh leis mar

176

"ónóir", go saothróinn faoin Dálach fiú dá dtiocfadh
de sin go gcaillfinn ar fad mo áit sa Cheardchumann.

"Mar a fheicimse an scéal tá seans iontach ag an
gCumann Iompair ós é an t-aon eagraíocht den lucht
saothair é atá go gníomhach trodach ar an taobh fíor-
náisiúnta . . . Ach má bhíonn fear i gceannas an cheard-
chumainn a bhfuil mímhuinín ag náisiúntóirí agus lucht
saothair araon as ní léir dom roimhe ach meath agus mí-
threoir agus cailliúint iomlán tacaíochta an lucht saothair
leis an gcúis náisiúnta agus tacaíocht an lucht náisiúnta
le cúis an lucht saothair." (*Some Pages from Union
History* — Irish Transport and General Workers' Union.)

Ní gan fáth a bhí an Conghaileach ag ceapadh go
raibh na náisiúntóirí mímhuiníneach as an Dálach. Bhí
seisean sa Bhráithreachas Poblachtach idir na blianta
1908 go 1911 ach caitheadh amach as an eagraíocht é mar
nach rabhthas sásta lena chuntas ar airgead a fuair sé ó
Clan na Gael sna Stáit (*Devoy's Post Bag*, Vol. II). Dá
bhrí sin is cosúil go raibh an ceart ag an gConghaileach
nuair a thuar sé nach dea-thoradh a bheadh ar a cheapadh
i mbun an Cheardchumainn. Ar aon nós bé a shocraigh
coiste an Cheardchumainn go gceapfaí Séamas Ó Conghaile
mar Rúnaí Ginearálta Gníomhach, agus ghlac an Lorcán-
ach leis an socrú sin.

Socraíodh go mbeadh cruinniú ann ar an Satharn an
24ú Deireadh Fómhair le slán a chur leis an Lorcánach.
Idir an dá linn scríobh an Conghaileach alt a léirigh a
dhúthrachtaí a bhí sé ag déanamh machnaimh ar eagrú
Arm na Saoránach.

"Cuirfimid (lucht an Cheardchumainn agus lucht an
Airm) in éadan coinscríofa de chineál ar bith, agus táimid
ag déanamh réidh anois chuige. Molaimid go láidir an rún
céanna agus an réiteach céanna do na hÓglaigh.

"Tuigimis cad é a chiallaíonn seo. Ciallaíonn sé go
ndéanfaimis atheagrú agus athchóiriú iomlán ar an traen-
áil agus ar an teagasc a thugamar do na cóir sin roimhe
seo. Ciallaíonn sé go gcaithfear na cóir a theagasc le
gníomhú agus le troid in éadan namhad is láidre gléas ná

iad féin, in áit an teagasc a bheith bunaithe ar théacs-leabhair Arm Shasana, a ghlacann i gcónaí go mbeidh na hairm is láidre ag na Sasanaigh . . . Is gá an fhreasúracht i gcoinne an choinscríofa a bheith de réir na modhanna ceannairce má táimid le troid ar son na hÉireann in Éirinn in áit ar son Shasana ar an Mhór-Roinn.

"I mbeagán focal ciallaíonn sé na badhúin sna sráid-eanna, an treallchogaíocht faoin dtuaith." (*Irish Worker*, 24.10.1914.)

Ar an 24ú Deireadh Fómhair, 1914, d'fhág an Lorcán-ach slán le lucht an Cheardchumainn ag cruinniú mór a tionóladh i bPáirc Croydon. San eagrán den *Irish Worker* don dáta chéanna d'fhág an Lorcánach an teachtaireacht seo :

"Do mo chomrádaithe in Arm na Saoránach: Agus mé as láthair beidh Jim Ó Conghaile i gceannas. Bíodh bhur n-iompar os comhair an tsaoil ag cur le bhur stair . . . "

Ní túisce an Conghaileach i mbun a chúraim mar Rúnaí Ginearálta Gníomhach ná chur sé bratach trasna ar aghaidh Halla na Saoirse agus na focail seo scríofa air : "Ní fhónaímid don Rí nó don Cháisear — ach do Éirinn."

Bhí obair throm roimh an gConghaileach : rúnaíocht an Cheardchumainn a raibh a ghnó go mór trí chéile agus é go mór i bhfiacha mar thoradh ar an dúnadh amach ; ceannasaíocht ar Arm na Saoránach a bhí lag i mballraíocht agus i sprid ; eagarthóireacht agus bainisteoireacht an *Irish Worker* agus, rud nárbh eol dó roimhe sin, bhí cúrsaí Roinn an Árachais in aimhréidh agus na Coimisinéirí Árachais ag bagairt an roinn a scor — bhí aige lena chur ar a boinn athuair ; sin agus leanúint leis an scríbh-neoireacht a bhí idir lámha aige do na tréimhseacháin sóisialta agus thairis sin uile leanúint leis an gcomhoibriú a bhí ar bun idir é féin agus ceannairí an Bhráithreachais Phoblachtaigh.

An lá i ndiaidh a thofa mar rúnaí gníomhach an Cheardchumainn agus mar cheannaire ar an Arm bhí an Conghaileach i láthair mar ionadaí ón Arm ag an chomh-

dháil bhliantúil de Óglaigh na hÉireann a tionóladh an lá
sin in Amharclann na Mainistreach. Cháin Eoin Mac Néill
an Réamannach go géar le linn na comhdhála as a mhí-
dhílseacht do bhunchuspóir na nÓglach. Dhearbhaigh sé
dílseacht Óglaigh na hÉireann do Éirinn agus di siúd
amháin.

Bhí díorma de Arm na Saoránach ar diúite taobh
amuigh den amharclann i gcomhar le complachtaí de na
hÓglaigh. I ndiaidh an chruinnithe mháirseáil na hÓglaigh
agus an díorma den Arm leo go Faiche Stiofáin mar a raibh
tabhairt amach poiblí ag na hÓglaigh. Labhair an Piarsach
agus an Conghaileach ar aon ag an gcruinniú seo. Bé an
chéad uair acu ar an aon ardán poiblí amháin.

An Domhnach céanna sin bhí cruinniú mór liostála
socraithe i mBéal Feirste. Bhí Seán Mac Réamainn le labh-
airt ann. Bhí an Union Jack agus bratacha glasa ar foluain
go cairdiúil taobh le chéile. Ar chuid de na bratacha glasa
bhí na focail : *" Who fears to speak of '98 ? "* Rinne sé lá
mór báistí agus b'éigean an cruinniú a chur ar ceal !

Dhearbhaigh comhdháil Óglaigh na hÉireann go lean-
fadh siad go daingean ag neartú fórsa cosanta na hÉireann,
go cuirfeadh siad go láidir in éadan an choinscríofa, go
gcosnódh siad aontas an náisiúin agus go gcuirfeadh siad
Rialtas Náisiúnta in áit rialtas Chaisleán Átha Cliath. Ní
dhearna comhdháil na nÓglach cuspóirí an Bhráithreachais
Phoblachtaigh aon cheo níba shoiléire do na daoine nach
raibh ina mbaill den eagraíocht. Níorbh eol d'oifigigh na
nÓglach, ná do Eoin Mac Néill féin, go raibh an eagraíocht
sin agus a rún féin aige. Bhí an Bráithreachas ag faire
na faille. Idir an dá am bhí Diarmaid Ó Loinsigh, ionadaí
an Bhráithreachais sna Stáit, agus é ag coinneáil eolais le
Seán Ó Dubhuí agus le ceannairí eile *Clan na Gael* agus
ar lorg cuidiú airgid do ghnó an Bhráithreachais in Éirinn.
Thug sé £2,000 abhaile leis roimh dheireadh na bliana do
chiste Óglaigh na hÉireann.

Murar thuig Séamas Ó Conghaile iomlán dá raibh ar
siúl, thuig sé nár chéim ar gcúl a bheadh mar thoradh ar
chomhdháil sin na nÓglach. San *Irish Worker* don

31.10.1914 scríobh sé : " Déanaimid comhghairdeas leis na hÓglaigh as a fheabhas a d'éirigh leo."

" Tá mé i ndiaidh teacht ar fhear mór míleata," ars an Conghaileach lá agus é ar chuairt sa bhaile an tráth seo. Mícheál Ó Mealláin a bhí i gceist aige, fear a d'fhoghlaim ceird an tsaighdiúra in Arm Shasana. Bhí sé ina rúnaí ar Cheardchumann na bhFíodóirí i mBaile Átha Cliath ina óige agus bhí sé le fada gníomhach i ngluaiseacht na n-oibrithe agus báúil leis an ghluaiseacht Phoblachtach. Ó bunaíodh Arm na Saoránach bhí sé ina bhall dílis dúthrachtach de. Nuair a cuireadh an Conghaileach i gceannas ar an Arm, rinne sé Ceann Foirne den Mheallánach. Bhí sé dílis don Chonghaileach, don Arm, agus do Éirinn go deireadh a shaoil.

Chuaigh an Meallánach i mbun a chúraim san Arm go díograiseach agus idir é féin agus an Chonghaileach shocraigh siad clár inlíochta don Arm a rinne cór éifeachtach ábalta de. Nós amháin a bunaigh siad inlíocht oíche a chur ar siúl ina gcuiridís in iúl go raibh siad ag déanamh ionsaithe ar dhaingne éagsúla, mar shampla ar Chaisleán Átha Cliath nó ar Dhaingean na nArm i bPáirc an Fhionnuisce. Mháirseáladh na díormaí den Arm go dtí na háiteanna seo faoina gcuid arm agus éide leis na hionsaithe bréige seo a dhéanamh. Rud eile a chleachtaigh an tArm go minic slógadh gasta a dhéanamh.

Cé nach raibh ach cúpla céad fear san Arm agus nach raibh an chuid ab fhearr den ghléasadh saighdiúra acu níor mhiste don Chonghaileach a bheith bródúil astu agus dá chomhartha sin bhí sé sásta an ghairm chatha a chur chucu am ar bith a shíl sé gá bheith leis.

Tharla i lár mí na Samhna an bhliain sin 1914 gur caitheadh an Captaen Roibeard Monteith as an bpost a bhí aige sa tSuirbhéireacht Ordanáis agus gur ordaíodh dó Baile Átha Cliath a fhágáil. Bhí Monteith sna hÓglaigh, agus é ar dhuine de na teagascóirí míleata ab ábalta dá raibh acu. Bhí suim aige in Arm na Saoránach agus aithne aige ar an gConghaileach. Nuair a mhínigh sé an scéal dó ní shásódh aon ní an Conghaileach ach clóbhualadh an *Irish Worker*, a bhí ar an gcló-inneall san am, a stop go gcuirfeadh sé an scéal i gcló ann. Dúirt Monteith leis go raibh sé ar a shlí go dtí ceanncheathrú na nÓglach féachaint cén rud ab fhearr dó a dhéanamh

"Dá mba fúmsa a bheadh sé," ars an Conghaileach, "chuirfinn in áit ar leith i mBaile Átha Cliath thú, chuirfinn Óglaigh na cathrach in eagar catha agus déarfainn leis an Rialtas 'Tagaigí anois agus tógaigí é!' Inis sin do Hobson agus abair leis go dtabharfaidh mé amach Arm na Saoránach, más gá. Chuirfeadh sin stop leis na horduithe díbirte seo."

B'fhéidir go gcuirfeadh agus b'fhéidir fós go gcuirfí tús le racán arbh é a chríoch ceannairí na nÓglach agus an Bhráithreachais agus an Conghaileach féin a chur san áit nach ndéanfadh siad a thuilleadh réitigh chun éirí amach go ceann i bhfad. Ba shin é, is cosúil, an tuairim a bhí ag ceannairí na nÓglach, óir d'ordaigh siad do Mhonteith dul faoin tuaith i mbun traenáil na nÓglach ansin. Mar sin féin, shocraigh an Conghaileach cruinniú agóide don Domhnach dár gcionn agus tionóladh é ag Faiche Stiofáin. Bhí buíon de Arm na Saoránach i láthair faoi arm agus éide. Ar na cainteoirí bhí an Conghaileach agus an Chuntaois Markievicz agus labhair an Rathailleach ar son na nÓglach. Thug an Conghaileach dúshlán an Rialtais aon fhear de Arm na Saoránach a dhíbirt mar a díbríodh Monteith, agus mhol sé rún go gcuirfeadh a raibh i láthair iad féin faoi gheall troid le poblacht shaor neamhspleách a dhéanamh d'Éirinn.

San eisiúint den *Irish Worker* don 4ú Nollaig, 1914, bhí spás bán in áit an eagarfhocail. Thug an Conghaileach an míniú seo ar an easnamh : "Dhiúltaigh an clódóir (W. J. West) don eagarfhocal an tseachtain seo ar an ábhar an-réasúnta go raibh sé in éadan an Rialtais, agus go raibh na húdaráis mhíleata i ndiaidh a chur in iúl dó dá gclóbhuailfeadh sé cáineadh ar an Rialtas nó aon ní in éadan na liostála go nglacfaidís gurbh eisean a bheadh freagrach agus go ndúnfaidís a chlólann agus go ngabhfaidís é féin."

Cuireadh cosc ar chlóbhualadh *Sinn Féin* agus *Irish*

Freedom an tráth céanna. Is cosúil go raibh Caisleán Átha Cliath tar éis teacht ar an tuairim gur mhithid a bheith réidh leis an bholscaireacht phoblachtach agus leis an bhfeachtas frithlíostála. Ceart a choíche, bhí cúis ag clódóir an *Irish Worker* le bheith amhrasach faoin fháilte a chuirfeadh an Caisleán roimh an eagarfhocal sin a dhiúltaigh sé a chur i gcló. D'fhoilsigh an Conghaileach é i gcruth duilleog dhá leathánach faoin teideal *Irish Work* ar an 19ú Nollaig agus scaipeadh go forleathan sa chathair é. Sé a bhí á phlé ann, *The Defence of the Realm Consolidation Act* a bhí faoi dhíospóireacht i dTeach na dTiarnaí san am :

" Mar thoradh ar an Acht seo níl saoirse in Éirinn a thuilleadh — saoirse labhartha, saoirse chomhthiomsaithe, saoirse na nuachtán, saoirse an duine, tá deireadh leo go léir . . . Am ar bith sa lá nó san oíche is ceadaithe fear ar bith nó bean ar bith a ghabháil agus é a thabhairt ar shiúl go rúnda lena chur go rúnda ar a thriail agus lena dhaoradh agus le dúnmharfóirí fostaithe Impireacht na Breataine é a dhúnmharú go rúnda . . .

" Ach má chaitheann rialtas na Breataine uaidh uair amháin eile cur i gcéill na bunreachtúlachta agus má chuireann a ghléasanna coiscthe ar obair in éadan na ndaoine a fhaigheann de chroí gan aontú leis, má chuireann sé ar obair arís na príosúin, ná cúirteanna míleata, na crocha, ansin réabfar an tsnaidhm dheireanach atá ag ceangal na bhfear seo le scata oifigiúil an Rialtais Dhúchais. Ar an lá sin feicimid arís eile an chuid is fearr agus is bríomhaire de na daoine in Éirinn ag seasamh go daingean ar thaobh na réabhlóide . . . Má chaitheann an rialtas uaidh cur i gcéill sin na bunreachtúlachta, nó cur i gcéill sin saoirse an tsaoránaigh is é an toradh a bheidh air aiséirí sprid réabhlóideach na hÉireann nach bhfacthas a leithéid leis na cianta.

" Aiséirí ! Sea, as uaigh an chéad fhir nó na chéad mhná a dhúnmharófar de bharr gur sheas siad in éadan Éire páirt a ghlacadh sa chogadh mallaithe seo éireoidh as an nua sprid réabhlóideach na hÉireann.

"Sea, a thiarnaí agus a dhaoine uaisle, tá ár gcártaí uilig ar an gclár anois ! Má fhágann tú saor sinn maróimid bhur líostáil, sábhálfaimid ár mbuachaillí óga ón teach seamlais, agus pléascfaimid bhur ndóchas impireachta. Má thugann sibh fúinn, má chuireann sibh i bpríosún nó má mharaíonn sibh sinn, as na príosúin nó as na huaigheanna músclóimid sprid a sháróidh sibh agus b'fhéidir a chuirfidh fórsa ar obair a threascróidh sibh.

"Tugaimid bhur ndúshlán ! Déanaígí bhur ndícheall."

Agus an eisiúint amháin sin de *Irish Work* díolta aige, rinne an Conghaileach socrú lena sheanchairde sóisialacha i nGlaschú páipéar nua *Worker* a chlóbhualadh do. Mhair an páipéar seo go dtí go bhfuair na póilíní greim air ar an mbád ó Ghlaschú i mí Feabhra. Ba shin deireadh leis.

Ar an 20ú Samhain d'fhoilsigh Rialtas na Gearmáine ráiteas inar dhearbhaigh sé a bhá le muintir na hÉireann agus inar ghuigh rath ar a n-iarracht lena saoirse a bhaint amach. Ar an 27ú lá Nollag shínigh Ruaraí Mac Easmainn agus Rúnaí Stáit na Gearmáine comhaontú faoi liostáil Bhriogáid na hÉireann as measc na bpríosúnach cogaidh.

I mí na Samhna freisin d'fhill Diarmaid Ó Loingsigh ó na Stáit. Bhí sé féin ina bhall de Ard-Chomhairle an Bhráithreachais. Nuair a chas sé ar Thomás Ó Cléirigh agus Donncha Mac Con Uladh, baill de Choiste Gnó an Bhráithreachais lena thuairisc a thabhairt chuala sé uathu go raibh Coiste Comhairleach bunaithe le plean a dhréachtadh le haghaidh cheantar Bhaile Átha Cliath san éirí amach. Bhí líon maith de oifigigh na nÓglach ar an gcoiste sin. Dar leis an Loingseach gurbh obair é seo ba chóir a bheith ina rún agus dá bhrí sin ina chúram ar choiste i bhfad níba lú. Mhol sé go scorfaí an Coiste Comhairleach. Ligeadh dó dul ar ceal.

Tamall ina dhiaidh sin thosaigh an Piarsach, agus Seosamh Pluincéid agus Éamonn Ceannt ag dréachtadh plean, agus i mí Bealtaine mhol an Loingseach, mar bhall de Choiste Feidhmiúcháin an Bhráithreachais, go mbunódh an Coiste go hoifigiúil Comhairle Mhíleata. Ceapadh an triúr céanna ar an chomhairle sin, agus ghlac siad as láimh dlús a chur leis na pleananna a bhí á mbeartú ag an gcoiste a ligeadh ar ceal. Ghníomhaigh an coiste nua in áit an choiste sin agus thug siad tuairisc ar a gcuid oibre do Thomás Ó Cléirigh agus do Sheán Mac Diarmada a bhí ina mbaill *ex officio* freisin mar chisteoir agus mar rúnaí an Bhráithreachais*.

I mí Márta, 1915, chuir an Bráithreachas Poblachtach Seán T. Ó Ceallaigh agus an Dr. P. Mac Artáin go dtí na Stáit Aontaithe lena socruithe a chur in iúl do lucht Clan na Gael thall agus le córas idir-chaidrimh a bhunú Agus Seán T. Ó Ceallaigh ag filleadh ar Éirinn bhí dhá mhíle punt leis le haghaidh ghnóthaí an Bhráithreachais. Tugadh míle punt den airgead sin do Eoin Mac Néill le haghaidh chiste na nÓglach.

4

"ATHGHABHÁIL NA hÉIREANN"

I rith na bliana 1915 d'fhoilsigh an Conghaileach *The Reconquest of Ireland.* Is é tá sa leabhar seo athshuimiú ar an teagasc sóisialta agus, féadaimid a rá, ar an teagasc polaitiúil a bhí sé le fada a chur roimh an tír. Tá an t-athshuimiú seo tábhachtach ar an ábhar nach léir gur tháinig aon athrú ar a theagasc idir foilsiú an leabhair agus a bhás.

"Sé a chiallaigh gabháil na hÉireann," deir sé i dtosach an leabhair, "daorsmacht sóisialta agus polaitiúil mhuintir na hÉireann agus, ar an ábhar sin is ceart go gciallódh Athghabháil na hÉireann go saorfaí an uile fhear, bean agus páiste in Éirinn ón daorsmacht sóisialta agus polaitiúil. I bhfocail eile, go mbeadh comhúinéireacht na hÉireann go huile ag muintir na hÉireann go huile.

"Is é bunsmaoineamh an leabhair seo go gcaithfidh gluaiseacht an lucht oibre in Éireann athghabháil na hÉireann a chur roimhe mar chuspóir agus go gciallaíonn an athghabháil sin seilbh a ghlacadh ar an tír go hiomlán, ar

* Deasún Ó Riain in *Inniu* 6 Meán Fómhair, 1957.

iomlán a cumas táirgthe saibhris agus ar iomlán na
n-acmhainní aiceanta, agus iad a eagrú ar bhunús comh-
araíochta ar mhaithe leis na daoine go huile.

"Sa lá inniu tá gréasán de na cumainn chomharaíochta
ag muintir na tuaithe tríd an tír. Tá a líon ag fás agus tá
na treoraithe cliste agus na baill i gcónaí ag tabhairt faoi
réimeanna nua gnó agus réimeanna níos torthúla gnó.

"Go dtí seo, mar is gnáth in Éirinn is ar éigean a
smaoinigh lucht seo na comharaíochta i measc muintir na
tuaithe ar chuspóir ar bith a chur rompu féin mar thoradh
ar a saothar, ach thug a n-aire go diongbháilte ar riacht-
anais na huaire. Ar an láimh eile is féidir a rá faoi
threoraithe ghluaiseacht na mbailte gur dócha gur lú go
mór a ngníomhartha, de ghnáth, murarbh í an bharr-
shamhail a spreagann iad. Is í an bharrshamhail sin a
spreagann sa lá inniu oibrithe míleata an domhain —
Comhlathas Comharaíochta. "

Leis an dá dhream, oibrithe na mbailte agus muintir na
tuaithe, a thabhairt ar aon taobh mhol an Conghaileach
do na cearchumainn a gcuid airgid a shuncáil sna comhar-
chumainn agus a chinntiú ar an dóigh sin go mbeadh bia
le fáil acu le linn stailce nó dúnadh amach. Agus bhí sé
dóchasach de bharr an chomhoibrithe sin go bhfásfadh
tuiscint iontu ar Éirinn a mbeadh siad ar aon ina n-oidhrí
ar a maoin agus ar a cumas agus a mbeadh siad ar aon
páirteach ina saibhreas agus ina cultúir. Agus, dar leis,
dá mbeimis le cur sa chuntas leis an méid sin comhthuiscint
i gcúrsaí polaitiúla bheadh léargas éigin againn ar an athrú
mór bunúsach a bhí ag teacht chun saoil sa tír.

Taobh leis an phraiticiúlacht a léirigh sé sa tuairim-
íocht sin mheasc an Conghaileach roinnt mhaith den ais-
lingeacht nach bhféadfaí a rá faoi go raibh mórán ábhar
dóchais ann go dtiocfadh sé i gcrích. Ach is gearr go
bhfilleann sé ar an táigiúlacht.

"Is éigean don lucht saothair a fhoghlaim gur mithid
na fórsaí a eagrú as an nua le aghaidh a thabhairt ar an
todhchaí . . . Tá tábhacht na stailce comhbhái foghlamtha
againn agus feasta ní ligfimid d'aon deighilt cheirde ár

lámha a cheangal . . . Is ceart go mbeimis de shíor ag saothrú le prionsabal an aontais iomláin de réir na dtionscal a thabhairt i réim ; caithfidh an Ceardchumann Tionscail ina mbeidh gach oibrí i ngach tionscal ceangailte le chéile teacht in áit an iliomad ceardchumann a chuireann anois bac agus ceangal ar ár gcuid oibre . . . Cuirtear mar bharr ar seo go léir an t-aon Cheardchumann Mór amháin ina mbeidh gach oibrí ceangailte agus tá agat an t-eagras is éifeachtaí le haghaidh na cogaíochta tionsclaí an lá tá inniu ann agus fós le haghaidh feidhmiúchán sóisialta an Chomhlathais Chomharaíochta sa todhchaí."

Níl moill orainn a aithint sa chlár oibre seo an teagasc a thug an Conghaileach abhaile leis ó na Stáit Aontaithe — an Ceardchumannachas Tionsclaíoch. Sa chéad abairt eile míníonn sé go soiléir cad é an cineál córais a chuirfeadh sin i bhfeidhm sa tír :

"Dealraíonn sé gurb é an córas sóisialta é is fearr a thabharfadh éifeacht tionsclaíoch i gcrích agus sin leis an tsaoirse is mó ó thíorántacht stáit, córas ina mbeadh an náisiún ag sealbhú na gceardlanna, na monarchana, na nduganna, na mbóithre iarainn, na longcheártaí, srl., iad a bheith faoi stiúradh na gceardchumann tionscail. Creidimid go dtabharfadh a leithéid de chóras na haislingí is gile de chuid na laoch agus na mairtírí i gcrích in Éirinn."

Le linn don tír a bheith ag saothrú chuige sin, dar leis an gConghaileach gur cheart do ghluaiseacht an Lucht Oibre a bheith ag díriú ar chumhacht a bhaint amach sa saol polaitiúil agus sna comhairlí áitiúla.

"Agus an Lucht Oibre eagraithe i gceart le haghaidh na gcúrsaí polaitiúla agus tionsclaíocha beidh gach céim i dtreo phrionsabal na húinéireachta poiblí ár dtabhairt níos gaire do Athghabháil na hÉireann ; ciallaíonn sé go ngabhfaidh muintir na hÉireann ar ais, de réir a chéile, úinéireacht na hÉireann go huile — is é sin tabhairt i gcrích na Saoirse."

Cé gur fhoilsigh sé an tráchtas seo i 1915, scríobhadh cuid mhór de roimhe sin agus mar is léir is plean oibre síochánta é. Dúirt an Conghaileach i dtús 1916 : "Creid-

imid gur cheart in am na síochána oibriú de réir plean
síochánta leis an náisiún a neartú . . . Ach creidimid freisin
gur cheart in am an chogaidh gníomhú mar a ghníomh-
ófaí i gcogadh."

5

AN TREORAÍ CAILLTE

Thug Seán Ó Cáthasaigh a bhreith féin ar chreideamh
sóisialta agus ar chreideamh náisiúnta Shéamais Uí Chon-
ghaile an tráth seo dá shaol. Ní gá do dhuine ar bith
glacadh leis mar bhreith. Is fiú dúinn, mar sin féin, aird a
thabhairt air agus sinn ag tabhairt aghaidh ar an bhliain
go leith beagnach dá shaol atá le caitheamh ag an
gConghaileach, an tréimhse is troime obair agus is tor-
thúla saothar dár chaith sé, b'fhéidir.

"Faoi stiúradh Shéamais Uí Chonghaile," deir Seán Ó
Cáthasaigh, "thosaigh athrú nár bheag ag teacht ar
sheasamh Chomhairle Arm na Saoránach i leith na
nÓglach . . . Níor ghlac an Conghaileach páirt ar bith sna
hionsaithe a rinneadh ar na hÓglaigh i dtosach a saoil . . .
agus dá bhrí sin méadaíodh go mór ar an gcairdeas a bhí
idir é féin agus na baill mhíleata de Chomhairle na
nÓglach. Is deacair an t-athrú, nach mór réabhlóideach, a
bhí á léiriú féin i nádúr an Chonghailigh a thuiscint. Shílf-
feá go raibh gluaiseacht an Lucht Saothair ag cúlú mar
fhórsa, dar leis, agus san am céanna go raibh an chuid is
fearr dá nádúr ag teacht faoi anáil an Náisiúnachais. Na
hailt leis a foilsíodh go rialta sa *Workers' Republic,* na
hóráideacha a rinne sé ag na himeachtaí agus ag na cruin-
nithe éagsúla, d'fhógair siad go léir go raibh Séamas Ó
Conghaile tar éis céim a thabhairt ó bhóthar cúng an
tsóisialachais Éireannaigh go dtí bóthar leathan plódaithe
an Náisiúnachais Éireannaigh . . . Bhí ardchreideamh an
Náisiúnachais Éireannaigh anois ina phaidrín laethúil aige,
agus an creideamh ab airde, creideamh an chine dhaonna
idirnáisiúnta a tháinig ina shruth óna bheola beoga, bhí

sé ina thost go deo, agus chaill Lucht Saothair na hÉireann a dtreoraí." (*The Story of the Irish Citizen Army* le P. (Seán) Ó Cáthasaigh.)

Ró-réidh, b'fhéidir, a tháinig Ó Cáthasaigh ar an tuairim sin. Is eol dúinn óna scríbhinní nach amhlaidh a bhí nár ghlac an Conghaileach leis an bPoblachtachas nó leis an Náisiúnachas ach sna blianta 1914 agus a lean air ach go raibh a chreideamh sa dá ghné sin de shaol polaitiúil na hÉireann soiléir ó dheireadh an naoú céad déag. Agus sa bhliain 1915 féin is eol dúinn a shaothar leis an gCeardchumann a chur ar a bhoinn, a scríbhinní éagsúla ar an sóisialachas, eagrú agus foilsiú *The Reconquest of Ireland* chomh mhaith leis an obair a rinne sé ar son bhunú na Poblachta.

Nuair ba léir don Chonghaileach i dtosach 1915 nach mbeadh rath ar *The Worker* a bhí á chlóbhualadh i nGlaschú, shocraigh sé ar ghléasanna clóbhuailte a fháil dó féin. Fuair sé seaninneall a dhéanfadh gnó dó agus cuireadh isteach i Halla na Saoirse é i Mí Feabhra. Beagnach ag an am céanna ghabh na póilíní an eisiúint de *The Worker* do mhí Feabhra agus é ag teacht isteach sa bhád i mBaile Átha Cliath. Bhí cuid de choiste an Cheardchumainn nach raibh róshásta le inneall cló a chur isteach i Halla na Saoirse ach fuair an Conghaileach cead a chinn ón gcoiste ina iomláine. Agus an taobh sin den ghnó socraithe aige, thosaigh sé ag déanamh réidh le páipéar nua a fhoilsiú.

Bhí air an obair sin a fhágáil i leataobh go ceann cúpla mí go mbeadh sé réidh le sraith d'éilimh ar arduithe tuarastail a bhí á bhrú aige san am. Thuairiscigh sé toradh na hoibre sin in óráid a thug sé i gCorcaigh i mí Bealtaine. Thracht sé san óráid sin ar Dhúnadh Amach 1913 agus ar a dtáinig roimhe agus don iarracht a rinneadh cos ar bolg a imirt ar na hoibrithe agus mhínigh sé an t-athrú a bhí tugtha i gcrích ag an gCeardchumann. San áit a raibh na fostóirí roimhe sin ag diúltú aitheantas ar bith a thabhairt dóibh, bhí siad anois "réidh le ceisteanna a shocrú trí mheán an Cheardchumainn agus cibé téarmaí ar aontaigh

Óráid an Phiarsaigh ag uaigh Uí Dhonnabháin Rosa. (Tá an uaigh á líonadh, agus tá an Piarsach le feiceáil ar thaobh na láimhe deise, i lár baill, agus caipín Óglaigh air ; níl idir é agus an sagart faoina shuirplís ach an buachaill friothála).

In order to prevent the further slaughter of Dublin
citizens, and in the hope of saving the lives of our
followers now surrounded and hopelessly outnumbered, the
members of the Provisional Government present at Head-
Quarters have agreed to an unconditional surrender, and the
Commandants of the various districts in the City and Country
will order their commands to lay down arms.

P. H. Pearse.

29th April 1916
3.45 p.m.

I agree to these conditions for the men only
under my own Command in the Moore
Street District and for the men in
the Stephen's Green Command.

James Connolly
April 29/16

On consultation with Commandant Ceannt
and other officers I have decided to
agree to unconditional surrender also

Thomas MacDonagh

siad orthu ansin, ba iad a shocraigh na rátaí ar na céanna agus áiteanna eile a rabhthas ag fostú ár gcuid fear." Agus thug sé sampla de na harduithe pá a baineadh amach : Cumann na Stíbheadóirí — pingin an tonna de bhreis ; Longa na Mara Móire — scilling an lá do gach fear ar phá lae ; Longa Ócáideacha Thar Mhuir Mheann — scilling sa lá ; Longa Coitianta Thar Mhuir Mheann — scilling go leith sa lá ; Comhlacht Átha Cliath agus Ilghnéithe — ceithre scilling sa tseachtain ; Sclábhaithe Longcheártaí — trí scilling sa tseachtain.

Ba doiligh gan aontú leis an méid seo a deir lucht Cheardchumann Oibrithe Iompair agus Ilsaothair na hÉireann féin faoi shaothar an Chonghailigh sa tréimhse seo :

" Bhí an Ceardchumann briste i dtaca le hairgead, baill agus clú de. Le linn na gníomhaíochta réabhlóidí féin shaothraigh an Conghaileach go righin, daingean leis an gCeardchumann a choimeád le chéile agus le go mbeadh sé ina fhórsa i saol náisiúnta agus tionsclaíoch na tíre . . .

" . . . Sa bhliain 1915 ba lú ná £25 méid an airgid réidh infhaighte a bhí ag an gCeardchumann.

" . . . Shaothraigh an Conghaileach go cróga le fiacha an cheardchumainn a laghdú agus le rud éigin a bheadh cosúil le teacht isteach rialta a fháil . . . Ábhar trua na hachainíocha a chuir sé chuig Comhairle na gCeard, chuig Chraobh Shligigh agus mar sin de, ar airgead leis na stailceanna a choimeád ar bun. I mí Iúil, 1915, dúirt an Conghaileach nár léir dó go bhféadfaidís an pá stailce a bhí le tabhairt amach an deireadh seachtaine a bhí chucu a íoc agus gurbh fhearr éirí as an stailc . . . Bhí sé ag dul rite leis go deimhin nuair a bhí air teacht ar an tuairim sin ach ba mhór riamh a neart aigne agus níor staon sé riamh ó aghaidh a thabhairt ar an fhírinne." (The Attempt to Smash the Irish Transport and Workers' Union. I.T.G.W.U.) Gnóthach agus mar a bhí sé níor bhac sin é ar alt an-suimiúil a scríobh don International Socialist Review i mí Márta inar scrúdaigh sé an fáth ar theip ar na sóisialaithe sna tíortha éagsúla bac nó fiú moill a chur ar thosú an chogaidh agus an fáth nár chuir na

sóisialaithe tús le héirí amach an uair a séideadh na gleo-
stoic ag fógairt an chogaidh. Agus ó tharla nár éirigh na
sóisialaithe amach chuir sé roimhe rud eile a léiriú — an
fáth, dar leis, nach mbeadh sos nó suaimhneas chun for-
bartha ag na náisiúin tionsclaíocha fad agus a bhí tiarnas
na bhfarraigí ag Sasana :

"Creidim go bhféadfadh na sóisialaithe bac a chur ar
thosú an chogaidh ; de bhrí nár chuir agus go bhfuil sé
anois ina chogadh, sé mo mhian Sasana fheiceáil ar lár sa
tslí go mbeidh cead tráchtála na farraige feasta ag an uile
náisiún beag agus mór.

"Ach cad é mar d'fhéadfaí bac a chur ar thosú an
chogaidh, rud is ionann agus a fhiafraí cad é mar a theip
ar an ghluaiseacht shóisialach agus cad chuige ar theip air
bac a chur air ?

"Níl freagra na ceiste sin le tuiscint ach amháin ag na
daoine sin a thuigeann an teagasc sin a raibh eolas air sna
Stáit ó 1905 i leith faoin teideal ' tionscalaíocht ' agus san
Eoraip, cé nach bhfuil sé chomh cruinn, faoin teideal
' siondacáiteachas '.

"Tá croílár an teagaisc sin sa dá phrionsabal seo :
An chéad ceann, nach féidir leis an lucht saothair a dtoil a
chur i bhfeidhm ach trína neart a chur i bhfeidhm sna
hionaid táirgthe, i.e., sna feirmeacha, sna monarchana, sna
ceardlanna, sna bóithre iarainn, sna duganna, sna longa —
an áit a ndéantar obair an domhain mhóir, ó tharla éifeacht
an vóta pholaitiúil ag brath go príomha ar neart eacnamaí-
och na n-oibrithe agus iad eagraithe taobh thiar de. An
dara ceann, le linn eagrú an nirt eacnamaígh sin go dtógfaí
foirgneamh tionsclaíoch na poblachta sóisialaí, go dtógfaí
an tsochaí nua taobh istigh den tsean-sochaí . . .

"Ní fhéadfadh páirtí sóisialach ar bith san Eoraip a rá
mar mhalairt ar dhul sa troid go nglaofadh sé amach ar
stailc oibrithe uile chóras iompair na tíre agus sa tslí sin
stop a chur leis an slógadh. Ní fhéadfadh páirtí sóisialach
ar bith sin a rá ar an ábhar nach raibh seans dá lághad
ann go bhfreagrófaí a leithéid de ghlao.

"Is é an fáth ar theip ar shóisialachas na hEorpa an

cogadh a stop, colscaradh ghluaiseacht thionsclaíoch agus gluaiseacht pholaitiúil an lucht saothair óna chéile . . . " (*International Socialist Review*, Márta 1915.)

Tá an tábhacht seo ar leith leis an alt seo a scríobhadh do léitheoirí sóisialacha na Stát Aontaithe, go léiríonn sé an modh oibre a bhí sé a mholadh do na sóisialaithe san am — an Ceardchumannachas Tionsclaíoch úd a thug sé leis ó na Stáit na blianta roimhe sin, modh oibre nach nglacfadh na Cumannaithe leis san am sin ná san am i láthair.

Ar an 29ú Bealtaine tháinig an chéad uimhir den pháipéar nua amach. Teideal a chéad pháipéir féin a thug an Conghaileach air : " *The Workers' Republic* ". Thuairiscigh an páipéar an óráid a thug sé ag comóradh Lá an Lucht Saothair i bPáirc an Fhionnuisce, agus dála mar a léiríonn alt an *International Socialist Review* an modh oibre ba mhian leis a chur os comhair an phobail idirnáisiúnta, léiríonn an óráid seo an modh oibre a bhí sé a mholadh dá mhuintir féin.

Thrácht sé ar an saol corrach a bhí in Éirinn san am agus ar ghabháil Sheáin Mhic Dhiarmada, Sheáin Uí Mhaolruaí agus Phroinsiais Shíthigh Sceimhealtúin as an rud a dúradh na mílte uair roimhe sin. Ní raibh fonn air dul i bpríosún, dúirt sé. Bhí na cumhachtaí móra a shíl siad uair a bheith leatromach, tíoránach, ag troid ar son saoirse agus neamhspleáchas na náisiún beag.

" *And when I, who have been all my life fighting, in my own way, for these same objects, see such a great change come to pass why should I want to go to prison ?* " Dá bhrí sin bhí sé ag brath an dea-chomhairle a thabhairt uaidh. Mhol sé dóibh go léir liostáil san arm !

" *Well, I won't insult your intelligence by saying which army, but if I am charged for anything I may say here today I will call upon you all as witnesses (if I am allowed) to prove that I advised you all to join the army.*" (Bualadh bos agus scairteacha gáire) . . .

" Dá mbeadh siad lena súile a dhíriú ar an Lucht Oibre, d'fheicfidís an t-aon aicme amháin nár fheall riamh ar

Éirinn. Ceanglaígí le bhur gceardchumann agus cuidígí leis an troid le bhur dtír féin a athghabháil don lucht saothair. Bígí páirteach sa troid ar son Éireann, saor, athghinte, a shaorfaidh ní sibh féin amháin, ach bhur sliocht agus sliocht bhur sleachta." (*Workers' Republic*, 5.6.1915.)

Sa mhí chéanna sin shocraigh Comhairle na gCeard agus Lucht Saothair Bhaile Átha Cliath ar an toghchán don suíochán mar fheisire i gceantar Fhaiche an Choláiste a throid in éadan John Dillon Nugent. B'ionann agus masla don lucht oibre an fear sin a roghnú, dar leis an gConghaileach, ar an ábhar gur shaothraigh sé go nimhneach binbeach in éadan an lucht oibre sa Dúnadh Amach i 1913 :

"*He has set Irishman against Irishman, brothers against brothers, has broken up family ties and the ties of community, has been the ready agent of every evil thing that sought to darken the national soul and sully the character of the race. He is the incarnation and flowering of the results upon Irish character of seven centuries of slavery.* (Workers' Republic, 12.6.1915.)

Ní fhéadfaí a rá nach ndearna sé soiléir cad é an meas a bhí acu ar Nugent. Mar sin féin níor éirigh leis an bhFearánach, iarrathóir an lucht saothair. Is é an tuairim a nocht an Conghaileach, nach raibh inneall toghchánaíochta an lucht oibre inchomórtais " le hinneall bealaithe réghluaiste " Léag Aontaithe na hÉireann, ach go raibh éileamh déanta anois ar an toghlach seo agus gur acu a bheadh sé an chéad uair eile ach cur chuige in am.

Bhí an Conghaileach ar a mhíle dícheall i rith míonna an tsamhraidh seo agus é ag iarraidh an uile thrá a fhreastal, amhail is nach bhféadfadh sé fanacht ar a shuaimhneas fad agus a bhí gné ar bith de na gnéithe éagsúla den obair a bhí idir lámha aige gan déanamh. Bhí sé réidh i gcónaí le freagairt ar iarratas ar bith ar chuidiú agus dá mbeadh saothar éigin gan déanamh a shíl sé ba cheart bheith á dhéanamh, chuireadh sé féin ar siúl é.

Mar shampla, chuir sé sraith alt i gcló sa *Workers' Republic* a scríobh sé féin ar theicníc mhíleata mar léiríodh é sna réabhlóidí éagsúla san am a bhí thart. Ba mhian leis go dtuigfí i gceart, in Arm na Saoránach ar scor ar bith, a thábhachtaí a bhí sé a bheith eolach ar an chogaíocht sráide mar fhreagra ar mhodhanna cogaíochta na saighdiúirí gairmiúla.

Príosúnú sin Sheáin Mhic Dhiarmada agus na beirte eile as labhairt in éadan na liostála, dár thagair sé in óráid Lá an Lucht Saothair, mar shampla eile, chuir an Conghaileach cruinniú agóide faoi ar siúl i bPlás Dúinsméara mar ar labhair sé féin agus Liam Ó Briain. Chomh maith leis an triúr sin a cuireadh i bpríosún, ordaíodh dá lán eile a n-áiteanna gníomhaíochta a fhágáil. Ordaíodh do Sheán Ó hÉigeartaigh Corcaigh a fhágáil, agus do Alastair Mac Cába Sligeach a thréigean. Cuireadh Earnán de Blaghd, Donncha Mac Con Uladh agus Iorbairt Pim i bpríosún i mBéal Feirste as diúltú imeacht as an tír mar a hordaíodh dóibh. Bhí Liam Ó Maol Íosa i bpríosún i nDún Dealgan. Níor thaitin an dóigh réchúiseach ar ghlac ceannairí na nÓglach leis an bpríosúnú seo leis an gConghaileach. Sa ráiteas a d'fhoilsigh siadsan faoi dúirt siad gur údarás Sasanach a d'fhógair na horduithe agus dá mba amhlaidh ba mhian leis an Rialtas " ceachtar acu iad a scanrú nó iad a ghríosú le dul i mbun comhraic neamhréitithe " leis na horduithe seo, nach n-éireodh leo.

6

AIGHNEAS LEIS NA hÓGLAIGH

I mí Iúil, 1915, tugadh corp Dhiarmada Uí Dhonnabháin Rosa abhaile ó na Stáit mar a bhfuair sé bás. Thug sé le fios agus é beo gur mhaith leis go gcuirfí in Éirinn é agus ag cuimhneamh dóibh ar an tseirbhís a thug an fear cróga sin dá thír agus ar fhulaing sé ar a son shocraigh na dreamanna náisiúnta ar a meas ar an bhfear agus ar a shaothar a léiriú ar ócáid a shocraide. Chuige sin bunaíodh coiste sochraide ar a raibh ceannairí uile na ndreamanna náisiúnta sin. Bhí Séamas Ó Conghaile ar an gcoiste agus scríobh sé alt le haghaidh an leabhair chuimhneacháin a foilsíodh in onóir na hócáide.

Ar an 1ú Lúnasa lean ollslua an tsochraid go reilig Ghlas Naoidhean. Bhí díormaí ón uile dhream náisiúnta páirteach sa mhórshiúl. Bhí craobhacha na cathrach de Cheardchumann Oibrithe Iompair agus Ilsaothair ann. Mháirseáil Arm na Saoránach agus, ar ndóigh, Óglaigh na hÉireann. Bhí an Conghaileach i gceannas ar Arm na Saoránach. Bhí a chulaith tíre féin air. "A navy suit, a black felt hat are all right in their place, but hardly suitable to wear as the Officer Commanding the Citizen Army in the procession," dúirt a iníon Nóra leis, agus an ceart aici, ar ndóigh. Saighdiúirí den dá arm, Óglaigh agus baill de Arm na Saoránach, a bhí mar gharda onóra ag an uaigh, an líon céanna ón dá arm.

Thug an Piarsach an óráid — óráid a bhí ina gairm chatha ag an gCine Gael agus ina dúshlán faoi Rialtas Gall in Éirinn, óráid a mhairfidh le saol na nGael. Cibé a déarfadh aon duine faoi dháiríreacht na nÓglach níor fhág an Piarsach amhras ar aon duine faoina chreideamh féin nuair gheall sé ar son "ár gcomrádaithe i bpríosún" agus "ar ár son féin . . . ár ngrá do Éirinn agus ár bhfuath do Rialtas Shasana in Éirinn . . . Creidim," ar sé, "mar a chreid Ó Donnabháin Rosa, gur Críostúil an gníomh é fuath a thabhairt don olc, fuath a thabhairt don bhréag, fuath a thabhairt don tíorántacht agus le linn an fuath sin a thabhairt dóibh, réiteach a dhéanamh lena dtreascairt."

Agus an óráid críochnaithe scaoileadh roisteacha piléar os cionn na huaighe in onóir an mhairbh agus ina ndúshlán faoin Rialtas a thoirmisc ar Éireannaigh gunnaí a iompar ar son na hÉireann !

Feadh an tsamhraidh sin ó bunaíodh Comhairle Mhíleata an Bhráithreachais bhí na pleananna ba ghnó don choiste iad a cheapadh á gcur le chéile go réidh rúnda agus ó bhí an Piarsach ar an Chomhairle sin bhí ciall ar leith le gach focal dár labhair sé an lá sin agus as measc an tslua mór daoine dár éist na hurchair ag baint macalla as leacacha cuimhneacháin na reilige an lá sin eisean amháin agus beagán eile a thuig go raibh an lá ag déanamh orthu a gcluinfí an macalla i sráideanna na príomhchathrach.

Nuair a hiarradh ar an gConghaileach an t-alt a scríobh le haghaidh an leabhair chuimhneacháin d'fhreagair sé : " Cathain atá sibhse le héirí as an scaothaireacht faoi na Fíiní marbha ? Cad chuige nach bhfaigheann sibh roinnt Fíiní beo mar athrú?" B'ait uaidh é! Ar achainí Thomáis Uí Chléirigh, áfach, scríobh sé alt ar a dtug sé mar theideal :

An Fáth a dTugann Arm na Saoránach Onóir do Rosa.

" Agus oibrithe na hÉireann ag tabhairt onóra do Ó Donnabháin Rosa tá níos mó i gceist acu ná díreach ómós dá sprid dochloíte a thaispeáint. Tá siad ag léiriú a ndílseachta don phrionsabal dár mhair Rosa dílis feadh a shaoil . . . Baineann an daoirse leis an anam sula mbaineann sé le gnéithe ábhartha den saol. Dearbhaím sula gcuirtear náisiún faoi dhaorsmacht gur gá don tíoránach a anam a smachtú, a bhriseadh agus a thruailliú . . . Leis na cianta tá an troid seo idir naofacht an anama agus riachtanais an choirp ar siúl in Éirinn. Chomhairligh anam na hÉireann an éirí amach . . . ó am go chéile ghlac Éire leis an moladh seo . . . ach chaill an mhórchuid de na daoine na hardócáidí agus ghlac an náisiún mar náisiún leis an daorsmacht . . .

" Tá Arm Saoránach na hÉireann faoi gheall, de réir a bhunreachta, troid ar son Saoirse Phoblachtach na hÉireann . . . Táimid, dá bhrí sin, i láthair le Ó Donnabháin Rosa a onórú de bharr ár gcreideamh i gcumas oibrithe na hÉireann ár gcinniúint a thabhairt in éifeacht."

Thrácht sé freisin ar an tsochraid sa *Workers' Republic* an lá roimh ré :

" D'aithin na fir sin (1865 - 1867) nach gcloítear náisiún ar bith go dtí go gcloítear a sprid, go dtí go nglacann sé go bhfuil buaite uirthi . . .

" Ar ár son féin, dearbhaímid go máirseálfaimid ina shochraid ar an ábhar go bhfuilimid réidh le troid ar son an chuspóra chéanna. Agus is réidhe go mór a bheimid agus sinn ag tabhairt chun cuimhne gurbh iad lámha láidre lucht saothair na haimsire sin a choinnigh bratach na bhFíiní ar foluain, go díreach mar is í eagraíocht mhíleata na haicme céanna an lá tá inniu ann an t-aon dream amháin a fhógraíonn gan scáth gan choinníoll a dílseacht do phrionsabal poblachtach na saoirse náisiúnta ar sheas na Fíníní dó." (*Workers' Republic*, 31.7.1915.)

I samhradh na bliana sin cuireadh coiste ar bun le feachtas a choimeád ar obair in éadan an choinscríofa. Bhí daoine ó na dreamanna náisiúnta agus ón lucht oibre ar an gcoiste. I mí Dheireadh Fómhair mhol Peadar Ó Maicín, a bhí sna hÓglaigh, rún ag cruinniú de Cheardchomhairle Bhaile Átha Cliath a ghlaoigh " ar na hoibrithe eagraithe clárú in Arm na Saoránach nó sna hÓglaigh óir is mar sin is fearr is féidir bac a chur ar an gcoinscríobh ".

Mar thoradh ar an rún seo chas Coiste na Ceardchomhairle i gcruinniú le Eoin Mac Néill agus Séamas Ó Conchubhair, agus an bheirt sin ag iarraidh comhoibriú na Comhairle le cur in éadan na bhfostóirí a bhí ag brú ar a bhfostaithe dul isteach in Arm Shasana. Chuir an Chomhairle freagra ar na hÓglaigh agus mhol go mbunófaí comhchoiste ar a mbeadh ionadaithe ón dá dhream le teacht ar phlean gníomha.

Thagadh an comhchoiste seo le chéile ar feadh tamaill. Bhí an Piarsach, Seán Mac Diarmada, Eoin Mac Néill agus Séamas Ó Conchubhair mar ionadaithe na nÓglach agus Séamas Ó Conghaile, Liam Ó Briain agus Tomás Ó Fearáin mar ionadaithe na Comhairle. Ar son na Comhairle d'éiligh an Conghaileach dá mbeadh na hoibrithe eagraithe le seasamh le polasaí áirithe gur cheart go ngeallfadh na hÓglaigh go gcuirfidís a dtacaíocht mhíleata leis dá mba ghá sin. Nuair nach raibh Eoin Mac Néill sásta géilleadh don choinníoll sin, ní dheachthas ar aghaidh leis na cruinnithe.

Nocht an Conghaileach a thuairim ar sheasamh Eoin Mhic Néill i litir a scríobh sé chuig Winifred Ní Chearnaigh i mBéal Feirste ar an 30ú Samhain :

"Bhí agallamh fada agam le Eoin Mac Néill ar an Satharn. Bhain sé geit asam nuair a dhearbhaigh sé go gcuirfeadh sé in éadan na hÓglaigh dul i mbun gníomha mhíleata dá mbeifí leis an gcoinscríobh a fheidhmiú. Go raibh sé faoi gheall an coinscríobh a throid ach ní ar an dóigh sin. Cineál d'easumhlaíocht shíochánta atá i gceist aige, na póilíní a sheachaint, agus diúltú clárú le haghaidh coinscríofa ! Bhain an ráiteas sin ' an ghaoth asam '." (Cathal Ó Seanáin san *Evening Press,* 24.4.1961).

Ón am seo amach d'fhoilsigh an Conghaileach sa *Workers' Republic* sraith alt inar ionsaigh sé ceannairí na nÓglach as a n-easpa dáiríreachta agus as laige sprid na réabhlóide iontu, de réir mar ba léir sin dó féin. Ar éigean má bhí a fhios aige go raibh greim an-láidir ag ionadaithe an Bhráithreachais ar na hÓglaigh nó, má bhí, ní raibh fhios aige go raibh an Bráithreachas sin ag beartú troda míleata agus sin go luath agus go raibh an Chomhairle Mhíleata a bhunaigh Coiste Feidhmeannach an Bhráithreachais cheana ag fiosrú faoi na háiteanna ab fhearr a d'oirfeadh leis na hairm a thabhairt isteach ón Ghearmáin.

Cheana féin, áfach, i mí Dheireadh Fómhair bhí an Conghaileach ag réiteach an bhealaigh do na hionsaithe seo trí sheasamh Arm na Saoránach a dhéanamh soiléir :

" Cibé faoi dhaoine eile, níl ach an t-aon chuspóir amháin againne Arm na Saoránach — fir agus mná na hÉireann Éire a rialú, í ceannasach, neamhspleách, ón lár go dtí an mhuir agus a bratach féin ar foluain ar fharraigí an domhain.

" *We cannot be swerved from our course by honeyed words, lulled into carelessness by freedom to parade and strut in uniforms, nor betrayed by high-sounding phrases.*

" *The Irish Citizen Army will only co-operate in a forward movement. The moment that forward movement ceases it reserves to itself the right to step out of the alignment, and advance by itself if needs be, in an effort to plant the banner of freedom one reach further towards its goal . . .* " (*Workers' Republic,* 30.10.1915.)

Is léir go raibh an dearbhú poiblí seo go rachadh Arm na Saoránach ar aghaidh iad féin, dá bhfeicfí dóibh gur ghá sin, ina ábhar buartha ag lucht an Bhráithreachais a raibh a bpleananna le haghaidh na hÉirí Amach go mór ar aghaidh. Le tamall anuas bhí Coiste Gnótha an Bhráithreachais imníoch go dtarraingeodh an Conghaileach lucht an Chaisleáin orthu sula mbeadh siad réidh leis an mbuille a bhualadh.

Tugadh ábhar breise buartha dóibh an tseachtain ina dhiaidh sin nuair a scríobh an Conghaileach alt faoin teideal "Dioplómaiteacht". I ndiaidh cumas taidhleoireachta Shasana a mholadh dúirt sé "go bhféadfadh Éire agus Éire amháin" bac a chur le Sasana bua dioplómaiteach a bhaint, "*but Ireland has the brand of the slave on her brow — numbing fear of the tyrant in her soul.*"

As sin amach sháraigh na hailt ar a chéile seachtain i ndiaidh seachtaine :

"Na réabhlóidithe sin a dhiúltaíonn na buillí a bhualadh go dtí go mbíonn a ghunna ag gach fear, agus go mbíonn sé de mhúineadh ag an namhaid gan aon ní a dhéanamh a chuirfeadh isteach gan ghá ar na réabhlóidithe nó a chuirfeadh a gcuid pleananna trí chéile — níl a leithéid de réabhlóidithe le fáil ach sa dá áit, san opera grinn agus sa pholaitíocht náisiúnta in Éirinn . . .

Once to every man and nation comes
the moment to decide . . .

(*Workers' Republic*, 13.11.1915.)

"An tseachtain seo táimid ag céiliúradh cuimhneacháin eile (Mairtírigh Mhanchúin) . . .

"An tseachtain seo ní cuimhneachán smaointeoirí atá á cheiliúradh againn ach cuimhneachán gníomhairí, cuimhneachán na bhfear nár fhan le haghaidh an mhachnaimh nuair a bhí gníomh le déanamh, ach a chuaigh ina bhun, agus trí dhéanamh an ghníomha a bhris ar gach riail cúraim, céille agus críonnachta agus le linn a mbriste a ghéill d'ordú na stuaime agus a bhain córóin a mhairfidh go deo . . ." (*Workers' Republic*, 20.11.1915.)

In éagrán na Nollag scríobh sé alt faoin gCabhlach Francach a tháinig fad le Bá Bheanntraí i mí na Nollag, 1796, agus a d'imigh gan buille a bhualadh. Chríochnaigh sé an t-alt leis na focail :

"*Christmas week, 1796 ; Christmas week, 1915 — still hesitating.*"

San am sin go díreach léirigh Eoin Mac Néill a dhearcadh féin agus thug freagra ar an seasamh a bhí glactha ag an gConghaileach . . .

" Níl sé de cheart ag duine ar bith a bheith ar lorg faoisimh dó féin trína racht a ligean amach agus an tír a bheith thíos leis . . . Níor ceapadh sinn mar riarthóirí cheartas Dé nó cheartas daoine. Le linn dúinn a bheith ag tabhairt fuatha don tíorántacht agus don éagóir, ná bíodh faitíos orainn rompu . . . Déantar gach ní go honórach agus ar dhóigh rialta smachtaithe . . . Bainfear úsáid as aon ghníomh tobann fornirt chun mórdhochar na cúise náisiúnta." (*Irish Volunteer*, 25.12.1915.)

Deir Deasún Ó Riain gur nocht an Piarsach a thuairim ag an am seo faoi ailt seo an Chonghailigh :

" I dtaca lena n-abrann sé ina pháipéar, dá mba mhian leis an gnó ar fad a scrios, ní fearr slí a thabharfadh sé faoi. Ní bheidh sé sásta go spreagann sé sinn chun gníomha . . . Cad is féidir leis a dhéanamh anois go díreach ar scor ar bith ? Círéib a chur ar siúl ar feadh cúpla lá ? " (*The Rising* — Deasún Ó Riain.)

Ní raibh an Piarsach ach ag nochtadh an tuairim a bhí ag na baill eile de Choiste Gnótha an Bhráithreachais Phoblachtaigh. Faoin am a raibh an Conghaileach ag scríobh na bhfocal " fós ag moilliú " bhí an Chomhairle Mhíleata den Bhráithreachas tar éis cinneadh ar an Cháisc mar dháta le haghaidh na hÉirí Amach. Ba iad a bhí ar an Chomhairle ag an am, an Piarsach, Seosamh Pluincéid, Éamonn Ceannt, Tomás Ó Cléirigh agus Seán Mac Diarmada. Le linn an ama a raibh na hailt spreagtha á scríobh ag an gConghaileach chas an Piarsach, agus Tomás Ó Cléirigh agus Seán Mac Diarmada air ó am go chéile féachaint lena chiúnú, ach nuair nach raibh ar a gcumas iomlán dá raibh beartaithe acu a léiriú dó, níor éirigh leo é a shásamh. An fáth nach raibh sin ar a gcumas go fóill gur mhian leo aontú na hArd-Chomhairle a fháil leis, agus bhí an chéad chruinniú eile den Ard-Chomhairle le bheith ann ar an 16ú Eanáir, 1916.

Ach má bhí cúis mhaith ag an gConghaileach le bheith

amhrasach faoi intinn réabhlóideachta Eoin Mhic Néill,
Ceann Foirne na nÓglach agus Bulmer Hobson, an Rúnaí,
níor cheart go mbeadh an t-amhras céanna air faoi intinn
an Phiarsaigh agus na ndaoine eile a bhí ar aon taobh leis,
cé gur fíor go raibh orthu, agus ar an bPiarsach go háirithe
ó is é ba mhó díobh a bhí faoi shúile an phobail, a bheith
an-chúramach le gan aon leid a thabhairt do Eoin Mac
Néill ná do na daoine a bhí ar aon intinn leis faoina raibh
á bheartú acu. Ar ndóigh, faoi mar ba léir don Chonghail-
each é, ba bhaolach sula raibh aon bhuille buailte go ngabh-
fadh an Rialtas na ceannairí go léir agus go bhfágfaí na
hÓglaigh gan stiúir agus gan airm. Ar eagla a leithéid tarlú
bhí sé sásta dul sa tseans dá dteipfeadh ar an chaint cean-
nairí na nÓglach a spreagadh, agus an cath a thosú é féin
le Arm na Saoránach agus súil aige nach bhféadfadh na
hÓglaigh gan teacht amach leo. Má ba sothuigthe an rún é
ba chontúirteach.

Is suimiúil an casadh a cuireadh i seasamh an dá thaobh
i leith na troda um an taca seo nuair a scríobh an Piarsach :
" *The old heart of the earth needed to be warmed with the
red wine of the battlefields. Such august homage was never
offered to God as this, the homage of millions of lives given
gladly for love of country.*" D'fhreagair an Conghaileach :
" *No ! We are sick and the world is sick of such teaching.*"

Bhí an ceart ag an gConghaileach, ar ndóigh ; ní hé
amháin gur chreid sé gurbh olc an ní é cogadh ann féin
dála mar a chreid an Piarsach nó mar a chreidfeadh
Críostaí ar bith é sin, ach bhí sé praiticiúil fiú i dtaca leis
an troid a ba mian leis a chur ar siúl gan a thuilleadh
moille — ní doirteadh fola a theastaigh uaidh ach saoirse
na hÉireann. Ar ndóigh, ba é sin mian an Phiarsaigh féin
— ach labhair sé san alt sin mar a labhródh an fear
misticiúil, agus ní raibh an ceart aige agus é ag tagairt
don alt sin nuair a dúirt sé : " *There is not a line in my
article with which Connolly should not agree.*" (*Remem-
bering Sion* — Deasún Ó Riain.)

Le linn dó a bheith ag séideadh faoi cheannairí na
nÓglach ní raibh an Conghaileach ná ceannairí Arm na

Saoránach ag ceadú dá gcuid fear féin a maidí a ligean le sruth. Leanadar go díograiseach leis an druileáil agus leis an mháirseáil agus an inlíocht. Agus bhí siad i gcónaí ar thóir arm agus armlóin agus fós ar thóir na dinimíte agus an uile chineál miotail le buamaí agus gránáidí a dhéanamh. Gan fiú nach raibh díorma ar obair faoi stiúir fear a raibh " meaisínghunna ina chloigeann " féachaint an bhféadfaidís a leithéid de ghunna a dhéanamh.

Le himeacht aimsire bhí íochtar staighre Halla na Saoirse mar a bheadh monarcha lón cogaidh agus stóras lón cogaidh i dteannta a chéile. Dá chomhartha sin bhí súile lucht Chaisleán Bhaile Átha Cliath dírithe go minic agus go santach air, ach ní raibh siad in ann teacht ar aon aigne faoi cad ab fhearr a dhéanfadh siad. Nuair a tugadh fianaise ar an ghné sin den Éirí Amach ag an gcoimisiún a bunaíodh ar ball lena fhiosrú dúradh gur moladh go láidir do lucht an Chaisleáin an Halla a ionsaí. Níor géilleadh don mholadh óir ceapadh go mbeadh suas le míle fear ag teastáil leis an ionsaí a dhéanamh.

B'fhéidir go mbeadh ! Ar scor ar bith ní go réidh a ghabhfaí seilbh air. I nDeireadh Fómhair, mar shampla, chuir an Conghaileach a gcúram go soiléir roimh a chuid fear san Arm :

" Is fada sinn anois ag plé leis an tsaighdiúireacht. Tá an lá tagtha, beagnach, agus is mithid dúinn a bheith inár saighdiúirí dáiríre. Is gearr go mbeimid ag troid ar son ár saoirse. Má tá fear ar bith anseo nach mian leis ar chúis ar bith, misticiúil nó eile, dul an bóthar ar fad linn, anois an t-am aige le seasamh amach agus a ghunna a thabhairt isteach . . . Sibhse ar mian libh é a dhéanamh tá an t-am anois ann le seasamh amach Ní bheidh aon drochmheas oraibh dá bharr ná aon fhocal searbh eadrainn."

Níor bhog fear ar bith. Shiúil an Conghaileach na ranganna agus bhreathnaigh idir an dá shúil ar gach aon duine. Tháinig sé ar ais go dtí a áit amach rompu. Ar sé :

" A bhuachaillí, ní raibh lá amhrais orm fúibh. Tá mé bródúil asaibh."

201

VIII

1916

1

FAOI GHEALL AG ÉIRINN

OGLACH ar bith a léigh an t-alt a scríobh an Conghaileach i dtosach Eanáir, 1916 faoi Óglaigh 1782, ar aithrisigh sé na véarsaí seo thíos leis an Dr. Ó Maidín ann, ní foláir nó ghlac sé leis mar alt eile sa tsraith d'ionsaithe ar Óglaigh na hÉireann a bhí á scríobh ag an gConghaileach le tamall roimhe sin :

> *What did the Volunteers ?*
> *They mustered and paraded,*
> *Until their laurels faded,*
> *This did the Volunteers !*
>
> *How died the Volunteers ?*
> *The death that's fit for slaves,*
> *They slunk into their graves,*
> *Thus died the Volunteers !*

Ach d'athraigh sé a phort sa dara leath den alt lena chruthú nárbh ionann cás don dá dhream.

"Is é an t-aon chomhartha cinnte a dhealaíonn Óglaigh na hÉireann sa lá inniu ó na hÓglaigh a tháinig rompu go dtugann siad tús a ndíograise do Éirinn . . . Is fíor gurb ionann agus cuireadh chun amhrais agus mímhuiníne daoine a bheith ar an gCoiste Gnótha a ghuthraigh ar son géilleadh do Sheán Mac Réamainn agus dá pháirtí. Tá na fir seo ag fealladh ar na daoine a chuir muinín iontu nó is amadáin amach agus amach iad. I gcás ar bith ba cheart go gcuirfí ar ais iad go dtí an saol rúnda neamhurchóideach a bhí acu roimhe seo . . . B'ionann agus lánmhuinín na ndaoine a chailleadh, san am a raibh an lánmhuinín sin ag teastáil, iad a chur in áit na cumhachta athuair." (*Workers' Republic*, 8.1.1916.)

Bulmer Hobson agus Eoin Mac Néill go háirithe a bhí i gceist aige sa tagairt seo don ghéilleadh do Mhac Réamainn agus dá pháirtí, géilleadh nár aontaigh Tomás Ó Cléirigh, ná an Piarsach ná Seán Mac Diarmada leis, ná Seán Ó Dubhuí féin. Rinne an Conghaileach soiléir é cérbh iad sna hÓglaigh a raibh sé míshásta leo, agus is cosúil gurbh é sin a bhí mar chuspóir aige nuair a scríobh sé an t-alt.

Má ba mhinic roimhe sin a phléigh ceannairí na nÓglach seasamh agus rún an Chonghailigh, mhol siad do Eoin Mac Néill faoin am seo dul chun cainte leis arís, agus i lár mhí Eanáir chas an bheirt ar a chéile arís eile. Ní raibh aon duine eile i láthair ach an Piarsach. Deir Mac Néill i gcuntas amháin a scríobh sé i 1922-'23 gurbh é an Piarsach a d'iarr air casadh ar an gConghaileach " féachaint lena thabhairt ar mhalairt intinne dá mb'fhéidir é faoi thuairimí áirithe gníomhaíochta a bhí aige ".

Is é an cuntas a thugann Eoin Mac Néill dúinn ar an gcruinniú :

"Dúirt an Conghaileach go raibh sé i bhfáth le héirí amach gan mhoill. Dúirt mé leis nach raibh seans ar bith go n-éireodh le haon iarracht mhíleata. Mhaígh seisean, ach a dtosódh an troid, go dtiocfadh an tír i gcoitinne amach ar son lucht na hÉirí Amach. Dúirt mé nach raibh sé eolach ar an tír . . . Dúirt an Conghaileach go n-éireodh Arm na Saoránach amach i mBaile Átha Cliath ba chuma na hÓglaigh éirí amach nó a mhalairt. Dúirt mé dá mb'amhlaidh a bhí sé ag brath sa chás sin ar thabhairt orainne troid, mar mhalairt ar a bheith ar nós cuma liom agus a chuid fear á marú, go raibh dul amú air. Níor thángamar ar aontas ar bith.

"D'fhan an Piarsach liom nuair a d'imigh an Conghaileach agus dúirt sé liom gur aontaigh sé le mo sheasamh, go raibh sé cinnte go dtiocfadh leis féin an Conghaileach a bhogadh le héirí as a bheart. Tamall gairid ina dhiaidh sin dhearbhaigh sé dom gur éirigh leis an Conghaileach a bhogadh." (*The Mac Neill Memoranda* in eagar ag an tAth. F. A. Ó Máirtín, O.S.A.)

Lena thuairimí a dhéanamh níos soiléiré fós, b'fhéidir, do Eoin Mac Néill agus do cheannairí uile na nÓglach agus na gluaiseachta réabhlóidí i gcoitinne d'fhoilsigh an Conghaileach alt, gan mhoill i ndiaidh na cainte seo, a léirigh a aidhmeanna agus a chuspóir thar aon amhras. Ní raibh a fhios aige agus an t-alt seo á scríobh aige go mbeadh sé i ndáil chomhairle le cuid de na ceannairí sin sula mbeadh an t-alt i gcló. Is é ba theideal dó :

CAD É ÁR gCLÁR ?

" . . . Ba é ár gclár in aimsir na síochána smacht ar fhórsaí táirgthe agus dáilithe na hÉireann go hiomlán a chruinniú isteach i lámha Éireannacha sna ceardchumainn Éireannacha. Níor chreideamar riamh go bhféadfaí saoirse a bhaint amach gan troid ar a son. Ón gcéad lá a d'fhoilsíomar ár bpolasaí sa bhliain 1896 chloígh eagarthóir an pháipéir seo leis an mana go mbainfimis amach ár gcuspóir ' go síochánta dá mb'fhéidir, ach leis an láimh láidir dá mba ghá . . . '

"Creidimid gur ceart in aimsir na síochána saothrú de réir modhanna síochánta leis an náisiún a neartú agus creidimid an ní a neartaíonn agus a ardaíonn aicme an tsaothair go neartaíonn sé an náisiún . . .

"Tugaígí ár gclár faoi deara go maith dá bhrí sin. Fad is a mhaireann an cogadh agus Éire fós i ngéibheann leanfaimíd á gríosadh le troid ar son a saoirse.

"Leanfaimid linn, i dtráth agus in antráth, ag teagasc gur laige *far-flung battle line* Shasana san áit is gaire don

Príosún Chill Mhaighneann — an t-ionad inar lámháíodh an Conghaileach. (Tugadh isteach ar an doras ar dheis é, cuireadh ina shuí ar chathaoir sa chlúid ar chlé den chlós é agus a chúl leis an mballa mar a bhfuil sé marcáilte le crois).

Thuas : Garda de Arm na gCathróirí ar dhíon Halla na Saoirse.

Ar chlé : Liam Ó Briain.

Thíos : An tAthair Aloysius, O.F.M. Cap.

chroí . . . gur *anois* an t-am le Éire a troid a dhéanamh agus gur *anseo* an áit le Éire a troid a dhéanamh . . .

"Nílimid tobann agus nílimid cladhartha. Aithnímid ár bhfaill nuair a fheicimid í agus is eol dúinn nuair atá sí tharainn. Is eol dúinn, teacht dheireadh an chogaidh seo, go mbeidh arm ag Sasana a mbeidh ar a laghad milliún fear ann . . .

"Ní bheidh aon fhonn orainn na fir seo a throid. Cuirfimid romhainn ár gcomrádaithe a fhilleann ar an ngnáthshaol a eagrú sna ceardchumainn agus i bpáirtithe den Lucht Oibre lena gceart sa ghnáthshaol a bhaint amach dóibh.

"Mura ndéanaimid imirce go tír éigin a bhfuil fír ann ! " (*Workers' Republic*, 22.1.1916.)

Ar an 16ú lá de mhí Eanáir, is é sin faoin am a raibh an t-alt seo á scríobh ag an gConghaileach nó b'fhéidir lá nó dhó i ndiaidh á scríofa, tionóladh cruinniú a bhain leis an cheist, i Halla an Bhaile (Séipéal Naomh Antoine, anois), Cluain Tarbh, Baile Átha Cliath. Cruinniú de Ard-Chomhairle Bhráithreachas Poblachtach na hÉireann a bhí ann. Bhí cruinnithe an Bhráithreachais rúnda agus ba gan fhios don Chonghaileach, ar ndóigh, a tionóladh an cruinniú seo.

Bhí Donncha Mac Con Uladh sa chathair. Cibé eile a moladh ag an gcruinniú, mhol Seán Mac Diarmada go rachfaí i mbun troda ar an dáta ba luaithe ab fhéidir. Níor nocht sé féin ná aon duine de bhaill na Comhairle Míleata go raibh an Cháisc a bhí chucu roghnaithe acu, ní as ucht aon mhímhuinín a bhí acu as an Ard-Chomhairle ach ar mhaithe le heolas ar a raibh beartaithe a choinneáil ag a laghad daoine agus ab fhéidir. Glacadh le rún Mhic Dhiarmada. Mhol Diarmaid Ó Loingsigh go dtiocfadh an chéad chruinniú eile den Ard-Chomhairle le chéile ar Dhomhnach Cásca, agus a fhios aige go raibh sé socraithe go mbeadh siad faoin am sin i ndiaidh dul i muinín na ngunnaí, agus a fhios aige fós go mbeadh an t-údarás ag an gCoiste Gnótha, idir an dá am, dáta na hÉirí Amach a shocrú go hoifigiúil agus gurbh ionann *de facto* an Coiste

Gnótha agus an Chomhairle Mhíleata i dtaca leis an socrú cogaidh de.

Agus an t-údarás acu anois gníomhú as a gconlán féin shocraigh an Chomhairle Mhíleata ar dhul i gcomhairle leis an gConghaileach gan a thuilleadh moille agus rún a socruithe a ligean leis. Tugadh ordú do thriúr Óglach, Éamonn Ó Dálaigh, Proinsias Ó Dálaigh agus Éamonn Dore a chur in iúl don Chonghaileach go raibh fonn ar an bPiarsach go dtiocfadh sé go dtí cruinniú leis féin agus roinnt daoine eile. Fuair an triúr Óglach gluaisteán ó Gharáiste Mhic Thomáis, Sráid an Phiarsaigh, thiomáin go Halla na Saoirse agus chuir an t-iarratas i láthair an Chonghailigh. Thoiligh seisean go fonnmhar agus d'imigh leo sa ghluaisteán. Ba í an Chéadaoin a bhí ann, an 19ú lá de mhí Eanáir, agus am lóin ann. Thiomáin siad go dtí Grovefield House, Bóthar Croimghlinne, Croimghlinn, Co. Bhaile Átha Cliath, áit chónaithe Sheáin Uí Chasaide. Shiúil an Conghaileach isteach sa seomra mar a raibh baill na Comhairle Míleata, nó cuid éigin díobh, roimhe.*

Níl sé cinnte cé hiad na baill den Chomhairle Mhíleata a chas ar an gConghaileach. Is cosúil ar aon nós go raibh an Piarsach ann agus, ó bhí pleananna cogaidh le plé, go raibh Seosamh Pluincéid, a chuir an plean cogaidh do Bhaile Átha Cliath le chéile, ann freisin.

Bhí an Conghaileach ar iarraidh ar feadh cúpla lá ó Halla na Saoirse agus ó Theach Surrey, teach cónaithe Madame Markievicz mar a raibh sé féin ina chónaí san am agus nuair ab fhada lena chairde é a bheith imithe gan scéal a theacht uaidh, d'éirigh ceannairí Arm na Saoránach buartha agus iad ag ceapadh gur fhuadaigh na Sasanaigh é. Phléigh Mícheál Ó Mealláin, Madame Markievicz, Liam Ó Briain agus a dheartháir, agus Tomás Ó Fuaráin an cheist. Mhol Madame Markievicz go n-éireodh Arm na Saoránach amach, ach ghéill sí d'argóintí na ndaoine eile

(*Féach an cuntas le Piaras Béaslaí san *Irish Independent* 31.5.'57. Is é Peadar Ó Casaide a chónaigh i Grovefield House san am de réir *Thom's Directory*. Bhí an teach taobh le 145 Bóthar Cromghlinne an lae inniu.)

agus shocraigh siadh ar a bhfoighne a dhéanamh go fóill.

D'fhill an Conghaileach go Teach Surrey go déanach oíche Shathairn, an 22ú lá, de réir Liam Uí Bhriain, agus chas an Brianach air ansin maidin Domhnaigh. Níor thug an Conghaileach míniú ar bith dó, ná d'aon duine eile ina dhiaidh sin, ar a raibh ar siúl aige ó d'imigh sé uathu. Dúirt sé leis, áfach, go raibh oíche bhreá chodlata an oíche Shathairn sin aige mar go raibh sé marbh tuirseach i ndiaidh dó daichead míle a shiúl ar an Satharn. Ní fios go dtí an lá inniu cá raibh sé le linn an ama ón 19ú go dtí an 22ú lá. Tá cóip de *An Mháthair agus Scéalta Eile,* a scríobh an Piarsach, i seilbh an tSeanadóra Nóra Chonghaileach Uí Bhriain agus an scríbhinn seo air faoi lorg láimhe an Phiarsaigh : "Do Shéamas Ó Conghaile ó Phádraic Mac Piarais, 20.1.'16." B'fhéidir gur féidir leid a bhaint as an scríbhinn sin faoin áit a raibh an Conghaileach an lá sin.

Ar scor ar bith míníodh don Chonghaileach san am cad é a bhí beartaithe ag an Chomhairle Mhíleata in ainm an Bhráithreachais Phoblachtaigh agus phléigh siad na pleananna go mion. Ghlac seisean leis na moltaí, cé gur thug sé le fios go gearr ina dhiaidh sin do Chathal Ó Seanáin go raibh an dáta socraithe, nach raibh sé chomh luath agus ba mhaith leis ach ó bhí sé socraithe go seasódh sé leis. Mhínigh sé dó freisin go raibh sé féin agus cúigear eile faoi mhóid gan rún an dáta a scaoileadh go dtiocfadh an lá. Ba iad an cúigear eile baill na Comhairle Míleata. Ghlac sé féin móid an Bhráithreachais agus rinneadh ball den Chomhairle de. Rinneadh ball den Chomhairle tamall roimh Sheachtain na Cásca de Thomás Mac Donncha. Ba iad an seachtar sin sínitheoirí Fhorógra na Poblachta.

San eagrán den *Workers' Republic* don tseachtain i ndiaidh na gcomhchainteanna seo d'fhoilsigh an Conghaileach nóta a raibh an t-athrú poirt chomh insonraithe ann gur bhain sé geit as an bPiarsach. "Contúirteach go leor," dúirt sé nuair a léigh sé é.

Is fíor nár imigh an Conghaileach ar cúl sceiche ar bith nuair d'fhógair sé :

"Beidh ár nótaí gairid an tseachtain seo. Tá an cheist soiléir agus bhí lámh againn ina soiléiriú. Ní chuirfidh aon ní dá n-abraimis anois breis brí leis na hargóintí a chuireamar roimh ár léitheoirí le míonna beaga anuas ; agus ní leanfaimid ag brú na ceiste.

"Ag glacadh go sollúnta lenár ndualgas agus leis na cúraimí a ghabhann leis, tá an síol curtha againn mar i ndúil is go n-aibeoidh agus go mbláthfaidh sé ina ghníomh sula mbíonn cuid againn mórán níos sine.

"Le haghaidh nóiméad agus uair na haibíochta sin, le haghaidh an lae thorthúil bheannaithe sin thar laethanta, táimid ullamh.

"An bhfaighidh sé thusa ullamh ? " (*Workers' Republic,* 29.1.1916.)

Cuireadh in iúl do chiorcail an Bhráithreachais Phoblachtaigh i mBaile Átha Cliath go raibh an Conghaileach anois san eagraíocht. Bhí cáil cheana ar na hailt a bhí á bhfoilsiú aige sa *Workers' Republic* ar an chogaíocht agus thosaigh na hÓglaigh ón am seo amach ag freastal ar na léachtaí ar an ábhar seo a bhí á dtabhairt aige i Halla na Saoirse. Deir Piaras Béaslaí liom gurbh é Séamas Ó Conghailigh an léachtóir ba shuimiúla agus ba shoiléire ar chúrsaí míleata dá raibh ann sna blianta roimh 1916. Tugadh a lán léachtaí do na hÓglaigh sna blianta sin mar chuid dá gcúrsa traenála. Bhíodh a lán díobh bunaithe ar théacsleabhair Arm Shasana agus dá bhrí sin bhain siad le cogaíocht machaire. Ach bhí staidéar déanta ag Séamas Ó Conghaile ar chogaíocht sráide agus ba ar an ábhar sin a bhíodh a chuid léachtaí de ghnáth.

Ní léir gur thug Eoin Mac Néill ná a chomhairleoirí faoi deara an nóta sin sa *Workers' Republic* a bhain geit chomh mór sin as an bPiarsach. Má thug ní cosúil gur thug siad mórán suntais dó. Mar sin féin ní raibh Mac Néill saor ón bhuairt ainneoin an Piarsach a rá leis go raibh sé i ndiaidh an Conghaileach a bhogadh. Dá bhrí sin scríobh sé litir fhada chuig an bPiarsach go luath i mí Feabhra inar mhínigh sé cad iad, dar leis b'aidhmeanna agus ba pholasaí do na hÓglaigh. Léadh an litir ag cruinniú de

Choiste Gnótha na nÓglach ach ní dhearnadh díospóireacht fúithi.

Ní fada a fágadh an scéal mar sin, áfach, óir ba ghearr ina dhiaidh sin go ndeachaigh Bulmer Hobson agus cuid eile d'eite Mhic Néill de na hÓglaigh chuige le háiteamh air ráiteas a dhréachtú ar aidhmeanna agus cuspóirí na nÓglach a chuirfí roimh chruinniú speisialta de Fhoireann Mhíleata na nÓglach. Ba é ba mhian leo go mbeadh ar gach ball den Fhoireann a rá amach cé acu ghlac sé leis an ráiteas sin nó nár ghlac.

Rinne Mac Néill mar a mhol siad dó agus bhí an cruinniú den Fhoireann Mhíleata ann i lár mí Feabhra. Caitheadh an lá ag plé an ráiteas polasaí. Bhí an Piarsach i láthair. Dealraíonn sé gur tugadh sásamh éigin do Mhac Néill ach ní raibh Hobson sásta ar aon chor. B'fhearr le Mac Néill gan an cheist a bhrú agus fágadh mar sin go fóill é.

Is maith go dtuigfí nárbh aon chladhaire é Eoin Mac Néill agus nárbh aon mheatachán Bulmer Hobson ach oiread, an príomhchomhairleoir agus an taca is mó dá raibh ag Mac Néill sa chúram trom a bhí air. Deir Bulmer Hobson faoin bpolasaí a bhí acu :

" *My reading of history had convinced me that active resistance could only take the form of guerilla war if it was not to be a flash in the pan ending in a matter of days . . . and when it became possible to start the Irish Volunteers I did my utmost to have the military training directed to guerilla tactics.*"

2

AIRM ÓN GHEARMÁIN

Bhí dhá chéim thábhachtacha ar aghaidh tógtha ag an Chomhairle Mhíleata i mí Eanáir — údarás acu trín gCoiste Gnótha ón Ard-Chomhairle agus comhoibriú socraithe acu leis an gConghaileach. Ní dhearna siad moill dá bhrí sin ach chuir scéala chuig Seán Ó Dubhuí go luath i

mí Feabhra go raibh éirí amach socraithe go cinnte acu,
go raibh sé beartaithe acu bualadh ar Dhomhnach Cásca,
23 Aibreán, agus a iarraidh air socrú a dhéanamh le go
gcuirfí long le hairm agus armlón go hÉirinn idir 20 is
23 Aibreán. Chuir siad chuige lena chois sin meamram a
thug cuntas ar neart míleata Shasana in Éirinn agus a
mhínigh nach bhféadfadh lucht na hÉirí Amach a bheith
ag súil le go ligfeadh Caisleán Bhaile Átha Cliath dóibh a
bheith ag déanamh réidh mórán níb fhaide ná an Cháisc.

Chuir an scéal seo a shá iontais ar Sheán Ó Dubhuí.
Ach ar an ábhar gur léir dó gurbh fhearr a bheadh fios a
ngnótha ag lucht an Bhráithreachais Phoblachtaigh i
mBaile Átha Cliath ná mar a bheadh aige féin chuir sé an
t-iarratas ar na hairm go dtí Ambasáid na Gearmáine sna
Stáit Aontaithe gan mhoill. I gceann beagán lá fuair
Ó Dubhuí freagra go gcuirfí armlong go dtí an Fhiannait
le breacadh an lae, 20 Aibreán. Ar an 12ú lá Márta fuair
Beirlin scéal óna Ambasáid sna Stáit a rá go raibh na
hÉireannaigh sásta leis an socrú agus go ndéanfaidís dá
réir.

Lean an Chomhairle Mhíleata dá n-ullmhúchán in
Éirinn. Cheap siad an Piarsach le bheith ina Ardcheannasaí
nuair a thiocfadh an Éirí Amach — idir an dá linn níor
ghá aon athrú a lorg ar an seasamh a bhí aige sna
hÓglaigh. Mar Stiúrthóir Eagraíochta bhí oiread cumh-
achta aige agus theastaigh go fóill. Bhí sé le tamall ag
cur orduithe chuig na hÓglaigh san uile chearn den tír
agus bhí na ceannairí éagsúla, an méid díobh nach raibh
rún na Comhairle Míleata acu, imithe i dtaithí glacadh lena
údarás mar Stiúrthóir Eagraíochta. Le tamall anuas,
freisin, bhí sé ag cur a thuilleadh de bhaill an Bhráith-
reachais Phoblachtaigh i gceannas ar na hÓglaigh áit ar
bith a raibh an deis sin aige. Ó thús Eanáir bhí orduithe
réidh aige le chur chuig Ceannairí na nÓglach sa deisceart
agus san iarthar a bhí sa Bhráithreachas nuair a d'ordódh
sé "cleachta" i mí Aibreáin.

Go luath i mí Feabhra dúirt an Conghaileach le Liam
Ó Briain go raibh "gnó ár gcairde ag dul ar aghaidh go

han-mhaith anois ". Bhí a ábhar aige de réir cosúlachta.
Bhí focal curtha ar armlón ag an Chomhairle Mhíleata
agus gealltanas faighte ón Ghearmáin go mbeadh sé ar
fáill an tráth a d'iarr siad agus bhí a ngreim ar na
hÓglaigh á chinntiú acu i gcónaí. Ach na hairm bheith ina
lámha agus gan aon chur isteach ar an ngreim sin ar na
hÓglaigh bheadh gnó na Comhairle Míleata mar a d'iarr-
fadh siad. Ba dhá " ach " iad sin, áfach, a raibh siad sách
imníoch fúthu !

Sa *Workers' Republic* lean an Conghaileach ag scrúdú
staid na tíre. D'ionsaigh sé Páirtí an Rialtais Dhúchais san
eisiúint don 12ú lá Feabhra agus ghlac an ócáid lena rá
arís eile : " Is é is náisiún saor ann náisiún a bhfuil lán-
smacht aige ar iomlán a acmhainne agus a chumhachtaí
inmheánacha agus nach bhfuil bac ar bith ar a chaidreamh
le tíortha eile atá sa riocht céanna ach amháin cibé bac
atá curtha uirthi ag an nádúr."

Chuir sé cruinniú cuimhneacháin Emmet agus na
bhFíníní ar siúl i dtús mí Mhárta. Is cosúil go raibh an
seanábhar ag déanamh buartha arís dó :

" D'fhan na hÉireannaigh Aontaithe rófhada, d'fhan
na hÉireannaigh Óga rófhada, d'fhan na Fíníní rófhada.
Sin é tuairim an uile scoláire staire ar fiú an teideal é. Ach
cé a cháinfidh na fir agus na mná cróga sin ? Go dearfa,
ní cháinfidh fir agus mná na glúine seo iad. Tá deis ion-
tach curtha romhainn freisin. An rabhamar críonna ? Ag
an todhchaí atá le hinsint." (*Workers' Republic*, 11.3.1916.)

Agus dúirt sé san eisiúint chéanna :

" D'admhaíomar i gcónaí nach bhféadfaimis maireacht-
áil faoi shíocháin má thoilíonn Rialtas Shasana ar throid a
chur orainn. Is féidir leis an Rialtas sin tabhairt orainn
troid dár ndeoin nó dár n-ainneoin. Ach ní féidir leis an
Rialtas sin nó le haon Rialtas eile, a rá an áit a bhfuilimid
le troid más éigean dúinn. Agus tá sé socraithe i bhfad
ó shin ag na fir is fearr in Éirinn, ag na fir amháin ar fiú
do Éirinn cuimhneamh orthu amach anseo, más éigean
dóibh troid, go dtroidfidh siad in Éirinn, ar son na hÉireann
agus faoi bhrat na hÉireann."

Lá Fhéile Pádraig bhí tabhairt amach mór ag na hÓglaigh. Roimhe seo ba ghnách leo a máirseála agus a gcleachta míleata a dhéanamh san oíche. Ar an ócáid seo mháirseáil breis agus dhá mhíle acu faoi airm agus éide trí lár na cathrach i dtreo Fhaiche an Choláiste mar ar bheannaigh siad do Eoin Mac Néill a bhí rompu leis an pharáid a bhreathnú. Chuir siad tramanna agus an uile chineál tráchta ina stad. Bhí na póilíní á mbreathnú agus iad fágtha gan chúram de thuras na huaire.

Shásaigh an tabhairt amach an Conghaileach go mór. Scríobh sé faoin teideal " Éireoimid Feasta " :

" Is fada a bheidh cuimhne ar an 17ú Márta seo . . . Idir pharáidí iontacha na nÓglach faoi airm, na cruinnithe móra a bhí ag cur thar maoil, meanma lúcháireach uile-chineálach na nGael agus, thar gach rud eile, an mana bríomhar ceannairceach a bhí le sonrú ar an uile dhream, ba chomhartha iad go léir go bhfuil cúis na saoirse ag díriú ar na réaltaí arís . . .

" Níl buaite ar an chúis agus tá an 17ú Márta seo mar chruthú againn go maireann Éire dílis i gcónaí ainneoin na bhfealltóirí agus, bíodh go dtiteann na hImpireachtaí agus go n-éagann na tíoránaigh, go n-éireoimid feasta."
(*Workers' Republic*, 25.3.1916).

Ní mó ná i gcló a bhí an t-alt sin nuair a tharla tabhairt amach a bhí i bhfad níba dáiríre. Thug an Conghaileach " Gairm Chun Slógaidh " air agus is leor linn a chuntas féin ar ar tharla :

" Ar an Aoine an 24ú Márta chonaic Baile Átha Cliath radharc a bhain geit aisti, mar tá slógadh gan choinne Arm na Saoránach i lár an lae oibre . . .

" Ar chúis éigin nach léir agus nach bhfuil intuigthe shocraigh an Rialtas Sasanach ar an iris náisiúnta *An Gael* a thoirmeasc . . .

" Tháinig dream de Phóilíní Chathair Bhaile Átha Cliath go siopa Chomharchumann na nOibrithe ag 31 Cé Eden (taobh le Halla na Saoirse) agus d'éiligh na cóipeanna uile de *An Gael* . . . Idir an dá linn cuireadh scéala an ruathair chuig Séamas Ó Conghaile agus tháinig sé ar an

láthair san am a raibh duine de na póilíní ag dul taobh
thiar den chuntar. Chuir sé ceist ar na póilíní an raibh
barántas ar bith acu. D'fhreagair siad nach raibh. Nuair
a chuala sé seo thiontaigh an Conghaileach ar an bpóilín
a bhí taobh thiar den chuntar agus a bhí ag tógáil beart
páipéar, dhírigh piostal air agus dúirt go réidh leis :
' Scaoil na páipéir sin nó scaoilfidh mise thusa ! ' Scaoil
an póilín na páipéir . . . I ndiaidh roinnt éigin caibideála
d'imigh siad . . .

"Socraíodh ar Arm na Saoránach a shlógadh leis an
Workers' Republic agus Halla na Saoirse a chosaint . . .

"Faoin am a raibh an t-ordú seo curtha amach, tháinig
na póilíní ar ais agus barántas acu an siopa a chuardach.
Tugadh cead dóibh an siopa a chuardach ach diúltaíodh
cead dóibh dul isteach i Halla na Saoirse. Dúirt Cigire na
bpóilíní nach raibh sin ar aigne aige. Chuardaigh siad an
siopa agus d'imigh siad.

"Idir an dá am bhí na teachtairí leis an ordú slógaidh
ag imeacht leo gach treo baill agus san uile áit d'fhreagair
na buachaillí go dílis. I siopaí innill na mbóithre iarainn,
sna monarchana, sna longcheártaí, sna duganna, i mboilg
na longa guail, sna stáblaí, ar charranna, ar thrucailí, ar
chairteanna den uile chineál fuair na fir an ghairm agus
ar an toirt chuir siad uathu a ngléasanna, stad siad den
obair, thóg siad a gcótaí agus taobh istigh de chúig
nóiméad bhí siad ar a mbealach . . .

"Faoi cheann uair a chloig ó cuireadh amach an ghairm
bhí garastún de chéad go leith fear daingean armtha i
Halla na Saoirse agus bhí a thuilleadh ag bailiú isteach
gach dara nóiméad. Bhí meanma na bhfear go hiontach
agus i rith an tráthnóna nuair a tháinig Cór Leighis na
mBan isteach agus na Gasóga sna sála leo, bhí corraí agus
fonn catha go láidir ionainn. Bhí na hÓglaigh réidh freisin
agus deirtear linn go raibh siad faoi airm go dtí a dó a
chlog maidin Domhnaigh. Ó shin i leith tá garda ar Halla
na Saoirse lá agus oíche.

"Sin é is críoch don chéad chaibidil . . . Cé a scríobh-
faidh an dara ceann ? " (*Workers' Republic,* 1.4.1916.)

D'fhéadfaí a rá nach raibh sa slógadh seo ach rúille búille mór faoi ní nach raibh tábhacht leis, gurbh iomaí sin ruathar cuardaigh eile a rinneadh san am. Is gá a thuiscint go raibh na ceannairí go léir san airdeall ar an Rialtas tabhairt faoi na hairm agus an armlón a ghabháil. Sa tráth céanna seo go díreach a tharla sa Tulach Mhór gur thug na póilíní faoi airm na nÓglach a ghabháil. Chaith na hÓglaigh piléir agus goineadh Cigire na bpóilíní. Tugadh na hairm slán. Bhí stóras mór arm agus armlóin i Halla na Saoirse agus b'olc an mhaise do Arm na Saoránach gan deimhin a dhéanamh de nach ngabhfaí iad gan fíos fátha a bheith acu.

Má bhí ciall agus réasún leis an slógadh a rinne Arm na Saoránach mar fhreagra ar ruathar na bpóilíní ar shiopa Chomharchumann na nOibrithe is doiligh a thuiscint cad é an gá nó an cuspóir a bhí le hardú sollúnta an bhrait ghlais os cionn Halla na Saoirse, rud a rinneadh Domhnach na Pailme, an 16ú Aibreáin. Is mar seo a mhínigh an Conghaileach é :

"Tá sé socraithe ag Comhairle Arm na Saoránach, tar éis machnamh deimhin dúthrachtach a dhéanamh, brat glas na hÉireann a ardú os cionn Halla na Saoirse, mar a bheadh sé os cionn daingean atá á chosaint ag Éireannaigh ar son na hÉireann.

"Is socrú tábhachtach é seo san am is mó lenár linn a bhfuil cinniúint na hÉireann idir dhá cheann na meá. Táimid cinnte de go gcuirfidh sé croí an uile dhea-fhir agus dea-mhná Éireannaí ag preabadh agus go gcuirfidh sé an fhuil dhearg ag coipeadh go tréan i gcuislí an uile ghráthóir den chine Ghael." (*Workers' Republic*, 8.4.1916.)

B'ait mar chuspóir é an preabadh croí agus an coipeadh fola seo agus éirí amach míleata beartaithe don Domhnach dár gcionn ! Agus ina dhiaidh sin agus uile dóbair nach raibh an t-ardú ann ar aon chor. Ar an Chéadaoin an 12ú lá den mhí chuir coiste an Cheardchumainn in éadan an tsocraithe. Ar an Déardaoin tháinig an Conghaileach i láthair an choiste agus mhínigh nár shíl sé go mbeadh aon duine míshásta lena raibh socraithe aige. Dúirt sé dá

mbeadh an lá le teacht a mbeadh an Ceardchumann in
éadan brat na hÉireann a bheith ar foluain os cionn an
Halla go scarfadh sé leis go deo. De bhrí go raibh bunús
an choiste in éadan an bheartais go fóill, d'iarr an
Conghaileach cead labhairt go príobháideach le Seán Ó
Fearghail, coisteoir a bhí go láidir ina éadan. Thug sé an
Fearghaileach i leataobh agus deirtear gur mhínigh sé
dó go raibh Éirí Amach socraithe agus gur chuid den
phlean ardú an bhrait. (Liam Ó Briain sa réamhrá le
Labour and Easter Week.) Ghéill an Fearghaileach agus
an coiste dá iarraidh ansin.

Ardaíodh an brat ar an 16ú lá Aibreáin agus bhí slua
mór den Arm agus den phobal i láthair agus bhí siad go
léir tógtha go mór nuair a hardaíodh an brat glas agus an
chláirseach gan choróin daite air go barr an chuaille os
cionn an Halla.

An oíche sin thug an Conghaileach léacht ar an chog-
aíocht sráide do bhaill an Airm. Bhí roinnt oifigeach de
na hÓglaigh leo. Labhair sé le lucht an Airm i ndiaidh na
léachta, agus dúirt sé leo, "má bhuaimid beimid inár
laochra móra ; ach má chaillimid is sinne na bithiúnaigh
is mó a bhí riamh sa tír. I gcás go mbuafaimid, coinnígí
greim ar bhur raidhflí óir d'fhéadfadh sé go stopfaidh
siadsan a bhfuilimid ag troid lena dtaobh sula mbeidh ár
gcríoch bainte amach. Táimid ag troid ar son na saoirse
eacnamaíochta chomh maith leis an tsaoirse pholaitiúil.
Coinnígí greim ar bhur raidhflí ".

San alt sin sa *Workers' Republic* inar mhínigh sé an
socrú a bhí déanta ag Comhairle Arm na Saoránach an
brat a ardú os cionn Halla na Saoirse, mhínigh sé uair
amháin eile a chreideamh sóisialta agus polaitiúil. Is é an
t-imlíniú is déanaí é dá ndearna sé ar an gcreideamh sin,
taobh amuigh de Fhorógra na Poblachta féin, agus tá sé
tábhachtach dá bhrí sin :

"Seasaimid ar son Éire do na hÉireannaigh. Ach cé
hiad na hÉireannaigh ? Ní hiad na tiarnaí talún, lucht an
ainchíosa agus úinéirí na slumanna iad ; nó na caipitlithe
atá beo ar allas na n-oibrithe agus ar na proifidí a shúnn

siad astu . . . Ní hiad seo na hÉireannaigh ar a bhfuil an todhchaí ag brath. Ní hiad, ach aicme oibre na hÉireann, an t-aon bhunús amháin ar ar féidir náisiún saor a thógáil.

" Is í cúis an lucht saothair cúis na hÉireann, is í cúis na hÉireann cúis an lucht saothair. Níl siad inscartha ó chéile. Iarrann Éire an tsaoirse. Iarrann an lucht saothair go mbeadh Éire shaor ina haonmháistreás ar a cinniúint féin, ina hardúinéir ar an uile ní ábhartha taobh istigh dá críocha agus ar a talamh. Iarrann an lucht saothair náisiún saor na hÉireann sin na cearta sealúchais go hiomlán in éadan éileamh an duine aonair, agus é mar chuspóir acu go saibhreodh an náisiún an duine aonair in áit eisean sin a dhéanamh trí chreachadh a bhráthar." (*Workers' Republic*, 8.4.1916.)

I dtús na míosa sin d'fhoilsigh Pádraig Mac Piarais *The Sovereign People* agus phléigh sé ann an cheist chéanna sin ar fhoilsigh an Conghaileach a thuairimí faoi sa *Workers' Republic*, 8ú Aibreáin. Is é dúirt an Piarasach :

" Éilíonn saoirse náisiúnta smacht ar na nithe ábhartha atá riachtanach do leanúnachas saol fisiciúil agus saoirse an náisiúin. Dá bhrí sin baineann ceannas an náisiúin le maoin ábhartha an náisiúin, le talamh an náisiúin agus lena acmhainn go huile, a shaibhreas agus na modhanna táirgthe saibhris taobh istigh den náisiún. I bhfocail eile ní sheasann an ceart príobháideach ar shealúchas in éadan cheart poiblí an náisiúin. Ach tá dualgas morálta ar an náisiún a cheart poiblí a úsáid sa tslí go mbeidh ceart agus saoirse go cothrom cruinn ag gach fear agus bean sa náisiún." Agus deir sé arís san aiste chéanna :

" Má dhearbhaímid smacht ceannasach an náisiúin ar an mhaoin uile atá taobh istigh den náisiún, ní hionann sin agus an ceart ar mhaoin phríobhaideach a shéanadh. Is ag an náisiún atá sé le socrú cad é an méid den mhaoin phríobháideach is ceadmhach dá bhaill a shealbhú agus cad iad na nithe d'acmhainn ábhartha an náisiúin is ceadmhach a shealbhú go príobháideach . . . Ní dhiúltaím don cheart ar mhaoin phríobháideach ; ach dearbhaím gur de réir reacht an náisiúin a shealbhaítear an uile chineál maoine."

Agus an aiste sin scríofa aige dúirt an Piarsach nach raibh "aon ní eile le rá aige". Má dúirt féin, ní miste go meabhróimis i bhfianaise na sleachta as an scríbhinn deireanach sin agus na sleachta as scríbhinn deireanach an Chonghailigh an mhír seo as Forógra na Poblachta agus na cosúlachtaí idir na trí cháipéis :

"Dearbhaímid gur ceart ceannasach dochloíte é ceart mhuintir na hÉireann chun seilbh na hÉireann."

Ach taobh amuigh den Fhorógra is ar éigean a bhí aon ní eile le rá ag ceachtar den bheirt. A ngníomhartha a labhródh feasta !

3

DHÁ CHEANN NA MEÁ

"Go luath i mí Aibreáin," deir Eoin Mac Néill, "b'fhéidir ar an chéad Chéadaoin, thug mé cruinniú den Fhoireann le chéile féachaint le teacht ar thuiscint chinnte éigin, óir, cé nach raibh aon eolas deimhin agam, thug a lán rudaí a bhí mé i ndiaidh a thabhairt faoi deara le fios dom nach raibh mé eolach ar iomlán dá raibh ar siúl. Ag an gcruinniú sin dréachtadh ordú i scríbhinn, ar aontaigh an Fhoireann leis, nach n-eiseofaí ordú ar bith do na hÓglaigh, taobh amuigh de ghnáthorduithe, gan mo chomhshíniúsa a bheith leis. Bhí an Piarsach, Ó Rathaile, Ceannt, Mac Donncha, Hobson, Ó Conaill agus mé féin i láthair. Bhí an Pluincéideach as láthair agus é tinn. B'shin iomlán na Foirne."

Ar an 8ú de mhí Aibreáin foilsíodh ordú san *Irish Volunteer* :

Dála mar a rinneadh anuraidh rachaidh gach aonad d'Óglaigh na hÉireann i mbun inlíochtaí le linn shaoire na Cásca. Is é is cuspóir do na hinlíochtaí slógadh le harmáil a thriail.

Cuirfidh gach ceannaire Briogáide, Cathláin nó Com-

1916

plachta, miontuairisc ar na hinlíochtaí a rinne a aonad chuig an Stiúrthóir Eagraíochta ar an 1ú Bealtaine seo chugainn, nó roimhe sin.

P. H. Mac Piarais, Ceannfort,
An Stiúrthóir Eagraíochta.

Foilsíodh an t-ordú seo le lánúdáras Eoin Mhic Néill agus Choiste Gnóthaí na nÓglach. Níor nocht an Piarsach dóibh go raibh orduithe rúnda tugtha cheana do Cheannfoirt na mBriogáideanna faoi na ceantair a raibh siad lena n-inliochtaí a chur ar siúl iontu nó faoin gcineál inlíochta a bheadh le déanamh acu, nó faoin socrú a bhí déanta aige le hAibhistín Staic faoin long a bhí le teacht leis na gunnaí.

Ar an 9ú Aibreáin, d'fhág long Ghearmánach, an *Aud*, Lubeck agus 20,000 raidhfil ar bord mar aon le piléir agus pléascáin. Trí lá ina dhiaidh sin d'fhág fomhuireán Wilhelmshaven. Ar bord bhí Ruairí Mac Easmainn, Roibeard Monteith agus Dónall Ó Báille. Thug an dá shoitheach a dtosach ar Éirinn agus rún acu teacht i dtír ag an Fhiannait, i gCiarraí.

Tháinig teachtaire mná chuig Seán Ó Dubhuí i Nua-Eabhrac ar an 14ú Aibreáin agus scéala ón Chomhairle Mhíleata i mBaile Átha Cliath aici dó :

"Ná cuirtear na hairm i dtír roimh oíche Dé Domhnaigh, an 23ú . . . " Cuireadh an scéal go Beirlin, ach ní raibh aon ghléas raidió ar an *Aud* agus níorbh fhéidir an scéal a chur chuici. Nuair a tugadh an t-eolas sin do Ó Dubhuí chuir sé teachtaire go Baile Átha Cliath leis. Ní bhfuair an Chomhairle Mhíleata an scéal.

Ar an 17ú den mhí foilsíodh cáipéis ar a dtugtar ó shin "Cáipéis an Chaisleáin". Chuir an cháipéis seo cor nach beag sa chinniúint a bhí daite don Éirí Amach. Is é a bhí inti cóip a dúradh a goideadh as an gCaisleán den phlean a bhí beartaithe ag an gCaisleán leis na ceannairí náisiúnta go léir, agus leis na hairm agus an armlón a ghabháil gan mhoill agus le hÉire a chur faoi rialú míleata Arm Shasana.

Shéan an caisleán gur cháipéis oifigiúil an cháipéis seo

218

agus dhearbhaigh gur bhrionnadh a bhí inti. Níl sé cinnte gus an lá inniu féin cé acu fíor nó bréagach a dúradh gur ón gCaisleán a tháinig sí nó arbh í an Chomhairle Mhíleata nó ball nó baill áirithe den Chomhairle a chum í d'aonghnó le hEoin Mac Néill a thabhairt ar thaobh na hÉirí Amach mar a bhí beartaithe.

Pléadh an cháipéis seo ag cruinnithe de Choiste Gnóthaí na nÓglach ar an 18ú agus ar an 19ú den mhí agus shocraigh Coiste na nÓglach ar ordú a chur chuig na ranna éagsúla den eagraíocht faoin seasamh ba chóir a dhéanamh. Bhí díospóireacht idir Mac Néill agus an Piarsach faoi théarmaí an ordaithe ach d'aontaigh siad ar dhréacht faoi dheireadh. Foilsíodh é os cionn shíniú Eoin Mhic Néill ar an 19ú.

Mhínigh an t-ordú a raibh beartaithe sa cháipéis agus dúirt gur chóir do na hÓglaigh eagar cosanta a chur orthu féin. "Réiteoidh sibh go gcosnóidh bhur gcuid fear iad féin agus a chéile i ndíormaí beaga a bheas suite san áit is fearr a mbeidh siad in ann seasamh a dhéanamh."

Am éigin i rith na seachtaine sin shocraigh an Chomhairle Mhíleata gur mhithid forógra a chur le chéile a d'eiseofaí ar ócáid na hÉirí Amach. Fágadh cúram a dhréachtaithe ar an bPiarsach. "Meastar gurb é saothar an Phiarsaigh go háirithe atá ann agus é arna choigeartú ag an gConghaileach agus b'fhéidir ag Tomás Mac Donncha freisin." (*Bibliography of Irish History 1912-'21* le Séamas Mac Cárthaigh). Oíche Dhéardaoin an 20ú ghlac an Chomhairle leis an dréacht.

An oíche Dhéardaoin sin thug Bulmer Hobson agus S. S. Ó Conaill scéala chuig Eoin Mac Néill faoi orduithe a bhí faighte ag oifigigh áirithe sna hÓglaigh. B'ionann na horduithe seo, dar leis, dá gcuirtí i ngníomh iad agus gníomhartha cogaíochta nach mbeadh de fhreagra ag an gCaisleán orthu ach na hÓglaigh a chur faoi chois. Ba léir uathu freisin, dar leis, go raibh éirí amach beartaithe. D'imigh siad triúr gan mhoill go Scoil Éanna, agus chas Mac Néill leis an bPiarsach go raibh éirí amach beartaithe.

D'admhaigh an Piarsach go raibh sin ceart. Dúirt Mac

Néill leis go ndéanfadh sé gach a raibh ar a chumas, ach amháin scéala a chur chuig an Rialtas, chun é stopadh. Dúirt an Piarsach leis nach n-éireodh leis agus nach mbeadh de thoradh ar a leithéid d'iarracht ach na hÓglaigh a chur trí chéile. Bhí maidin Aoine an Chéasta ann sula raibh deireadh leis an díospóireacht. D'imigh Mac Néill abhaile agus an bheirt eile leis agus dhréachtaigh Mac Néill orduithe do na hÓglaigh a chuirfeadh orduithe an Phiarsaigh ar ceal.

D'imigh an Piarsach gan mhoill ar thóir Sheáin Mhic Dhiarmada agus Thomáis Mhic Dhonncha. Go luath maidin Aoine an Chéasta tháinig an triúr go teach Mhic Néill agus léirigh dó go raibh long agus lasta arm ar bord ag teacht ón Ghearmáin gan mhoill. " Sa chás sin," arsa Mac Néill, " rachaidh mé san iomaire libh." "Buíochas le Dia ! " d'fhreagair Mac Diarmada. Chuaigh Mac Néill go ceanncheathrú na nÓglach ina dhiaidh sin agus dúirt le Hobson gan na horduithe cealaithe a bhí dréachtaithe aige an oíche roimhe sin a chur amach. D'fhoilsigh sé ordú nua a d'fhógair do na hÓglaigh go raibh an Rialtas ar tí tabhairt faoi na hÓglaigh a chur faoi chois agus iad a bheith réidh a gcuid arm a chosaint. Cuireadh an t-ordú seo chuig na hÓglaigh tríd an tír agus d'imigh Mac Néill agus rinne réidh é féin le dul amach le hÓglaigh Bhaile Átha Cliath.

Bhí beirt eile ar a laghad den Chomhairle Mhíleata, Tomás Ó Cléirigh agus Séamas Ó Conghaile, eolach ar an seasamh a bhí glactha ag Mac Néill oíche Dhéardaoin. Chaith an Conghaileach maidin Aoine an Chéasta i Halla na Saoirse mar a raibh díorma d'Arm na Saoránach ag déanamh a gcuid arm réidh. Ag am lóin tháinig an Piarsach chuige agus mhínigh dó iomlán dár tharla ón oíche roimhe. An tráthnóna sin tháinig an Chomhairle Mhíleata le chéile i siopa Bhean Mhic Uallacháin i Sráid Amiens. Triúr de shaighdiúirí Arm na Saoránach a bhí mar gharda ar an gcruinniú.

An tráthnóna céanna tháinig teachtaire chuig Bulmer Hobson a iarraidh air teacht go dtí cruinniú sa taobh thuaidh den chathair. Nuair a bhain sé amach an teach rinneadh príosúnach de ar ordú na Comhairle Míleata, agus coinníodh sa teach é.

Tháinig bean chéile an Chonghailigh agus an chuid ab óige de na páistí léi go Baile Átha Cliath an Aoine sin. Bhí beirt de na hiníonacha Nóra agus Ina agus an mac Ruairí lena mbeart féin a imirt sna laethanta a bhí le teacht. I mbothán sléibhe a bhí mar áit chónaithe Shamhraidh ag Madame Markievicz a rinne Bean Uí Chonghaile agus na páistí óga a gcónaí go fóill — áit uaigneach go leor le í a bheith ag meabhrú a raibh ar siúl sa chathair agus an pháirt a bhí ag a céile ann !

Tráthnóna Déardaoin bhain an *Aud* Cuan Trá Lí amach. An píolóta a raibh scéal faighte an lá céanna aige a bheith san airdeall ar ghaltán ar an Domhnach, chonaic sé an *Aud* uaidh tráthnóna Déardaoin ach níor aithin gurbh í an long í a raibh sé féin lena treorú go caladh na Fiannaite isteach. Níor bhac sé a thuilleadh leis an mbád sin sa chuan. Aibhistín Staic agus na hÓglaigh a bhí le casadh ar an *Aud* ar an Domhnach ní raibh a fhios acu an Déardaoin sin go raibh sí tagtha cheana.

D'fhan Captaen an *Aud* lá iomlán nach mór i gCuan Thrá Lí agus nuair nár tháinig éinne chuige mar a bhí socraithe thug sé a aghaidh ar bhéal an chuain amach: sula raibh an lá istigh bhí an *Aud* aimsithe ag na Sasanaigh agus í á tionlacan ag longa cogaidh dá gcuid go Cobh Chorcaí.

Le breacadh an lae Aoine an Chéasta cuireadh Mac Easmainn, Monteith agus Ó Báille i dtír ag Trá an Bhainbh, i gCiarraí. An tráthnóna sin bhí Mac Easmainn ina phríosúnach i mBeairic na bPóilíní i dTrá Lí agus bhí Ó Báille i ndiaidh iomlán eolais ar na hairm a bhí le teacht agus faoin éirí amach a bhí beartaithe a ligean leis na póilíní. Bhí Monteith ar a sheachnadh ach chuir sé scéal chuig an Chomhairle Mhíleata a insint dóibh go raibh Mac Easmainn gafa.

Fuair Séamas Ó Conghaile an scéala sin uaidh ar an Satharn. Chinntigh sé an scéal a bhí sna nuachtáin an mhaidin sin faoi *"Arms and Ammunition. Mysterious Find on Irish Strand".* Is cosúil nár léir dó go raibh ábhar buartha ann. Caitheadh an tráthnóna sin i Halla na Saoirse ag scríobh orduithe slógaidh Arm na Saoránach don Éirí Amach tráthnóna Dé Domhnaigh, agus coimisiúin do na hoifigigh san arm sin. Agus Liam Ó Briain ag fágáil slán leis an gConghaileach ar a 11.30 oíche Dé Sathairn dúirt an Conghaileach leis " go raibh gach rud ag dul ar aghaidh go han-mhaith agus nach raibh cur isteach a raibh tábhacht leis ar na socruithe ".

Nuair a chuala Eoin Mac Néill na ráflaí faoi ghabháil Mhic Easmainn agus nuair a léigh sé na nuachtáin maidin Dé Sathairn bhí sé sásta fós nach raibh aon leigheas ag na hÓglaigh ar an scéal ach dul i mbun troda mar a bhí socraithe. An tráthnóna sin, áfach, tháinig scéal ghabháil an *Aud* chuige. Cuireadh ina luí air freisin gur bhrionnadh dáiríre a bhí i gCáipéis úd an Chaisleáin d'aonghnó lena mhealladh ar thaobh na hÉirí Amach. Shocraigh sé go raibh seans ann fós stop a chur leis an Éirí Amach agus chuir sé ordú chuig ceannairí na nÓglach tríd an tír a rá leo gan dul i mbun gníomhartha ar chúis ar bith. Chuaigh sé chuig an bPiarsach ina dhiaidh sin gur chuir sé in iúl dó go raibh sé ar aigne anois aige an Éirí Amach a chosc. An oíche sin chuir sé ordú breise chuig na hÓglaigh tríd an tír a chrosadh orthu éirí amach agus thug cóip den ordú don *Sunday Independent* le foilsiú ar maidin.

Gairmeadh cruinniú den Chomhairle Mhíleata ag meán oíche Dé Sathairn. Cuireadh scéal chuig an gConghaileach i Halla na Saoirse ach ní cheadódh an garda go ndúiseofaí é. Tháinig na baill eile ach amháin Tomás Ó Cléirigh agus Éamonn Ceannt le chéile. Ba é a dtuairim gur cheart éirí amach d'ainneoin na n-ainneoin. Shocraigh siad ar chruinniú eile maidin Dé Domhnaigh i Halla na Saoirse. Tionóladh an cruinniú sin agus socraíodh ar theachtairí a chur gan mhoill go dtí na ceannairí sa tír a chinntiú ordú coiscthe Mhic Néill, ach fós chinn siad ar éirí amach ag meán lae ar an Luan agus shocraigh siad go gcuirfidís an t-ordú sin chuig na hÓglaigh oíche Dé Domhnaigh.

Cuireadh fios an mhaidin Domhnaigh sin ar thriúr clódóir, Liam Ó Briain, Mícheál Ó Maolmhuaidh agus Críostóir Ó Brádaigh, go Halla na Saoirse leis an bhForógra a chlóbhualadh. Chuir Tomás Mac Donncha i lámha Chríostóir Uí Bhrádaigh é. Thug Ó Conghaile agus éide Arm na Saoránach air isteach chucu é agus chuir in aithne dóibh é. Rinne siad an obair faoi chúram garda armtha d'Arm na Saoránach a raibh Liam Partridge i gceannas air. Ar an seaninneall a cheannaigh Séamas Ó Conghaile i dtosach 1915 leis an *Workers' Republic* a chló a rinne siad an clóbhualadh.

Nocht cuid den Chomhairle Mhíleata a dtuairimí ar ball faoi sheasamh Mhic Néill. Dúirt an Piarsach: " Rinne Eoin Mac Néill agus sinne ar aon an rud a shíleamar a bhí le leas na hÉireann." Dúirt Seán Mac Diarmada : " Rinne sé an rud a shíl sé a bheith ceart agus beidh fir mar é in easnamh ar Éirinn." Dúirt an Conghaileach : " Bhain sé an talamh as faoinár gcosa." Ina dhiaidh sin agus uile ba é cailleadh an *Aud* an ní a thug ar Mhac Néill teacht ar mhalairt comhairle ar an Satharn. Murach athrú tubaisteach dháta a teachta ar chinn an Chomhairle Mhíleata air i dtús Aibreáin is é is dóichí nár ghá do Mhac Néill scrúdú coinsiasa ar bith a dhéanamh tráthnóna an tSathairn agus nach gcuirfeadh sé isteach ar phleananna na Comhairle.

Níor cealaíodh an t-ordú a bhí faighte ag Arm na Saoránach go slógfaidís tráthnóna Dé Domhnaigh. Tháinig siad le chéile ag Halla na Saoirse an tráthnóna sin. Ó bhí athrú ar na pleananna rinne siad máirseáil tríd an chathair agus chomh fada leis an gCaisleán. Chaith siad an oíche i Halla na Saoirse agus iad ag fanacht le bualadh chlog an aingil ag meán lae an lá dar gcionn.

4

DOMHNACH CÁSCA

Bhí Nóra agus Ina Ní Chonghaile agus a gcomplacht céadchabhrach in Oileán an Ghuail i dTír Eoghain an tráthnóna Sathairn sin i gcuideachta na nÓglach ón tuaisceart arbh é a n-ionad slógaidh é. Chuir an Ceannfort a bhí i gceannas sa tuaisceart scéal chuici a rá go raibh ordú faighte aige go raibh na hÓglaigh le scaipeadh. Shocraigh na cailíní ar aghaidh a thabhairt ar Bhaile Átha Cliath le go rachaidís i gcomhairle lena n-athair. Agus iad ag fanacht ar an traein tháinig díorma eile fós de na hÓglaigh ó Bhéal Feirste.

Bhí sé a cúig ar maidin nuair a shroich siad Halla na Saoirse. Dúisíodh an t-athair as a chodladh go n-inseodh Nóra an scéal dó. Tháinig na deora lena shúile :

"*Are we not going to fight ?*" d'fhiafraigh sise.

"*Not fight, Nora ! If we don't fight now, all we have left to hope and pray for is that an earthquake will come and swallow Ireland up — and our shame.*"

Tamall roimh mheán lae Luan Cásca chas Séamas Ó Conghaile ar Liam Ó Briain i Halla na Saoirse. "*We are going out to be slaughtered,*" arsa an Conghaile leis. Bhí sé ar a shlí síos staighre Halla na Saoirse le dul i gceannas ar dhíormaí d'Arm na Cathrach agus d'Óglaigh na hÉireann ar a dtabharfaí feasta Arm Phoblacht na hÉireann, a bhí faoi airm agus éide ar an tsráid amuigh.

"Nach bhfuil seans ar bith go mbeidh an bua linn ?" d'fhiafraigh Liam.

"Seans dá laghad ! " d'fhreagair an Conghaileach.

Tamall roimh bhualadh chlog an aingil ag meán lae cluineadh an t-ordú ón gConghaileach : "A cholúin, aire ! Máirseálaigí ! "

Ghluais an colún chun máirseála go mear. Tuairim is 150 fear a bhí siad ann.

An Conghaileach a bhí i gceannas óir is é a bhí ina Cheannfort-Ghinearál ar fhórsaí Bhaile Átha Cliath. Ar a dheis ar cheann an cholúin bhí an Piarsach, Uachtarán an Rialtais Shealadaigh agus Ard-Cheannfort an Airm, agus ar a chlé bhí Seosamh Pluincéad, Ceannfort—sínitheoirí Fhorógra na Poblachta iad triúr.

Siar Sráid na Mainistreach leis an gcolún gur thiontaigh ar dheis ar shroicheadh Shráid Uí Chonaill dóibh. Lean siad leo ansin go raibh siad os comhair Ard-Oifig an Phoist amach. Is ansin a thug an Conghaileach an t-ordú : "Ar chlé tiontaígí, Ard-Oifig an Phoist—ionsaígí."

Gan aon mhoill bhí Ard-Oifig an Phoist i seilbh an Airm. Chomh maith leis an triúr de shínitheoirí an Fhorógra a mháirseáil leis an Arm bhí beirt eile istigh ann, Tomás Ó Cléirigh agus Seán Mac Diarmada.

Ba ghearr go raibh brat trídhathach na Poblachta ar foluain os cionn Ard-Oifig an Phoist ag cúinne Shráid Anraí. Ag cúinne Shráid an Phrionsa cuireadh brat uaine ar foluain a raibh na focail " Irish Republic " scríofa air.

Tamall ina dhiaidh sin tháinig Pádraig Mac Piarais amach as Ard-Oifig an Phoist agus garda armtha á chomóradh gur léigh sé Forógra na Poblachta. Bhí Tomás Ó Cléirigh agus Séamas Ó Conghaile taobh leis agus é á léamh.

POBLACHT NA hÉIREANN

RIALTAS SEALADACH PHOBLACHT NA hÉIREANN

DO MHUINTIR NA hÉIREANN

A FHEARA AGUS A MHNÁ NA hÉIREANN, in ainm Dé agus in ainm na nglún a chuaigh romhainn agus óna bhfuair sí seanoideas na náisiúntachta, tá Éire, trínne, ag gairm a clainne faoina bratach agus ag bualadh buille ar son a saoirse.

Tar éis di a cuid fear a eagrú agus a thraenáil trí mheán na heagraíochta réabhlóidí rúnda, Bráithreachas Poblachtach na hÉireann, agus trí mheán na n-eagraíochtaí míleata oscailte, Óglaigh na hÉireann agus Arm Saoránach na hÉireann, tar éis di a féinsmacht a fhoirbhiú go foighneach, tar éis di fanacht go seasmhach le teacht an lae chirt, beireann sí anois ar an fhaill agus an lá sin tagtha agus le cabhair a clainne ar imirce uaithi i Meiriceá agus a comhghuaillithe san Eoraip, ach ag

225

brath go príomha ar a neart féin, buaileann sí agus í lán-chinnte go mbainfidh sí an bua.

Dearbhaímid gur ceart ceannasach dochloíte é ceart mhuintir na hÉireann chun seilbh na hÉireann agus chun dála na hÉireann a stiúradh gan chosc gan cheataí . . . ag seasamh dúinn ar an gceart bunaidh sin agus á dhearbhú arís faoi arm os comhair an tsaoil, fógraímid leis seo Poblacht na hÉireann ina Stát Ceannasach Neamhspleách, agus cuirimid ár n-anam féin agus anam ár gcomrádaithe comhraic i ngeall lena saoirse agus lena leas agus lena móradh i measc na náisiún.

Tá ceart ag Poblacht na hÉireann ar dhílseacht fhir agus mhná na hÉireann agus éilíonn sí an dílseacht sin. Ráthaíonn an Phoblacht saoirse chreidimh agus saoirse chathartha, ceart cothrom agus caoi chothrom don uile shaoránach agus fógraíonn gur rún di sonas agus séan an náisiúin go hiomlán agus an uile pháirt di a thóraíocht agus í chomh ceanúil céanna ar bhaill uile an náisiúin trí chéile agus gan beann aici ar na difríochtaí a chothaigh an rialtas eachtrannach go cúramach agus a dheighil an mionlach ón móramh san am atá thart . . .

Cuirimid cúis Phoblacht na hÉireann faoi choimirce Dhia Mór na nUilechumhacht agus impímid a bheannacht ar ár n-airm, iarraimid gan aon duine a bheas ag fónamh don chúis sin a tharraingt easonóir uirthi le mílaochás, le mídhaonnacht ná le slad. San uain oirbheartach seo is é dualgas náisiún na hÉireann a chruthú lena misneach agus lena dea-iompar agus le toil a clainne á dtoirbhirt féin ar son na maitheasa poiblí go dtuilleann sí an réim ró-uasal is dán di.

Arna shíniú thar ceann an Rialtais Shealadaigh :

Tomás Ó Cléirigh,

Seán Mac Diarmada,	Tomás Mac Donncha,
Pádraig Mac Piarais,	Éamonn Ceannt,
Séamas Ó Conghaile,	Seosamh Pluincéid.

Mar Cheannfort-Ghinearál ar fhórsaí Bhaile Átha Cliath bhí stiúradh na troda agus na cosanta sa chathair ar an gConghaileach. Bhí sé ar bheagán fear—1,600 a d'éirigh amach sa chathair ar fad. Tuairim is 450 acu seo a bhí sa deireadh go díreach faoina stiúradh féin le smacht a choinneáil ar lár na cathrach.

Agus an Cheanncheathrú á bunú agus á daingniú ag Arm na Poblachta, bhí díormaí eile ag glacadh seilbhe ar a n-ionaid féin i gceantair eile den chathair. Bhí ceantar Fhaiche Stiofáin faoi chúram Mhíchíl Uí Mhealláin agus díorma d'Arm na Saoránach faoina cheannas. Bhí díorma eile d'Arm na Saoránach i mbun Stáisiún Shráid Fhearchair agus díorma eile suite i Sráid na Parlaiminte i bhfogas don Chaisleán. Bhí Tomás Mac Donncha i ndiaidh seilbh a ghlacadh ar mhonarcha mhuintir Jacob, agus bhí seilbh ag Éamonn Ceannt ar Theach na mBocht, Baile Átha Cliath Theas. Bhí Éamonn de Valera i Muilte Plúir Mhuintir Bheoláin agus Seán Mac Úistin in Institiúid na mBocht ag Cé Ussher. Bhí miondreamanna eile ag líonadh cuid de na bearnaí idir na daingin seo a bhí in ainm agus ciorcal armtha a dhéanamh thart ar an Cheanncheathrú. Más ea bhí a lán de na daingin seo ar bheagán fear, agus ina dhiaidh sin féin bhí a lán bearnaí ba ghá a fhágáil gan líonadh !

Tharla an tOllamh Liam Ó Briain i gcuideachta an díorma d'Arm na Saoránach a bhí i bhfeighil cheantar Fhaiche Stiofáin. Tá cuntas againn uaidh ar pháirt an gharastúin sin san Éirí Amach agus tá a thuairisc ar mhana bhaill an Airm spéisiúil.

" Chuala mé ó dhuine acu smaoineamh nua : ' Shíl mise,' ar seisean, ' go mbeadh an mhuirthéacht thionsclaíoch ann i dteannta na muirthéachta armtha.'

" 'An mhuirthéacht thionsclaíoch ? ' arsa mise leis. ' Is ea,' ar seisean, ' gach monarcha agus muileann, gach siopa, gach córas iompair ag dul amach ar stailc in éineacht linne : An stailc ghinearálta ! ' 'An stailc ghinearálta ? ' arsa mise leis arís go leibideach. Níor chualas riamh trácht ar a leithéid go dtí sin. Facthas dom gurbh iontach an smaoineamh é — rud nár baineadh triail as in aon tír riamh. Ach d'fhán sé ina smaoineamh, faraoir !

" ' Cloisim,' arsa duine eile liom, ' go bhfuil céim M.A. agatsa ' . . . ' Céard do mheas,' ar seisean, ' ar Karl Marx, Das Capital ? ' Carroll a thug sé ar Karl. ' Never heard of the bloke,' arsa mise. ' Cé hé ? '

" ' O, Janey Mac, there's an M.A.,' ar seisean. ' Never heard of Carroll Marx ! Cogar a mhic eo ! Ar chuala tú trácht riamh ar Rousseau's *Social Contract* ? ' " (*Cuimhín Cinn*, Liam Ó Briain).

Bhí oíche Luain ann sula raibh fórsaí na Breataine ag teannadh thart ar an chathair agus tús ionsaithe á dhéanamh acu ar fhórsaí na Poblachta. Leanadh den slógadh ar an Mháirt agus d'éirigh ionsaithe na Sasanach níos fíochmhaire agus mhair gan stad lá agus oíche ina dhiaidh sin.

Bhí an Conghaileach isteach agus amach Ard-Oifig an Phoist mar ba ghá. An áit ba thibhe an teagmháil is ann a bhí sé agus é ina thaca comhairle agus crógachta ag a chuid fear. Bhí sé ag filleadh ar an cheanncheathrú ar an Déardaoin (27 Aibreán) i ndiaidh cuairt a thabhairt ar dhíorma de na hÓglaigh i gceantar an Metropole nuair a leonadh sa sciathán clé é. Bhí an Dr. Séamas Ó Riain ar fhórsaí Ard-Oifig an Phoist agus is chuige a tháinig an Conghaileach. D'iarr an Conghaileach ar an dochtúir gan a rún a ligean leis na fir.

" Bhí sé á bhuaireamh féin," deir an dochtúir i gcuntas a scríobh sé (*Poblacht na hÉireann*, 20.4.1922), " ar mhaithe le morale a chuid fear. D'fhill sé ar a chúram. Ba ghearr gur tugadh isteach ar shínteán é." Tráthnóna Déardaoin agus é ag filleadh go dtí Ard-Oifig an Phoist ó bheith ag cur innill chosanta ar dhaingin i Sráid na Mainistreach Láir agus Sráid na Life buaileadh an Conghaileach le hurchar in alt na coise clé. Bhí sé rófhada ó Ard-Oifig an Phoist san am agus rófhada ó na fir a bhí sé i ndiaidh a fhágáil le go bhfeicfí é. Dá bhrí sin is de lámhachán a tháinig sé fad le Lána Mhic Liaim agus le Sráid an Phrionsa mar a raibh cabhair le fáil. Tugadh ar shínteán isteach in Ard-Oifig an Phoist é. Bhí cnámha na coise scriosta.

Urchar dum-dum a bhuail é de réir cuntais amháin. Chaill sé a lán fola.

Rinne an Dr. Séamas Ó Riain freastal air. " Shocraigh mé an ghéag i slisneán. Bhí pian mhór air agus ní bhfaigheadh sé faoiseamh uaithi murach an moirfín ab éigean a instealladh ann go minic. Bhí oíche chruógach againn an Déardaoin sin. Bhí sé riachtanach freastal go minic ar an gConghaileach bocht. Ba bheag a chodail sé agus ina dhúiseacht dó bhí an phian ag goilleadh i gcónaí air."

B'éigean obráid a dhéanamh ar an chois agus bhí beirt dhochtúir eile páirteach leis an Dr. Ó Riain ina déanamh — an Dr. Ó Mathúna (dochtúir in Arm Shasana a bhí ina phríosúnach) agus an Dr. Mac Lochlainn. D'ainneoin a ndíchill níor tháinig biseach ar an chois. Tá sé ráite i gcuntas amháin gur tháinig an morgadh ar an chois go gearr i ndiaidh a leonta agus gur sháraigh ar na dochtúirí an nimh a choinneáil ó spré trí chorp an Chonghailigh.

Tinn agus mar a bhí sé níor mheath a mhisneach. Dhiúltaigh sé fanacht san " ospidéal " a bhí in Ard-Oifig an Phoist agus lean sé de bheith ag stiúradh chosaint Cheanncheathrú an Rialtais Shealadaigh agus é á iompar ó áit go háit ar leaba rothach. Thug an Piarsach faisnéis ar a mhisneach dochloíte. Sa ráiteas a d'fhoilsigh sé ar an Aoine (28ú Aibreán) dúirt sé :

" Dá mbeinn le hainmneacha daoine a lua, bheadh an liosta fada.

" Ní ainmneoidh mé ach an Ceannfort-Ghinearál Séamas Ó Conghaile atá i gceannas ar Rannán Bhaile Átha Cliath. Tá sé ina luí leonta, ach is é fós ceann treorach ár dtroda."

Níos moille sa lá céanna d'fhoilsigh an Conghaileach ráiteas dá shaighdiúirí ina ndearna sé léirmheas ar staid na troda gur chuir an chríoch seo ar a chaint :

" Mar is eol díobh, leonadh faoi dhó inné mé agus níl mé in ann siúl ach tá mo leaba curtha sa líne lámhaigh agus le cuidiú bhur n-oifigeach beidh mé in ann cabhrú libh. Misneach, a bhuachaillí, táimíd ag buachan . . . Riamh ní raibh cúis níb uaisle ag fear nó bean, riamh níor tugadh seirbhís chomh huasal do chúis ar bith."

Ach níor leor an misneach agus an dóchas mór. Roimh theacht na hoíche bhí fáinne iarainn ag na Sasanaigh thart ar an Cheanncheathrú agus bhí an Cheanncheathrú féin trí thine. Faoina sé a chlog an tráthnóna sin (Dé hAoine, 28ú Aibreán) tugadh na fir leonta ar shiúl go hospidéal Shráid Ghearbhais. Dhiúltaigh Ó Conghaile dul leo. Ba mhian leis bheith i gcuideachta a chuid fear agus leanúint dá chúram. Mar shampla, d'fhéach sé chuige go dtabharfaí na príosúnaigh ar shiúl go cúl an fhoirgnimh mar a mbeidís slán ón tine. Is fiú cuimhneamh air seo, óir cuireadh i leith Uí Chonghaile agus é ar a thriail go raibh sé ar nós cuma liom mar gheall ar na príosúnaigh chéanna.

Oíche Aoine socraíodh ar chúlú ó Ard-Oifig an Phoist agus thug an garastún aghaidh ar Cheanncheathrú nua i Sráid Uí Mhórdha. Ní gan dua a bhain siad an tsráid sin amach. I dtaca leis an gConghaileach de, de réir an Dr. Uí Riain : "Bhí orainn dul ó theach go teach trí phoill ins na ballaí. Ní thiocfadh linn an síntéán ar a raibh Ó Conghaile a thabhairt trí na poill seo agus b'éigean é a chur i mbraillín agus a iompar mar sin. Caithfidh sé nach bhfuil insint béil ar ar fhulaing sé lena linn, ach gearán ní dhearna sé."

Cuireadh leaba an Chonghailigh in uimhir a sé déag Sráid Uí Mhórdha, lárionad Cheanncheathrú nua an Rialtais Shealadaigh. Faoi mheán lae ar an Satharn (29ú Aibreán) tháinig na taoisigh le chéile thart ar an leaba sin. Socraíodh ar ghéilleadh.

Cuireadh ionadaí chuig ceannfort na bhfórsaí Sasanacha leis na téarmaí géillsine a phlé. Is é an freagra a thug sé nach bpléifeadh sé aon rud " go dtí go ngéillfeadh an Piarsach gan chomha agus go leanfadh Ó Conghaile é ar shínteán."

"Tamall gairid roimh mheán lae " (Dé Sathairn) deir cuntas an Dr. Uí Riain, " chuir Séamas Ó Conghaile fios orm. Dúirt sé liom gur mhaith leis go ndéanfainn réidh le haghaidh turais chun an Chaisleáin é . . . D'fhiafraigh mé de cad iad na comhaí géillsine a bheadh ann. Dúirt sé go mbásófaí na sínitheoirí ach go saorfaí na daoine eile."

D'fhógair an Piarsach an géilleadh :

" Le nach marófaí a thuilleadh de Shaoránaigh Bhaile Átha Cliath agus le súil go rachaidh ár lucht leanúna slán atá anois timpeallaithe agus a bhfuil sluaite is líonmhaire ná iad den namhaid thart orthu . . . "

B'fhíor dó. Bhí na garastúin éagsúla sa chathair timpeallaithe ina ndaingin faoin am seo ach amháin Éamonn Ó Dálaigh a raibh an ceantar thart ar na Ceithre Chúirt fós i seilbh a chuid fear agus é ag teip ar na Sasanaigh an lámh in uachtar a fháil orthu. Iadsan féin shocraigh siad sos cogaidh ar an Satharn. Taobh amuigh den phríomhchathair, ní dhearnadh aon troid ach amháin i dtuaisceart Chontae Bhaile Átha Cliath agus i nGaillimh, cé gur shlógaigh na hÓglaigh i roinnt bheag áiteanna eile.

Chuir an Conghaileach a aguisín le fógra an Phiarsaigh :

" Aontaím leis na coinníollacha seo i dtaca leis na fir sin amháin atá faoi mo cheannas i gCeantar Shráid Uí Mhórdha agus leis na fir i gCeannas Fhaiche Stiofáin."

D'iompair a chuid fear féin sínteán Uí Chonghaile fad le bun Shráid Uí Mhórdha agus as sin, agus garda armtha Sasanach á chomóradh, fad le leacht Parnell agus as sin go dtí an Caisleán. I gClós Uachtarach an Chaisleáin d'fhág siad slán aige.

5

NÍ BAOL DO CHÚIS NA hÉIREANN

Cuireadh an Conghaileach ina luí i seomra de na Seomraí Stáit i gClós Uachtarach an Chaisleáin. Bhí an seomra sin á úsáid mar ospidéal míleata san am. Tá plaic anois ar bhalla an tseomra inar coinníodh é agus an scríbhinn seo uirthi :

" Coinníodh sa seomra seo Séamas Ó Conghaile duine den seachtar a shínigh Forógra Phoblacht na hÉireann ina phríosúnach créacht-ghonta sula ndearna fórsaí míleata na

Breataine é bhású i bpríosún Chill Mhaighneann agus é d'adhlacadh i gCnoc an Earbair, 12ú Bealtaine, 1916."

Is sa seomra seo a thug a bhean chéile agus a iníon Nóra cuairt air. Is ann a d'fhág siad slán aige ar ball. Is ann, freisin, a tháinig an tAthair Aloysius agus an tAthair Aibhistín, Caipisínigh, ar an Domhnach (30ú Aibreán) le fiafraí de, mar eolas do chuid de na hÓglaigh, ar leis an fógra géillsine. Dúirt an Conghaileach leo gur leis — "Le go gcuirfí deireadh leis an ár gan éifeacht."

Ar an Luan (1ú Bealtaine) cuireadh fios go luath ar maidin ar an Athair Aloysius. Ba mhaith leis an gConghaileach labhairt leis. Chuaigh an sagart go dtí an Caisleán gan mhoill. Ní gan roinnt mhaith argóna a ceadaíodh don sagart a bheith leis an othar ina n-aonar gan an bheirt shaighdiúir armtha a bhíodh de shíor ar garda sa seomra a bheith ina bhfochair. Fiú agus an sagart istigh d'fhan siad ar garda taobh amuigh den doras. Rinne Ó Conghaile a fhaoistin leis an sagart agus ghlac Comaoineach Naofa ar an Mháirt (2ú Bealtaine).

Agus é ag caint leis an bPiarsach ina dhiaidh sin dúirt an tAth. Aloysius leis gur ghlac an Conghaileach an Chomaineach Naofa an mhaidin sin. *"Thank God,"* arsa an Piarsach. *"It was the only thing I was anxious about."*

Roinnt míonna sula bhfuair an tAthair Aloysius bás dúirt sé leis an scríbhneoir seo nárbh fhíor gur iarr an Piarsach air cuairt a thabhairt ar Ó Conghaile : gurbh amhlaidh a chuir an Conghaileach fios air é féin agus nár chuimhin leis an sagart gur casadh riamh air é roimh an chéad chuairt a thug sé air sa Chaisleán.

Deir cuntas amháin gur cuireadh in iúl don Chonghaileach go bhféadfadh sé dlíodóir a bheith aige lena chosaint nuair a triaileadh é, gur ainmnigh sé beirt ach nuair nach raibh siad le fáil go ndúirt sé nach mbeadh aon duine aige, ach thoiligh "cara an phríosúnaigh" a ainmniú as measc lucht dlí a chas air agus é sa Chaisleán. (Aguisín le Herbert Shaw i *Opportunity Knocks Once,* le Sir Campbell Stuart.)

Is sa seomra sin sa Chlós Uachtarach a cuireadh triail mhíleata ar an gConghaileach. Tháinig an chúirt le chéile ar an Mháirt (9ú Bealtaine) thart ar leaba an fhir ghonta agus eisean ina luí agus gléas cosanta ag coinneáil éadaí na leapa ó bheith ag luí ar a chois. Duine dá raibh i láthair dúirt sé gur chuma dhínitiúil a bhí ar Ó Conghaile ar feadh an ama. "Bhí a fhios aige cad é a bhí i ndán dó agus thug sé a aghaidh air go cróga." (Herbert Shaw. op cit.)

Thug an Conghaileach ina dhiaidh sin cóip den ráiteas a thug sé uaidh i láthair na cúirte dá iníon Nóra os íseal le linn di a bheith ar cuairt aige, le foilsiú don saol Fodhlach.

" Díríodh an fhianaise go háirithe ar a chruthú go raibh an cúisí i gceannas ar Ard-Oifig an Phoist agus fós ina Cheannfort-Ghinearál ar Rannán Bhaile Átha Cliath. D'fhéach beirt de na finnéithe lena thabhairt i gceist gur cuireadh beo na bpríosúnach i mbaol gan ghá. Rialaigh an chúirt nach bhféadfaí an cheist sin a tharraingt anuas in éadan an phríosúnaigh."

" Ní mian liom aon chosaint a dhéanamh ach amháin ar an méid atá á chur in mo leith i dtaobh na bpríosúnach . . .

" D'éiríomar amach leis na cuibhreacha atá ag ceangal na tíre seo le hImpireacht na Breataine a bhriseadh agus le Poblacht na hÉireann a bhunú. Chreideamar gurbh uaisle agus gur naofa an ghairm a chuireamar an uair sin ar mhuintir na hÉireann ná gairm ar bith eile dár cuireadh orthu le linn an chogaidh seo. D'éirigh linn a chruthú go bhfuil Éireannaigh réidh le bás a fháil agus iad ag tabhairt faoi na cearta náisiúnta sin a bhaint amach d'Éirinn a raibh an Rialtas Briotanach ag iarraidh orthu bás fháil lena mbaint amach don Bheilg. Fad agus a mhaireann an scéal amhlaidh, ní baol do chúis na hÉireann.

" Ag creidiúint nach bhfuil ceart ar bith ag Rialtas Shasana in Éirinn, nach raibh riamh ceart ar bith aige in Éirinn agus nach féidir choíche ceart ar bith a bheith aige in Éirinn cruthaíonn fiú an mionlach réasúnta i nglúin ar bith Éireannach atá sásta bás a fháil leis an fhírinne sin a dhearbhú, nach bhfuil sa Rialtas sin ach forghabháil agus coir in éadan an dul-ar-aghaidh daonna.

" Gabhaimse mar dhuine buíochas le Dia go bhfaca mé an lá a raibh na mílte d'fhir óga agus d'ógánaigh na hÉireann agus na céadta de mhná agus de chailíní na hÉireann réidh le seasamh ar son na fírinne agus seasamh léi go bás dá mba ghá."

Agus an ráiteas sin á thabhairt os íseal aige dá iníon dúirt an Conghaileach léi : *" It is my last statement."* Ní féidir linn gan a thabhairt faoi deara nach ndearna sé tagairt ar bith sa ráiteas seo don ghné eile sin de shaothar a shaoil, an sóisialachas. Níor nós riamh leis ócáid a ligean thairis a d'oirfeadh do ráiteas polasaí. Ní fíor a rá mar mhíniú ar an athrú seo óna ghnáthnós gurbh é a bhí sa ráiteas *" an answer to specific charges brought by the prosecution at the Court Martial "*. (Desmond Greaves— *The Life and Times of Connolly.*) Níl an míniú sin fíor ar na fáthanna seo : dúirt an Conghaileach gurbh é a ráiteas deireanach é, agus dúirt sé nach raibh ar aigne aige cosaint a dhéanamh ach ar an méid a cuireadh ina leith i dtaobh na bpríosúnach. Chuaigh sé thairis sin. Ní freagra ar chúis ar leith ach dearbhú creidimh an chuid eile dá ráiteas ina dtráchtann sé ar a chreideamh náisiúnta agus air sin amháin.

Thrácht an Conghaileach ar na sóisialaithe le linn a chomhrá le Nóra : *" They will never understand why I am here,"* dúirt sé. *" They will all forget I am an Irishman."* Agus thrácht sé arís ar an Éirí Amach : " Tá an chúis slán anois. Tuigfidh Éireannaigh anois chomh hamaideach agus atá sé troid ar son tíre eile agus a dtír féin faoi dhaorsmacht."

Dhaor an chúirt mhíleata chun báis é.

Bhí dóchas ag a mhuintir agus ag a chairde nach gcuirfí chun báis é. Ábhar a ndóchais go háirithe é a bheith ina phríosúnach leonta agus an-tinn. Mar a dúirt Sasanach, H. W. Nevinson, ina réamhrá leis an bheathaisneis le Deasún Ó Riain :

" Decent people no longer kill the wounded, no longer shoot their prisoners. For that murderous crime against all the established rules of war as laid down for the ob-

servance of decent people, the memory of a bloody stain will always rest upon those who gave the order for his death and upon those who did not mutinously refuse to carry it out."

Ar an 10ú Bealtaine d'fhoilsigh an *Irish Independent* pictiúr den Chonghaileach agus na focail seo taobh leis : *" Still lies in Dublin Castle recovering from his wounds."* Agus bhí eagrán i gcló san eisiúint chéanna sin inar dúradh : *" In a terrible crisis like this the Government must bear in mind both the present and the future. They must be strong and take such measures as will put an end once and for all to the criminal madness which inspired the recent rising . . . Let the worst of the ringleaders be singled out and dealt with as they deserve."*

Bhí an Conghaileach an-tinn gan amhras agus gan mórán dóchais nach bás óna chréachta a bhí i ndán dó. Bhí sé an-tinn ar an Déardaoin (11ú Bealtaine) nuair a bhí an tAthair Aloysius ar cuairt aige — " a aghaidh lasta agus é an-lag ".

Bhí dóchas fós ann nach mbásófaí é nuair a léadh ar na páipéir maidin Déardaoin go ndúirt Asquith go mbeadh deireadh leis an mbású go dtí go mbeadh caoi an cheist a phlé sa Pharlaimint.

Deir Dr. J. C. Ridgway, duine de na dochtúirí a bhí ag freastal ar an gConghaileach sa Chaisleán, go raibh sé ar dualgas sa Chaisleán tráthnóna éigin (ní luann sé an lá) nuair a thug duine de na freastalaithe sreangscéal dó. D'oscail sé é agus léigh :

" Officer Commanding Dublin Castle.

" The execution of James Connolly is postponed .— Asquith."

Thug seisean an sreangscéal don oifigeach a bhí os a chionn, agus tugadh ar ball é don Ghinearál Maxwell a bhí i gceannas ar fhórsaí Shasana in Éirinn. Deir Dr. Ridgway gur dúradh san am nuair a léigh Maxwell an sreangscéal go ndúirt sé le Asquith go n-éireodh sé as an Arm dá ligfí a bheo le príosúnach ar bith a bhí daortha

1916

chun báis agus gur ghéill Asquith dó. (Alt sa *Sunday Independent*, 1.4.1956).

Ar tráthnóna Déardaoin sin nuair a bhí an tAthair Aloysius ag fágáil an Chaisleáin bhuail amhras éigin é agus chuaigh sé ar lorg an Chaptaein Stanley a raibh cúram choimeád Uí Chonghaile air. Dúirt seisean nár bhaol don phríosúnach. "*For*," ar sé, de réir chuntas an tsagairt, "*you saw in the papers that Mr. Asquith promised that there would be no execution pending the debate, which is tonight.*"

An oíche sin cuireadh fios ar bhean chéile Uí Chonghaile. "*You know what this means*," ar seisean léi. D'fhág sí féin agus a iníon Nóra slán aige. Cuireadh fios ar an Athair Aloysius. Rinne an Conghaileach a fhaoistin leis agus ghlac an Chomaoineach Naofa. Roimh éirí na gréine ar an Aoine (12ú Bealtaine) cuireadh Ó Conghaile ar shínteán agus tugadh in otharcharr go Príosún Chill Mhaighneann é. Bhí an tAthair Aloysius in éineacht leis. Tugadh as an otharcharr i gclós an phríosúin é agus cuireadh ina shuí i gcathaoir é. "*He was very brave and cool*," ars an tAth. Aloysius. "*I asked him : 'Will you pray for the men who are about to shoot you ?'*" D'fhreagair sé : "*I will say a prayer for all brave men who do their duty.*" Tugadh an t-ordú agus scaoil na saighdiúirí.

Básaíodh Seán Mac Diarmada an mhaidin chéanna. Cuireadh i gCnoc an Earbair iad i gcuideachta an dáréag eile dá gcomrádaithe a básaíodh i mBaile Átha Cliath.

Ní mó ná tirim a bhí fuil na laoch ar lámha Maxwell nuair a scríobh sé chuig Baintreach Shéamais Uí Chonghaile :

Headquarters, Irish Command,
Parkgate, Dublin.
7th June, 1916.

Madam,
I understand that you have been enquiring for personal effects of your late husband. If you will kindly call personally or send some trusted person to Major Price, this

office, he has been instructed to deliver a watch and money to whoever calls with proper authority from you. Perhaps it would be well to show this letter.

As regards your going to America, I am corresponding with Sir Horace Plunkett on this subject and hope to be able to give you permission to do so on hearing from him.

Yours truly,

J. E. Maxwell.

Chuaigh Baintreach Uí Chonghaile í féin go dtí an oifig. Tháinig Maxwell ina hairicis agus a lámh sínte le lámh a chroitheadh léi. D'amharc sí díreach idir an dá shúil air agus choinnigh a lámh taobh thiar di.

237

IX

IARSCRIBHINN

AGUS SINN ag cur romhainn teagasc Shéamais Uí
Chonghaile a mheas ní miste sin a dhéanamh faoi
thrí cheannteideal ach gan a dhearmad nach bhfuil-
imid ach ag breathnú gnéithe éagsúla den teagasc sin a
d'eascair ón gcreideamh iomlán polaitiúil agus sóisialta ar
chaith sé a shaol ag saothrú ar a shon. Amharcfaimid ar
an gConghaileach, dá bhrí sin, mar náisiúnaí, mar cheard-
chumannaí agus mar shóisialaí.

Ní gá mórán a rá faoina theagasc náisiúnta. Thug sé
leis óna óige dearcadh náisiúnta na bhFíníní agus is é an
dearcadh sin a bhí riamh aige. Ghlac sé leis, ar an gcéad
dul síos, go gcaithfí neamhspleáchas polaitiúil a bhaint
amach d'Éirinn le go mbeadh sé indéanta go gcuirfí rath
ar shaol mhuintir na hÉireann agus le go mairfeadh cultúr
dúchasach na tíre. Agus sa dara háit, creid sé gur ghá dul
i mbun an lámh láidir leis an neamhspleáchas sin a bhaint
amach.

Thug sé dúinn léargas suntasach ar an bhfíorghrá tíre
sna focail seo :

" Éire gan a muintir ní ní liom í, agus an fear atá ag
dul as a chraiceann le grá ar Éirinn agus le díograis ar a
son agus ar féidir leis siúl tríd ár sráideanna agus iomlán
na héagóra agus an chruatain, na náire agus an truaillithe

atá á n-imirt ar mhuintir na hÉireann a bhreathnú . . .
gan a bheith i mbroid le deireadh a chur leis, níl ann, dar
liom, ach rógaire agus bréagadóir ina chroí is cuma cad é
mar ghránn sé an cumasc sin de dhúilí ceimiceacha arb áil
leis ' Éire ' a ghairm dó."

Ó tháinig ann dó shaothraigh an Conghaileach mar
eagraí ceardchumann, mar scríbhneoir agus mar óráidí ar
son lucht oibre na hÉireann. Ar mhaithe lena staidsean a
fheabhsú mhol sé agus bhain sé úsáid, feadh a acmhainne,
as an uile ghléas síochánta agus corraíle tionsclaí agus
polaitiúla.

Is é an cuspóir fadradharcach a mhol sé do ghluaiseacht
na gceardchumann in Éirinn, réabhlóid shóisialta agus phol-
aitiúil a chuirfeadh ar ceal an úinéireacht phríobháideach
chaipitil agus a bhunódh poblacht na n-oibrithe a mbeadh
an mhaoin táirgthe agus dáilithe i gcomhúinéireacht na
ndaoine inti. Idir an dá linn agus d'fhonn déanamh réidh
chuig an gcuspóir fadradharcach dhírigh sé é féin ar an
eagrú, ar an teagasc agus ar an gcorraíl de réir mar a
d'oir de thuras na huaire.

Mar mhodh eagraithe an lucht saothair mhol sé go
gcuirfí an ceardchumann tionscail, ceardchumann amháin
a mbeadh oibrithe uile an aon tionscail ceangailte inti, in
áit na gceardchumann ceirde nach raibh iontu ach lucht na
haon cheirde amháin. Agus mar bhreis air sin mhol sé an
Ceardchumann Mór Amháin a mbeadh an uile chineál
cheardchumann tionscail agus an uile oibrí ceangailte le
chéile ann agus an t-aon chineál chárta ballraíochta acu
go léir.

Cé nár dhiúltaigh sé don chaibideal agus don chomh-
shocrú idir fostaithe agus fostóirí ba mhó an dóchas a
bhí aige as an stailc thobann agus as an stailc chomh-
bhách. Dar leis gur as gníomhú ghléas na stailceanna seo
a chuirfeadh na hoibrithe eolas ar a neart féin agus a
chuirfeadh siad an neart sin ina luí ar na fostóirí. Chaith-
feadh an Lucht Saothair iad féin a eagrú sna ceardlanna,
sna longcheártaí agus sna monarchana le go mbeadh siad
in ann an tionscal a chur ina stad nuair a ba mhian leo

sin ar mhaithe lena gcuspóirí féin, agus fós le go mbeadh siad in ann dul i mbun stiúradh an tionscail an uair a chuirfeadh an réabhlóid shóisialta na hoibrithe i gceannas agus ina n-úinéirí ar an gcaipiteal.

Agus é ag teacht ar na tuairimí sóisialta a bhí aige, bhain Séamas Ó Conghaile a lán tacaíochta as teagasc Marx, ach go minic chuir sé toradh a mhachnaimh féin leis. Is iomaí cineál sóisialachais ann. Mar shampla, ba bheag an meas a bhí ag Marx ar an gceardchumannacht mar ghléas réabhlóide. Chreid an Conghaileach, áfach, go raibh gléas ag na hoibrithe sna ceardchumainn a d'fhéadfadh siad a úsáid leis an gcaipitleachas a bhriseadh. Dá bhrí sin ní bréag a rá gur siondacáiteachas* an cineál sóisialachais ar chreid an Conghaileach ann.

Ba é bunbhrí an tsóisialachais dar leis an gConghaileach gur leis an bpobal sealúchas na n-acmhainní táirgthe, nó, mar a dúirt sé féin, "na gléasanna táirgthe, malairte agus dáilithe." Dá bhrí sin, níor leor leis poblacht mura mbeadh poblacht na n-oibrithe ann, stát neamhspleách na hÉireann, a mbeadh rialtas poblachtach air agus ina mbeadh na gléasanna táirgthe go léir á sealbhú ag an stát. Ní bheadh siad faoi stiúradh an stáit, áfach. Bhí sé faiteach roimh ollchumhacht an stáit. Sa chomhlathas a raibh an Conghaileach á mheabhrú bheadh na tionscail faoi stiúradh comharaíochta cheardchumann na n-oibrithe a bheadh ag saothrú iontu, cé go mbeadh an úinéireacht dílsithe sa stát.

Chuir sé an teagasc sin go soiléir roimh a lucht leanúna arís agus arís eile. Tá sé le léamh againn arís agus arís eile ina scríbhinní. Breis bheag agus bliain sular básaíodh é d'fhoilsigh sé arís é ina leabhar *Athghabháil na hÉireann* mar tá ráite roimhe seo.

I dtaca leis an gcóras rialaithe de, is é a bhí i gceist ag an gConghaileach go dtoghfadh gach roinn den tionscal ionad-

---

* " Ón bhFraincis *Syndicat,* ceardchumann, gluaiseacht réabhlóideach an lucht saothair, a dhíríonn ar na ceardchumainn a úsáid leis an réabhlóid shóisialta a thabhairt i gcrích agus leis an tsochaí a stiúradh sa todhchaí." (Walter Theimer — *The Penguin Political Dictionary.*)

aithe le suí sa pharlaimint lárnach tionscail a mbeadh cúram riaraithe chúrsaí eacnamaíochta agus sóisialta na tíre air. Ghlacfadh an tionól gairmiúil seo áit na parlaiminte a thoghtar de ghnáth de réir toghlach ceantair, athrú ba ghá ar aon nós, dar leis, san aois seo nuair tá na tionscail i ndiaidh éirí níos tábhachtaí ná na heastáit talún.

Táthar ag iarraidh malairt teagaisc a chur síos anois don Chonghaileach. Deir Desmond Greaves (*The Life and Times of James Connolly* le C. Desmond Greaves), mar shampla, agus é ag tagairt d'alt a scríobh an Conghaileach sa *Workers' Republic* i mí Eanáir, 1916, faoin teideal *Economic Conscription* : "*All traces of syndicalism are now sloughed off in the heat of mental and practical struggle.*" Ach níl aon ní san alt sin nach bhfuil ag cur leis an seanteagasc. Agus ní hé sin amháin é ach b'ait linn fear a raibh intleacht an Chonghailigh aige agus fear a chaith a shaol ag plé agus ag scrúdú an tsóisialachais agus ag déanamh díospóireachta faoi arís agus arís eile leis an uile chineál sóisialaí agus a tháinig ina dhiaidh sin ar a thuairim féin, an tuairim sin a chaitheamh uaidh nuair a bhí sé ag déanamh réidh lena anam a imirt ar son na hÉireann gan an t-athrú creidimh sin, má b'ann dó, a mhíniú agus a dhéanamh soiléir thar aon amhras. Ní ar mhaithe leis an siondacáiteachas a chosaint is gá sin a rá, ach le go mbeimis in ann breith a thabhairt ar an teagasc ar chreid sé ann dáiríre.

Is féidir anois an teagasc sin a shuimiú mar a leanas :

(1) Baint amach neamhspleáchas d'Éirinn, agus Poblacht na nOibrithe a bhunú ann;

(2) É seo a dhéanamh trí mhodhanna síochánta dá mb'fhéidir sin, ach freisin

(3) Trí ghníomhaíocht 'tionscail' i.e., trí cheardchumainn tionscail a eagrú le smacht a chur ar chúrsaí tionsclaíocha a úsáidfí ar mhaithe le críocha polaitiúla;

(4) Na ceardchumainn sin teicníc stiúrtha na dtionscal a fhoghlaim le go mbeadh siad in ann stiúradh a ghlacadh as láimh faoi réim an stáit sóisialaigh;

241

(5) Nuair a bheadh neamhspleáchas polaitiúil bainte amach mar thoradh ar mhíleatacht an aicme saothair nó troid armtha dá mba ghá, rachfaí ar aghaidh le náisiúnú na talún agus an tsealúchais táirgthe go léir i dtreo an Chomhlathais Chomharaíochta, Poblacht Chomharaíochta Oibrithe na hÉireann.

Chreid Séamas Ó Conghaile go bhféadfaí an tsaoirse phearsanta a chosaint agus mí-éifeacht an mhaorlathais a smachtú sa chomhlathas sóisialta trí stiúradh na dtionscal éagsúla a fhágáil faoi na ceardchumainn a bhí á n-oibriú agus san am céanna an úinéireacht a fhágáil ag an stát. Is doiligh táigiúlacht an mholta a mheas ar an ábhar nár shainmhínigh sé é. Is léir go mbeadh sé an-deacair oibrithe uile tíre ar bith a eagrú i ndornán de cheardchumainn mhóra tionscail. Le blianta anuas tháinig fás ar líon na gceardchumann tionscail i gcomparáid leis na ceardchumainn ceirde sna Stáit Aontaithe mar shampla ; mar sin féin, bhí naoi milliún san American Federation of Labour (lucht na gceirdeanna) agus sé mhilliún sa Congress of Industrial Organisation (lucht na dtionscal) i 1955 nuair a cheangail siad.

Rud eile, ní féidir ach a cheapadh go raibh sé ró-dhóchasach as éifeacht stiúrtha tionscail na gceardchumann. Agus i dtaca le cosaint saoirse phearsanta na n-oibrithe nach mbeadh acu ach a bpoist sa tionscal sin mar shlí bheatha acu, b'fhurasta go n-imreodh na stiúrthóirí ceardchumannacha leatrom orthu ar mhaithe le reachtáil torthúil an tionscail. Agus tharla sé roimhe seo na ceannairí ceardchumannacha a bheith mí-éifeachtach i dtaca le gnó na gceardchumann féin de. Ach is é an chontúirt is mó a bheadh sa chóras go mbeadh saoirse phearsanta na n-oibrithe i mbaol ón rialtas lárnach féin ós ar an rialtas a bheadh cúram comheagraithe ghníomhaíocht eacnamaíoch na dtionscal éagsúla agus ós leis an rialtas an úinéireacht faoi dheireadh thiar agus ós aige a bheadh sé leis an stát a reachtáil go héifeachtach agus airgeadas an stáit a choinneáil slán.

Sa mhéid go raibh náisiúnú na talún ina chuid riachtanach den chomhlathas a bhí i gceist ag an gConghaileach, is intuigthe nach gan an-chorraíl agus gan dortadh fola a thabharfaí sin i gcrích in Éirinn. Is eol dúinn mar a tharla i dtíortha eile. Sa Rúis thug Stalin faoi aonsealbhú na talmhaíochta sa bhliain 1928. Díothaíodh cúig mhilliún de mhuintir na tuaithe agus de na feirmeoirí fuair cúig mhilliún eile bás ón ocras. Níor tháinig an talmhaíocht sa Rúis chuige féin ó shin. D'admhaigh Krushchev i 1953 go raibh líon na mbeithíoch faoi bhun an líon i 1915. Nuair a tháinig Gromulka i gceannas ar an Pholainn i 1956, chuir sé ar ceal aonsealbhú na talmhaíochta gan mhoill agus chuir sé na feirmeoirí i seilbh phríobháideach na talún arís.

Ar scor ar bith is ar éigean is gá " Comhlathas Comharaíochta " an Chonghailigh a scrúdú a thuilleadh ar an ábhar nach nglacann an chuid is mó de na sóisialaithe an lá tá inniu ann leis an gcineál sin eagraíochta sóisialta. Chuir na Sóivéidí reacht i bhfeidhm i ndeireadh 1917 sa Rúis leis na tionscail a chur faoi stiúradh na n-oibrithe. Ba léir taobh istigh de bheagán míonna go raibh toradh tubaisteach ar an socrú. " D'fháiltigh na hoibrithe roimh an gcóras nua mar ghléas lena mbainfeadh siad sásamh as na hathúinéirí agus as na hathbhainisteoirí agus mar ghléas le riar ar a ngnó pearsanta féin gan aird ar an lorg a d'fhág a ngníomha ar an tionscal ina iomláine." Ó lár 1918 cuireadh deireadh leis an gcóras nua agus cuireadh i bhfeidhm córas a bhí bunaithe a bheag nó a mhór ar an gcóras bainistíochta caipitlí. (*The Communist Party of the Soviet Union*—Leonard Schapiro.)

Ón gcéad chogadh mór i leith tá lucht leanúna an tsiondacáiteachais imithe leis an chumannacht a ghlacann le lársmacht an mhaorlathais ar an eacnamaíocht náisiúnta. Is dócha gurb é sin an fáth a bhfuiltear ag iarraidh a dhéanamh amach ar na saolta deireanacha seo gur thréig an Conghaileach an siondacáiteachas ar mhaithe leis an lársmacht.

Bhí míthreoir ar Shéamas Ó Conghaile nuair a mhol sé go gcuirfí deireadh leis an úinéireacht phríobháideach agus é ag iarraidh teacht ar leigheas ar na míchleachtais a d'éirigh as mí-úsáid na húinéireachta príobháidí. Tá an sóisialachas mar aon leis an gcaipitleachas monaplach ag claonadh ón ord eacnamaíoch ceart nadúrtha.

Mar sin féin sa mhéid gur mhol sé an chomharaíocht mar mhalairt ar an gcaipitleachas individiúlach agus an pharlaimint ghairmiúil in áit pharlaimint na dtoghlach ceantair bhí sé ag teacht cóngarach do na fírinní agus do na riachtanais sóisialta. San áit ar leis na baill agus nach leis an stát an gnó comharaíochta, is ionann é agus an úinéireacht phríobháideach. Ní thrasnódh an pharlaimint ghairmiúil ceart nádúrtha ar bith agus d'fhreagródh sí do riachtanais saol an lae inniu. Iontu féin is minic an dá ní molta ag scríbhneoirí de chuid na hEaglaise. Sa mhéid gur cuid den ghné seo de theagasc an Chonghailigh go nglacfadh an stát úinéireacht na ngléasanna táirgthe, malairte agus dáilithe in áit úinéireacht phríobháideach na ngléasanna sin tá an teagasc sin ag trasnú ar theagasc na hEaglaise agus is gá diúltú dó.

An ionann seo agus a rá gur chumannaí nó Marxach é an Conghaileach ? Is gá go ndéanfaimis dealú idir an dá théarma. Is fíor go bhfuil an Cumannachas bunaithe ar an Marxacht, ach tá gnéithe breise sa chéad chóras thar mar a theagasc Marx. Teagasc atá sa Mharxachas. Gluaiseacht shóisialaíoch réabhlóideach atá sa Chumannachas arna inspreagadh ag teagasc Marx a bhunaigh Lenin agus ar chuir Stalin an dlaíóg mhullaigh air. Is gluaiseacht é atá eagraithe go polaitiúil, go sóisialta agus go míleata agus atá i ndiaidh trian de phobal an domhain a chur faoina smacht. Maireann a shaothar gan stad san uile chearn agus é dírithe ar an domhan go léir a thabhairt faoina réim. Ó bhunú an Tríú Idirnáisiúntáin d'éiligh Lenin gur acu amháin a bhí an ceart teoiric agus gníomhú Marx a mhíniú.

Tá daoine ann nach nglacann leis an gceart sin ach a ghlacann a bheag nó a mhór le teagasc Marx ar chogaíocht na n-aicmí, ar chur ar ceal an tsealúchais phríobháidigh agus leis an ábharachas mar bhunús leis an tsochaí dhaonna

— trí chomhartha an tsóisialachais . . . (Quadragesimo Anno, alt 117).

Bhí an Conghaileach imithe ar shlí na fírinne nuair a tháinig an cumannachas, mar a bhunaigh Lenin é. Agus freisin, tá a lán ina theagasc nach réitíonn le teagasc an Chumannachais. Dá bhrí sin ní féidir a rá gur chumannaí é, ainneoin a bhfuil den bhéarlagar Marxach agus de theoiricíocht Marx ina theagasc. Níl an ceart, mar sin de, ag na daoine sin a mheallfadh sinn isteach sa ghluaiseacht chumannach á rá : "Ba Chumannaí é an Conghaileach, an tírghráthóir mór, is ceart leanúint ar a lorg." An mbeadh sé sásta glacadh leis an gcumannachas dá mairfeadh sé ? Ní féidir a rá ach é seo : Mura mbeadh sé le diúltú don mhéid a dúirt sé arís agus arís eile faoi thábhacht saoirse an duine, ní fhéadfadh sé glacadh leis an gcumannachas.

Ina dhiaidh sin an ceart a rá gur Marxach a bhí ann ? Is fíor gur mhinic a mhol sé Marx agus a theagasc. Níor dhiúltaigh sé d'aon ghnó ina scríbhinní d'aon ní dár theagasc Marx. Níor fhág sé amhras ar aon duine ná gur chuid dá chreideamh féin cogaíocht na n-aicmí mar a theagasc Marx í. "In our opinion his chief and crowning glory" (Labour in Irish History). Agus is ar éigean is gá a rá gur chuid bhunúsach dá theagasc cur ar ceal an tsealúchais phríobháidigh maidir leis na gléasanna táirgthe. Níl sé chomh furasta céanna teacht ar thuairim faoin seasamh a ghlac sé ar theagasc ábharachais Marx.

I mí Eanáir, 1916, bhí an Conghaileach i láthair ag léacht a thug an tAth. Labhrás, Caipisíneach, i Halla na gCeirdeanna i mBaile Átha Cliath. Scríobh sé alt faoin léacht ina dhiaidh sin :

"Glactar de ghnáth i mBaile Átha Cliath go léiríonn Eagarthóir an pháipéir seo na tuairimí is míleata agus, mar deirtear, na tuairimí is láidre i ngluaiseacht an Lucht Saothair. Tá áthas orainn, dá bhrí sin, a bheith in ann a rá go lánmhacánta nár léir dúinn aon bhundifríocht idir na tuairimí a nocht an tAth. Labhrás agus na tuairimí atá againn féin agus nach dtuirsímid dá nochtadh. Na difríochtaí a bhí ann ba chosúil le difríochtaí sainmhíniúcháin iad . . . *We both endorsed the principle embodying the things whose names we could not agree upon."* (*Workers' Republic*, 19.1.1916.)

Cé nár thuirsigh an Conghaileach riamh dá chreideamh sóisialaíoch a dhearbhú, an uair a chloiseann sé an teagasc Caitliceach á nochtadh ag sagart a bhfuil a thírghrá féin agus a chomhbhá féin leis an lucht oibre ann, ní léir dó aon bhundifríochtaí prionsabal idir a theagasc féin agus teagasc na hEaglaise. Is léir nár thuig sé na bundifríochtaí idir teagasc Mharx agus teagasc na hEaglaise, é sin nó nár thuig sé ina iomláine brí theagasc Marx.

" Bíodh sé tuigthe gan a thuilleadh moille nach gcorraíonn cáineadh na dTréadlitreacha (Carghais) ar an sóisialachas agus ar an siondacaíteachas sinn. Mar chórais iomlána machnaimh ní hann don dá phrionsabal seo, cibé a deireann nó a cheapann na hantoiscthigh. Is ann dóibh mar mhodhanna gníomhaíochta agus is maith ann iad. Is nuair a ghlactar leo mar chóras lánsaothraithe machnaimh a threoródh iompar an duine san uile ghné dá shaol agus, dá bhrí sin, a stiúrfadh moráltacht an duine dá réir, sin í an uair a bhíonn ceart ar bith ag na diagairí iad a cháineadh. Ach an tslí a bhfuil siad i ngluaiseacht an lucht oibre inniu viz, mar threoir ar línte gníomhaíochta sa saol tionsclaíoch agus polaitiúil — an t-aon slí ar dócha iad bheith coitianta nó úsáideach in Éirinn — d'fhéadfadh an Sóisialaí nó an Siondacáiteach a bheith ina Chaitliceach chomh maith leis an bPápa más mian leis sin." (*Irish Worker*, 28.2.1914.)

Is cosúil gur chreid an Conghaileach go bhféadfadh sé glacadh le réitithe agus le beartaíocht Marx gan glacadh leis an bhunfhealsúnacht. Is fíor, ainneoin aon rud dár scríobh sé nó dár dhúirt sé, gur ghlac sé féin gur Chaitliceach é agus d'ionsaigh sé go minic daoine eile a thug faoin eaglais.

" *Connolly never failed in his denunciation of the Church* (is ceart á rá nár ionsaigh sé an Eaglais ach ar cheist an tsóisialachais amháin) *to make clear he was a Catholic. One night when the straight question was asked was he a Catholic? He replied 'Yes'. Connolly's attitude was further seen in his dispute in America with Daniel de Leon on the question of the Church and marriage. De Leon never missed an opportunity to attack the 'Ultramontanism' of the Catholic Church. Connolly was opposed to dragging this question into the press."* (*Pioneering Days*, le Thomas Bell, arna aithris ag Deasún Ó Riain i *The Workers' Republic.*)

Deir Liam Mac Maolain i réamhrá le *The Workers' Republic* : " *Connolly . . . rose to his feet in a white heat of indignation passionately denouncing and literally wiping the floor with the speaker for daring to speak so slightingly and so disparagingly of a parish priest."*

Tá a fhios againn, má ghlac sé riamh dáiríre le hábharachas dialachtach Marx, rud nach bhfuil cinnte ar aon chor, go ndearna sé rogha ar deireadh de Chríost. Fuair sé bás sular baineadh triail as sóisialachas Marx áit ar bith. Dá mbeadh sé beo inniu le go bhfeicfeadh sé an toradh a lean ar an teagasc sin sna tíortha ina bhfuil sé i bhfeidhm ba dheacair a ghlacadh go mbeadh sé sásta leis. Sé is dóichí go n-áireofaí é ar an slua mór sin de dhaoine a chreid uair amháin sa " dia a loic ".

Cad é an lorg, mar sin de, a d'fhág Séamas Ó Conghaile ar shaol na hÉireann ? I dtaca leis an sóisialachas de níl blas dá theagasc ar Fhorógra na Poblachta. B'fhéidir gurbh é an Conghaileach ba chúis leis na focail sin a bheith ann :

" Dearbhaímid gur ceart ceannasach dochloíte é ceart mhuintir na hÉireann chun seilbh na hÉireann." Más é, agus más é ba mhian leis an Phoblacht a cheangal ieis an sóisialachas is fada na focail sin ó bheith soiléir agus níor ghnách leis an gConghaileach a bheith míshoiléir in aon ní dár chuir sé ar pháipéar. Tá sé le ciall, mar sin de, go nglacfaí leis an abairt mar abairt ghinearálta le fírinne thábhachtach pholaitiúil a nochtadh.

Tá an abairt sin as an bhForógra le fáil focal ar fhocal i gClár Daonlathach na Chéad Dála. Rinneadh soiléiriú éigin uirthi sa doiciméad sin ach deirtear ann gur " i bhfocail ár gcéad Uachtaráin, Pádraig Mac Piarais " a rinneadh sin.

Bunaíodh an chéad stát Cumannach sa Rúis i 1917. Is suimiúil an tuairisc ar an bhaint a bhí ag Éirinn leis an stát sin atá le fáil i leabhar a foilsíodh sa Rúis dhá bhliain ó shin : " I dtús óige an Stáit Éireannaigh bhí comhráite ag an Rialtas Sóivéideach le taidhleoirí Éireannacha trína ionadaí i Stáit Aontaithe Mheiriceá, le súil go nglacfadh an dá stát lena chéile, ach ní raibh toradh ar na comhráite sin." (*Gosudarstvenny Stroi Irlandii* — *Gréasán an Stáit in Éirinn.* — A. A. Uglov*)

I mBunreacht na hÉireann deimhnítear gur stát ceannasach neamhspleách daonlathach Éire agus ráthaíonn an Stát gan aon dlí a achtú ag iarraidh ceart mhaoin phríobháideach ná gnáthcheart an duine chun maoin a shannadh agus a thiomnadh agus a ghlacadh ina hoidhreacht a chur ar ceal. Níl aon rian de theagasc an Chonghailigh faoi " sheilbh phoiblí a bheith ag muintir na hÉireann ar an talamh agus ar na gléasanna táirgthe, dáilithe agus malairte " le fáil ar Bhunreacht ná ar dhlí na hÉireann.

Ba é an Conghaileach a mhol go mbunófaí Páirtí Lucht Oibre na hÉireann, ag cruinniú bliantúil Chomhdháil Cheardchumainn na hÉireann sa bhliain 1912, mar tá ráite roimhe seo. Mhair an Páirtí agus an Chomhdháil taobh le taobh go dtí 1930, nuair a socraíodh go leanfadh an Páirtí as a chonlán féin agus go bhfágfaí cúrsaí polaitiúla faoi. Mar sin atá ó shin agus tá sé le maíomh ag an bPáirtí go bhfuil sé ann gan bhriseadh ón uair a bunaíodh é mar thoradh ar rún sin Uí Chonghaile.

Deir bunreacht (1960) an Pháirtí go bhfuil sé mar chuspóir aige poblacht daonlathach a thógáil a bheas bunaithe ar theagasc sóisialta an Chonghailigh.

Deir alt a trí de bhunreacht an Pháirtí go nglacann an Páirtí, " agus é ag aithint cearta an tsealúchais phríobháidigh, le córas Rialtais a chinnteoidh nuair a éilíonn an leas coiteann é go dtabharfar na tionscail agus na seirbhísí

*Arna aithris ag Risteárd Ó Glaisne in alt " An Cumannachas in Éirinn " i *Comhar*, Iúil, 1962.)

riachtanacha faoi úinéireacht phoiblí agus faoi smacht daonlathach ". Is léir gur mór idir sin agus " córas ina mbeidh an náisiún ag sealbhú na gceardlanna, na monarchana, na nduganna, na mbóithre iarainn, na longcheártaí, srl., ach go mbeidh siad faoi stiúradh na gceardchumann tionscail." *(Athghabháil na hÉireann.)*

An ndeachaigh an teagasc sin i bhfeidhm ar aon slí ar mhuintir na hÉireann ? Ar éigean é. Tháinig dreamanna beaga os comhair an phobail ó am go ham in ainm an tsóisialachais nó an chumannachais ach ní bhfuair siad tacaíocht fiú agus iad á gcur féin in iúl mar cheartoidhrí Shéamais Uí Chonghaile. Tá dreamanna beaga mar iad ann in Éirinn i gcónaí agus tá dreamanna i Sasana agus Éireannaigh orthu ar a ndícheall ag iarraidh tacaíocht a fháil ó na hÉireannaigh ar imirce thall. Eatarthu uile is beag a dtionchar ar shaol na hÉireann.

Ar an láimh eile, leanann toradh i gcónaí ar theagasc Shéamais Uí Chonghaile, Ceardchumannach. Sa teachtaireacht a chuir Uachtarán Chomhdháil Cheardchumainn na hÉireann, Liam Mac Giolla Phádraig, chuig Coiste Comórtha Chuimhne Uí Chonghaile, 1962, dúirt sé : " Is mithid an bunteagasc a thug an Conghaileach dár ngluaiseacht a thabhairt chun cuimhne. Ina scríbhinní, ina shaothar agus ina bhás léirigh sé an géarghá atá leis an machnamh agus leis an oideachas, leis an aontas cuspóra, leis an treoir oilte, leis an ghníomhaíocht smachtaithe agus leis an dílseacht dhíograiseach dár bprionsabail . . .

" Má bhí a lán ag brath in óige na gluaiseachta ar an misneach coirp agus ar an eagar míleata is é atá ag teastáil inniu an neart morálta agus an umhlaíocht do thoil an mhóraimh. Ba ar mhaithe leosan a chaith an Conghaileach a shaol ag teagasc agus ag troid agus a d'imir sé a anam ar son mhuintir a thíre sa deireadh."

Díreach roimh an Éirí Amach bhí tuairim agus cúig mhíle ball ag an gCeardchumann Oibrithe Iompair agus Ilsaothair agus bhí tuairim agus £96 sa chiste acu. I ndiaidh na hÉirí Amach agus an Conghaileach marbh, bhí cuid de na hoifigigh i bpríosún, bhí Halla na Saoirse scriosta agus cáipéisí an Chumainn i seilbh an Chaisleáin. Bhí baol ann go raibh deireadh leis an gCeardchumann. Ach i gcruthúnas gur mhair spríd Uí Chonghaile iontu, thug na baill faoin obair atógála. Agus Iubhaile Órga an Cheardchumainn á comóradh bhí 150,000 ball ann agus bhí socmhainní thar £1,000,000 aige. D'fhéadfaí a rá nárbh fhiú faic na figiúir sin dá mbeadh an Ceardchumann tar éis spríd na gluaiseachta a thréigean. Ní léir aon trá i ndíograis nó i ndílseacht an Cheardchumainn. An spríd a chothaigh an Conghaileach sa chumann agus sna baill, maireann sé go beo. Agus tá sé ag cur leis an spríd sin go nglacann an cumann le cúraimí thar ghnáthchúraimí ceardchumannacha, le cúraimí cultúrtha agus oideachasúla agus le cúraimí i leith an náisiúin. Tá sé glactha ag an gC.O.I. & I.É., mar chúram ar leith dá gcuid scríbhinní Uí Chonghaile a choimeád i gcló, agus tábhacht a shaothair a choimeád os comhair an phobail.

An ní atá ráite thuas faoi cheardchumann an Chonghailigh féin is fíor é a bheag nó a mhór faoi na ceardchumainn eile agus faoi ghluaiseacht na gceardchumann i gcoitinne. Cé go bhfuil spríd an Chonghailigh, Ceardchumannach, beo bríomhar sa ghluaiseacht, níor fhás an ghluaiseacht sa treo ba mhian leis de réir theoiric an Cheardchumannachais Thionsclaígh. Mar atá ráite roimhe seo, fuair na sóisialaithe féin i dtíortha eile an teoiric sin easnamhach mar ghléas gníomhaíochta polaitiúla. Ní raibh sé i ndán dó go nglacfaí leis in Éirinn. Ón uair a socraíodh ar chúrsaí polaitiúla a fhágáil faoi Pháirtí an Lucht Oibre, chloígh Comhdháil Cheardchumainn na hÉireann ar fad leis an ghníomhaíocht tionsclaíoch amháin, nach mór. Ní hionann sin agus a rá nár sheas gluaiseacht na gceardchumann i gcoitinne leis an idéalaíocht náisiúnta nuair ba ghá, díreach mar a d'imir an ghluaiseacht a páirt go fíor i gcogadh Gael le Gallaibh riamh anall.

Is mar threoraí náisiúnta, mar dhuine de sheachtar sínitheoirí Fhorógra na Poblachta a réitigh chun na hÉirí Amach agus a thug a n-anam ar son a n-aislinge, is mó is dócha a d'imigh agus a rachaidh an Conghaileach i gcionn ar Éirinn. Leanann toradh ar a theagasc náisiúnta ; leanann toradh do-áirmhithe ar ghníomh sin na Cásca. Chuir sé anam nua in Éirinn. Chuir sé an síol as ar fhás glúin athghinte Gael, agus as ar tháinig réim nua in Éirinn. Is fada a bhlasfaidh muintir na hÉireann de thoradh an ghnímh sin.

Bhí Séamas Ó Conghaile ar fhir mhóra bhunaitheoirí na hAiséirí. Fad agus a mhairfidh an náisiún seo cuimhneofar air mar fhear a ghráigh na bochta agus a chaith a shaol ag saothrú ar a son. Cuimhneofar ar an bhfear a fuair na hoibrithe ar a nglúine agus a chuir ar a gcosa iad. Agus ní dhearmadfar lena linn sin an fear mór eile sin a raibh lámh san obair sin, Séamas Ó Lorcáin.

Agus fad agus a mhairfidh an náisiún seo ann cuimhneofar ar an gConghaileach mar threoraí náisiúnta agus mar cheannaire náisiúnta a ghráigh a mhuintir agus a thug a anam le go mairfeadh siad.

CRÍOCH

AGUISÍN

SÓISIALACHAS

BÁ é Críost a thug teagasc na carthanachta don chine daonna agus fiú nuair a tréigeadh an Creideamh mhair aisling an cheartais i gcroí shibhialtacht na hEorpa. Ar ndóigh, lean an Eaglais i gcónaí i mbun a cúraim ar son na mbocht agus na ndaoine a bhí faoi chois. B'fhada daoine nach raibh ag géilleadh dílseachta di nó do Chríost féin ag beartú scéimeanna le teagasc Chríost faoi ghrá na gcomharsan a fheidhmiú agus iad lena linn ag diúltú don chéad mhír de theagasc na carthanachta go ngráfaí Dia ár dTiarna, b'fhada iad ag beartú scéimeanna a bhronnfadh ar an gcine daonna, má b'fhíor dóibh féin, saol mar a bheadh flaitheas Dé ann ar an saol seo. An polasaí is mó díobh seo a bhí ag fáil tacaíochta le himeacht aimsire ba é a bhunphrionsabal an mhonaplacht stáit nó bhardais a chur in áit an úinéireacht phríobháideach maoine. Ar ball aithníodh an teagasc sin faoin teideal "sóisialachas". D'fhéadfaí a rá gur sa bhliain 1817 a cuireadh tús leis an sóisialachas nuair a thosaigh Robert Owen a scéimeanna faoi chomhlachtaí sóisialacha agus thosaigh Comte Henri de Saint Simon ar a smaointe a dhíriú sa treo céanna.

Sa bhliain 1848 foilsíodh doiciméad dar theideal *An Forógra Cumannach* a thug sainmhíniú ar an sóisialachas. Beirt darbh ainm Karl Marx (Mordechai a cheartainm, de bhunadh Giúdach, Caitlicigh a thuistí) agus Friedrich Engels a scríobh. Cuid de na moltaí a rinneadh ann : An Stát seilbh a ghlacadh ar iomlán an mhaoin talún agus é a ligean ar cíos ; deireadh a chur le ceart na hoidhreachta ; státú na mbanc agus an chóras iompair agus bunú tionscal faoin stát agus eagrú arm tionsclaíoch go háirithe le haghaidh obair thalmhaíochta.

Sa bhliain chéanna sin, 1848, chuir an tAthair Wilhelm

Emmanuel von Ketteler, Easpag Mainz ar ball, an Ghluais-
eacht Shóisialta Chaitliceach ar bun sa Ghearmáin agus
sraith léachtaí á thabhairt aige inar ionsaigh sé peacaí an
chaipitleachais agus mhol réiteach na hEaglaise ar staid
na n-oibrithe. Sa tseanmóir a thug sé ar Theagasc na
Críostaíochta ar Chearta an tSealúchais thagair Von
Ketteler d'abairt chlúiteach de chuid Proudhon, Francach
a chuir a dhóchas san ainrialachas, " Sé is maoin ann goid,"
agus dúirt sé, " Tá níos mó ná an lombhréag san abairt,
tá ann an fhírinne scanrúil nach leor mar fhreagra air an
drochmheas agus an fhonóid . . . Dé réir mar a scairteann
an duibheagán ar an duibheagán, is ea a scairteann peaca
amháin in éadan an nádúir ar an bpeaca eile. As an an-
chuma a cuireadh ar cheart na húinéireachta saolaíodh
teagasc bréagach an chumannachais."

Sa bhliain 1867 d'fhoilsigh Marx *Das Kapital*. Ba ócáid
ar leith i stair an tsóisialachais an foilsiú, agus thug sé
teagasc soiléir agus neart intleachtúil feasta don sóisial-
achas. Chomh maith leis an ionsaí ar an sealúchas príobh-
áideach, bhí a chomharthaí ar leith ar theagasc Marx as
a n-aithneofaí é feasta : an t-ábharachas, míniú eacnam-
aíoch na staire agus cogaíocht na n-aicmí, an foréigean, an
doirteadh fola agus an réabhlóideachas mar ghléasanna
lena mbainfí amach, dar leis, an chomhthromaíocht, an
tsaoirse, an chomharaíocht, an bráithreachas agus an
rathúnas. Trí chogaíocht na n-aicmí agus trín réabhlóid-
eachas thabharfaí i gcríoch scrios an chórais chaipitligh,
díobhadh an tsealúchais phríobháidigh agus bunú dheacht-
óireacht na prólatáireachta.

B'shin é i mbeagán focal teagasc Marx agus a lucht
leanúna ó shin i leith. Bhí aicme eile sóisialach a ghlac
go bhféadfaí státú na maoine agus sealbhú na ngléasanna
táirgthe a thabhairt ann trín réabhlóideachas ina mbainfí
úsáid as modhanna síochánta bunreachtúla.

Sa bhliain 1891 d'fhoilsigh an Pápa Leo XIII an imlitir
Rerum Novarum ar a dtugtar, de ghnáth, mar theideal
" Cairt na nOibrithe ". San imlitir sin, i ndiaidh don Phápa
ainghníomhartha an Chaipitleachais ainsrianta a lochtú

cháin sé an sóisialachas as dia a dhéanamh den stát agus as na cearta nádúrtha a shéanadh, luigh sé ar cheart agus ar dhualgas an stáit na hoibrithe a chosaint, dhearbhaigh sé ceart teacht le chéile na n-oibrithe i gcumainn, chosain sé an sealúchas priobháideach agus d'agair go gcuirfí an comhoibriú in áit chogaíocht na n-aicmí.

Tá freagra ar theagasc *Das Kapital* i *Rerum Novarum*, agus ar an gCumannachas agus ar an Sóisialachas faoin iliomad gné. D'fhoilsigh an Pápa Pius XI Imlitir i 1931 le cuimhne daichead bliain a foilsithe a chomóradh agus dúirt sé faoi " gur leag sé síos don uile dhuine na rialacha is cinntí a réiteoidh i gceart an cheist shóisialta ". Chuir an Pápa Pius XI síos san Imlitir seo ar an sóisialachas sna focail seo :

" De réir teagasc Chríost cuireadh an duine, ar bronnadh nádúr sóisialta air, ar an saol seo lena bheatha a chaitheamh sa chumann sóisialta, le go bhforbródh agus le go dtabharfadh sé in éifeacht a bhuanna chun onóra agus chun glóir a Chruthaitheora, agus trí dualgais a chúraim a chomhlíonadh go dílis, le go mbainfeadh sé sonas ar an saol seo agus sa saol eile. Mar mhalairt air sin dearbhaíonn an sóisialachas, agus é lán aineolach ar chríoch uasal seo an duine agus an chumainn sóisialta ar aon nó neamhairdeach iontu, go bhfuil an cónaí sa chumann sóisialta ann ar mhaithe amháin leis an gcine daonna." Agus dúirt sé : " Ní féidir le haon duine a bheith san am céanna ina Chaitliceach dílis agus ina fhíor-shóisialaí." (*Quadragesimo Anno* — Ailt 118, 120).

Chuir an Pápa Pius XI síos ar an gcineál ar leith sin den sóisialachas dá ngairmtear an Cumannachas in Imlitir ar leith, *An Cumannachas Aindiach* : " Tá teagasc an Chumannachais nua-aimseartha bunaithe ina shubstaint ar phrionsabail an ábharachais dhialachtúil agus stairiúil a chraobhscaoil Marx roimhe seo agus a mhaíonn teoiricithe an Bhoilséiveachais gurb acu amháin atá an sainmhíniú fírinneach. De réir an teagaisc seo níl ar an saol ach an t-aon réaltacht, ábhar a bhforásann a chumhacht dhall ina

planda, ina hainmhí agus ina duine . . . Ina leithéid
de theagasc, mar is léir, níl áit do Dhia nó dá leithéid de
smaoineamh, níl difríocht idir ábhar agus sprid, idir anam
agus corp, ní marthanach don anam i ndiaidh báis nó níl
dóchas ar bith as an saol atá le teacht (alt 9)." Agus é ag
déanamh soiléir a mhinicí cheana a dhamnaigh na Pápaí an
teagasc seo, ghuigh an Pápa Pius XI go bhfillfeadh siadsan
a bhí i ndiaidh géilleadh don teagasc sin ar theagasc Chríost
agus chuir sé feachtas na hEaglaise i gcoinne an Chumann-
achais faoi choimirce Iósaif Naofa Oibrí " a bhain dó féin
an teideal : cóir ".

SCRÍBHINNÍ SHÉAMAIS UÍ CHONGHAILE

1896 *Rights of Ireland and Faith of a Felon* (Scríbhinní
F. Uí Leathlobhair)
1897 *Erin's Hope : The End and the Means.*
1897 *'98 Readings.*
1901 *The New Evangel.*
1907 *Songs of Freedom.*
1909 *Socialism Made Easy.*
1910 *Labour, Nationality and Religion.*
    Labour in Irish History.
1913 *The Watchword of Labour* (Amhrán).
1914 *Old Wine in New Bottles.*
1915 *The Reconquest of Ireland.*
1916 (Léiríodh) *Under Which Flag ?* (Dráma).

Scríobh sé a lán aistí do na tréimhseacháin agus do na tréimh-
seacháin seo go háirithe :
The Workers' Republic (Lúnasa, 1898 - Bealtaine, 1903).
The Harp (1908 - 1910).
The Irish Worker (1911 - 1914).
Forward (Glaschú 1910 - 1915).
The Worker (1914 - 1915).
The Workers' Republic (1915 - 1916).

Tá bailiúchán dá scríbhinní éagsúla as na tréimhseach-
áin curtha in eagar ag Deasún Ó Riain faoi na teidil :

Socialism and Nationalism, The Workers' Republic agus *Labour and Easter Week.*

LEABHAIR

Aloysius, An tAthair, O.F.M. Cap : *Capuchin Annual* (Baile Átha Cliath, 1942).

Berdyaev, Nicholas : *The Russian Revolution* (Londain, 1931).

de Blacam, Aodh : *What Sinn Féin Stands For* (Baile Átha Cliath, 1921).

de Búrca, Séamas : *The Soldier's Song* (Baile Átha Cliath, 1958).

Cahill, Rev. E., S.J.: *The Framework of a Christian State* (Baile Átha Cliath, 1932).

Carty, James : *Bibliography of Irish History, 1912 - 1921* (Baile Átha Cliath, 1936).

Cashman, D. B.: *Life and Times of Michael Davitt* (Londain).

Clune, Rev. P., D.D.: *The Social Question in Ireland* (Baile Átha Cliath, 1930).

Cole, C. D. H.: *The World of Labour* (Londain).

Cruise O'Brien, Conor (Eagarthóir) : *The Shaping of Modern Ireland* (Baile Átha Cliath, 1960).

Curtis, Edmund : *A History of Ireland* (Londain, 1936). *Stair na hÉireann sa Mheán-Aois,* arna aistriú ag Tomás de Bhial (Baile Átha Cliath, 1956).

Davies, Dr. Noelle : *Connolly of Ireland* (Caernarfon, 1946).

Davitt, Michael : *Fall of Feudalism in Ireland* (Londain, 1904).

Devoy, John : *Devoy's Post Bag,* Ed., William O'Brien and Desmond Ryan (Baile Átha Cliath, 1953).

Dillon, Geraldine : *Irish Republican Brotherhood in University Review,* Vol. II, No. 9. (Baile Átha Cliath).

Edwards, R. Dudley and T. D. Williams : *The Great Famine* (Baile Átha Cliath, 1956).

Fahey, Rev. Denis : *The Mystical Body of Christ in the Modern World* (Baile Átha Cliath, 1942).

Fox, R. M.: *Connolly, the Forerunner* (Trá Lí, 1946).
History of the Irish Citizen Army (Baile Átha Cliath, 1943).
Jim Larkin (Londain, 1957).

Freemantle, Anne : *The Papal Encyclicals* (Nua-Eabhrac, 1956).

de Fréine, Seán : *Saoirse gan Só* (Baile Átha Cliath).

Gonne, Maud : *Servant of the Queen* (Baile Átha Cliath, 1950).

Greaves, C. Desmond : *The Life and Times of James Connolly* (Londain, 1961).

Handley, James E.: *The Irish in Scotland* (Corcaigh, 1945).
The Irish in Modern Scotland (Corcaigh, 1947).

Hernshaw, T. T. C.: *A Study of Socialism* (Londain, 1929).

Hold, Edgar : *Protest in Arms* (Londain, 1960).

Horgan, J. J.: *Parnell to Pearse* (Baile Átha Cliath, 1948).

Irish Transport & General Workers' Union : *The Attempt to Smash the I.T.G.W.U.* (Baile Átha Cliath, 1924).
Some Pages from Union History (Baile Átha Cliath, 1927).
Fifty Years of Liberty Hall (Baile Átha Cliath, 1959).
Liberty éisiúintí éagsúla.

Lalor, James Fintan : *Collected Writings*. Eag., Bean Th. Uí Thuama (Baile Átha Cliath, 1947).

Le Roux, Louis H.: *Life of Patrick Pearse* (Baile Átha Cliath, 1932).

Lucey, Rev. Cornelius, M.A., D.D., DdPh.: *The Social Encyclical* (Baile Átha Cliath).

Lynch, Diarmuid : *The I.R.B. and the 1916 Rising* (Corcaigh, 1957).

Macardle, Dorothy : *The Irish Republic* (Baile Átha Cliath, 1951).

McCarthy, Michael J. F.: *Five Years in Ireland, 1895-1900* (Baile Átha Cliath, 1903).

MacDonagh, Niall : *Unwritten Page of Irish History in Rhetorician* (Vol. III, No. 11. 1961).

Mac Néill, Eoin : *Phases of Irish History* (Baile Átha Cliath, 1937).

Mc Neill, Mary : *Life and Times of Mary Ann McCracken, 1770-1866* (Baile Átha Cliath, 1960).

Mac Piarais, Pádraic : *Political Writings and Speeches* (Baile Átha Cliath, 1922).

Maritain, Jaques : *Christianity and Democracy* (Londain, 1945).

Markham, S. F.: *History of Socialism* (Londain).

Martin, Rev. F. X., O.S.A. : *Eoin Mac Néill on the 1916 Rising* (*Irish Historical Studies*, Márta, 1961).

Monteith, Robert: *Casement's Last Adventure* (Baile Átha Cliath, 1953).

Murphy, J. T.: *Modern Trade Unionism* (Londain).

Ó Briain, Liam : *Cuimhní Cinn* (Baile Átha Cliath, 1951).

O'Brien, George : *Economic History of Ireland in the 18th Century* (Baile Átha Cliath, 1918).
Economic History of Ireland from the Union to the Famine (Baile Átha Cliath, 1921).

O'Brien, Nora Connolly : *Portrait of a Rebel Father* (Baile Átha Cliath, 1935).

Ó Broin, Leon : *Emmet* (Baile Átha Cliath, 1954).

Ó Faoláin, Seán : *Constance Markievicz* (Londain, 1934).

Ó Cathasaigh, P. (Seán) : *The Story of the Irish Citizen Army* (Baile Átha Cliath, 1919).

O'Connor, Sir James : *History of Ireland, 1798-1924* (Londain, 1925).

O'Hegarty, P. S.: *A History of Ireland under the Union 1801-1922* (Londain, 1952).
The Victory of Sinn Féin (Baile Átha Cliath, 1924).

Ó Lúing, Seán : *Art Ó Gríofa* (Baile Átha Cliath).

Report of Inquiry into Housing of the Working Classes of the City of Dublin, 1939/'43 (Baile Átha Cliath).

Report of the Royal Commission on the Rebellion in Ireland (Londain, 1916).

Ryan, Desmond : *James Connolly, with a preface by H. W. Nevison* (Baile Átha Cliath, 1924).
Remembering Sion (Londain, 1934).

The Man Called Pearse (Baile Átha Cliath, 1933).

The Phoenix Flame (Londain, 1937).

The Rising (Baile Átha Cliath, 1951).

(Ed.) *Socialism and Nationalism* (Baile Átha Cliath,, 1948).

(Ed.) *Labour and Easter Week* (Baile Átha Cliath, 1949).

(Ed.) *The Workers' Republic* (Baile Átha Cliath, 1951).

Ryan, W. P.: *The Irish Labour Movement* (Baile Átha Cliath, 1917).

Schapiro, Leonard : *The Communist Party of the Soviet Union* (Londain, 1960).

Shaw, Herbert : Aguisín le *Opportunity Knocks Once,* Sir Campbell Stuart (Londain).

Strauss, E.: *Irish Nationalism and British Democracy* (Londain, 1951).

Trevelyan, G. M.: *English Social History* (Londain, 1948).

Waldron, John : *Ireland, an Historical Review* (Baile Átha Cliath, 1958).

Ward, Barbara : *Faith and Freedom* (Londain, 1950).

Ware, Norman J.: *Labour in Modern Industrial Society* (Nua-Eabhrac).

Webb, Sidney and Beatrice : *The History of Trade Unionism* (Londain).

Weekly Irish Times : *Sinn Féin Rebellion Handbook* (Baile Átha Cliath, 1917).

White, Captain J. R.: *Misfit* (Londain, 1930).

GLUAIS

ábharachas—materialism.
absalóideachas—absolutism.
aindiachas—atheism.
ainrialachas—anarchism.
aintoisctheach—extremist.
aonsealbhú—collectivism.
capiteal—capital.
caipitleachas—capitalism.
ceardchumann tionsclaíoch—industrial union.
ceardchumannachas tionsclaíoch—industrial unionism.
ceartchreideamh—orthodoxy
cearta sealúchais—property rights.
coimeádach—conservative.
comhlathas comharaíoch—co-operative commonwealth.
comhúinéireacht—common ownership.
cónascadh—federation.
cumannachas—communism.
cumannaí—communist.
dialactaic—dialectic.
éabhlóideachas—evolution.
feiniméan—phenomenon.
idé—idea.
idéalach—ideal.
idéalachas—idealism.
idé-eolaíocht—ideology.
maorlathas—bureaucracy.
moghsaine—serfdom.
olagarcacht—oligarchy.
pandiachas—pantheism.
prólatáireacht—proletariat.
seobhaineachas—chauvinism.

sintéis—synthesis.
siondacáiteachas—syndicalism.
stailc chomhbhách—sympathetic strike.
sochaí—society.
uaslathas—aristocracy.
uilí—universal.

TREOIR

262

Clúdach le Karl Uhlemann.   Léaráidí le caoinchead C.O.I. & I.É. agus an Mhúsaeim Náisiúnta.